T. Le Haye y  S0-AKC-806

CÓMO ALEJAR
LA DEPRESIÓN

SAN PABLO

© P. Eliécer Sálesman
Derechos cedidos por el Autor a:
© **SAN PABLO ECUADOR, 2004**
Andagoya 388 y Av. América - C. P. 17-03-866
Tel.: (2) 254.16.50 - Fax: (2) 223.14.44
E-mail: specua@uio.satnet.net
www.sanpaolo.org/ecu/home.htm
Quito - Ecuador

ISBN: 9978-06-017-0
Distribución:
Ecuador
Ventas: Andagoya 388 y Av. América - C. P. 17-03-866
Tel.: (2) 254.16.50 - Fax: (2) 223.14.44
E-mail: specua@uio.satnet.net
Quito - Ecuador

Costa Rica
Calle 9 Avenida Central y Segunda
Tel.: 2565005 - Fax: 2562857
E-mail: spablocr@racsa.co.cr
San José - Costa Rica

Panamá
Boulevard El Dorado - Av. 17B Norte, Edificio Park View 1
Apartado 6-7210 El Dorado
Tels.: 2603738 - 2604862 - Fax: (507) 2606107
E-mail: pablopa@cableonda.net
Panamá - República de Panamá

Estados Unidos
Alba House: 2187 Victory Boulevard
Tel.: (718) 7610047 - Fax: (718) 7610057
E-mail: sspsiny@aol.com
Staten Island, New York N. Y. 10314-6603 U.S.A.

Guatemala
11 Calle 0-49 Zona 10 Local A
Tels: 360.27.15 - 360.27.65 - 360.27.35
Ciudad de Guatemala

Con aprobación eclesiástica

Queda hecho el depósito que ordena la Ley

Introducción

Hace poco la revista psicológica más importante de Estados Unidos dedicó su artículo central al siguiente título: *"Hay que emprender la batalla contra la depresión"*.

¿Y cómo ganar esa batalla contra la depresión?

No hay duda alguna de que la depresión viene ocupando el primer puesto en la lista de las enfermedades mentales en los países más civilizados. Es una enfermedad que se ha vuelto epidémica, y sus resultados más frecuentes son: la úlcera, la jaqueca, la embriaguez, el envejecerse antes de tiempo, las drogas, la prostitución, la locura y..., el suicidio.

Un especialista en psiquiatría sabe que en su sala de consejero la enfermedad que más aparece cada día es la depresión. Es un malestar que avanza como uno de esos terribles huracanes de Centroamérica, dejando por donde pasa la ruina y la desolación.

Estas lecturas que vienen a continuación las redactamos después de haber experimentado por años y años, y en los mejores laboratorios de psicología, los remedios que pueden lanzar a la depresión la orden fulminante: "De aquí no pasarás. Detente y retrocede". Y hemos visto con gran consolación que si se practica lo que aquí enseñamos, la depresión obedece la orden de retroceder, echa pie atrás y va desapareciendo.

Poco a poco, después de aconsejar a muchísimas personas, hemos logrado unas fórmulas que para muchos han resultado beneficiosas. Las hemos escrito en este libro para que los lectores puedan beneficiarse con unas fórmulas que a muchas personas en muchos países les han devuelto la paz.

Un médico estimadísimo despreciaba olímpicamente nuestras recomendaciones, diciendo que afortunadamente él tenía un carácter alegre y no tenía peligro de que llegara la depresión. Pero, como "nadie puede decir: de esta agua no beberé", de un momento a otro, y de manera impensada, a este querido colega se le murió el ser que más amaba en la vida. Experimentó entonces en carne propia la más devastadora enfermedad mental: un grave proceso depresivo, y por vez primera pudo identificarse con lo que es el frío apático y desesperanzado sentimiento de los deprimidos. Fue entonces cuando dispuso usar las fórmulas que vamos a presentar en este libro. Y su depresión se fue yendo como huyen las sombras al llegar la luz del sol por la mañana. Hace poco nos escribía: "En estos dos años he sufrido otras cuatro depresiones, porque la pena de aquella muerte fue espantosamente fuerte para mí. Pero he descubierto que cada vez que utilicé las fórmulas del Dr. Le Haye (las que vamos a dar aquí), la depresión se alejó, y retornó la paz. Ahora que ya sé lo que es la depresión, por mi experiencia personal, les insisto en que publiquen sus fórmulas para evitar este mal, porque a esta terrible epidemia de la depresión hay que atacarla como se atacaría al más temible de los asesinos".

De una cosa estamos seguros, amable lector: que no somos víctimas obligadas de la depresión. Si alguno de los que estas páginas leen, ha sufrido o está sufriendo este horrendo mal, o lo sufre alguno en su familia o entre sus amistades, sepa con alegría que hay medios y fórmulas para triunfar contra tal enemigo de la paz y de la alegría. Se los vamos a dar enseguida. Si se aplican con seriedad, harán retroceder la depresión y hasta pueden lograr que desaparezca.

UN PROBLEMA QUE SE LLAMA DEPRESIÓN

(Depresión = decaimiento de ánimo)

¿QUIÉNES SUFREN ESTE PROBLEMA?

Llega al consultorio del psiquiatra la señora "Tengolotodo". Nada le falta. Casa de lujo y de millones. Vestidos distintos para cada día del mes. Tres hijos estudiando con mucho brillo en colegios de alta fama nacional. Un marido que "nunca ha sido infiel". Finca en tierra caliente, y ha venido en un automóvil de la marca más fina que se conoce. Nuevecito. Y poseyendo todo lo que se puede poseer, no es feliz. Nada le falta, excepto la felicidad, y anoche estuvo a punto de suicidarse. ¿Cómo? ¿Por qué? Esta joven madre sufre los efectos de una fuerte depresión. También los "Tengolotodo" sufren depresión. ¿Y los demás?

¿QUIÉNES NO SUFREN DEPRESIÓN?

Un prominente psicólogo afirmó lo siguiente: "Todos sin excepción, nos sentimos deprimidos a veces. Es perfectamente normal".

Un gran médico, profesor de universidad, decía a sus colegas: "En cierta medida puede esperarse en todas las personas un cierto grado de depresión".

Desde hace unos treinta años *la enfermedad emocional número uno* de los países más civilizados es la depresión. En los congresos de psicología se venden más libros acerca de la depresión, que de cualquier otro tema psicológico. Señal de que son muchos los que sufren este problema.

Sólo en Estados Unidos se suicidan más de 70.000 personas al año, y eso que sólo un diez por ciento de los que intentan suicidarse logran hacerlo. En Colombia se ostenta un récord aterrador de suicidios últimamente, y muchas veces entre gentes que no tienen grandes problemas económicos. Investigando cuidadosamente se ha llegado a la conclusión de que los suicidas padecen un alto grado de depresión.

En 1990 fueron hospitalizados en nuestro país más de 150.000 personas a causa de la depresión, mientras que más de 500.000 estaban bajo tratamiento médico por este mismo problema, y el número de los individuos que sufren fuertemente este enorme mal se calcula por los médicos en unos cinco millones en sólo esta nación.

Según estadísticas obtenidas por muy serios investigadores, la humanidad sufre más a consecuencia de la depresión, que de cualquier otra enfermedad.

HISTORIA

La depresión progresa a un ritmo alarmante, pero no es cosa nueva. La historia y la literatura indican que es tan antigua como el hombre. El libro de Job es uno de los más antiguos libros conocidos. Algunos afirman que es el libro más antiguo que se conoce. Este libro nos presenta un notable personaje, afectado de una fuerte depresión que le hace exclamar: "Al llegar la noche pienso: ¿cuándo llegará el día? Y al llegar el día me pongo a desear: ¿cuándo llegará la noche? Mis noches están llenas de inquietudes y mis días mueren sin esperanza; hablo con amargura en mi espíritu y me quejo por las angustias de mi alma". Después de leer las desgracias que le sucedieron a Job (muerte de todos sus hijos en un terremoto; pérdida de todos sus animales; quedarse sin salud por una llaga de pies a cabeza, sentirse despreciado por todos hasta por su misma esposa, etc.) uno piensa: ¿quién no habría reaccionado con terrible depresión ante semejantes calamidades?

ANTIGUA DESCRIPCIÓN
DE UNA PERSONA DEPRIMIDA

El primer escritor que describió la depresión fue Hipócrates (famoso médico griego del año 460 aC), y lo hizo con unos detalles que explicaremos más adelante.

Otro notable médico griego, Arteo, del siglo II, describió a los deprimidos como: *"Tristes y desanimados. Adelgazan, se muestran perturbados y sufren de insomnio. Si las condiciones contrarias persisten, se quejan de mil pequeñeces y expresan deseos de morir"*.

Plutarco, famoso escritor del Siglo II, describe así a los que sufren depresión: "Se miran a sí mismos como personas olvidadas por la divinidad. Descuidan su modo de presentarse, y hacia la divinidad sienten más miedo que amor".

DETALLES EN QUE SE MANIFIESTA
LA DEPRESIÓN

Los estudiosos han reunido los diagnósticos de la depresión que aparecen en los más antiguos escritos de medicina, y son los siguientes (muy parecidos a los actuales): "Genio abatido, triste, desalentado. Autocastigo (se dan a sí mismos fuertes palizas mentales), autodegradación (se creen menos de lo que en realidad

7

valen), deseos de morirse; agitación y desasosiego interior; pérdida de peso y de apetito; insomnio. Les parecen demasiado grandes sus pecados como para que puedan ser perdonados, etc.".

Los que se dedican en la actualidad a estudiar la depresión, están acordes en afirmar que esas características típicas ya descritas por los médicos de la antigüedad, son tan constantes hoy día que es difícil encontrar una enfermedad cuyos síntomas hayan permanecido por tantos siglos sin cambiar casi en nada.

Y lo grave y peor es, que después de 2500 años estamos con los mismos síntomas de la depresión y casi en las mismas condiciones de incapacidad para curar tan feroz mal, porque *la gente no conoce las fórmulas adecuadas para verse libre de esta catástrofe espiritual.*

LA DEPRESIÓN ES UNIVERSAL

Les da a todos en todas las épocas

Toda persona, en algún momento u otro de la vida, atraviesa por un período de depresión. Por supuesto que no todos los casos son graves ni inclinan al suicidio, pero no hay nadie que escape a la regla general de que *todos, en alguna oportunidad, experimentan en mayor o menor grado, un ataque de depresión* (Recordemos: depresión es un decaimiento de ánimo).

En una encuesta hecha en Norteamérica entre cien mil personas, se les preguntó: "¿Hay alguien entre ustedes que nunca en su vida haya sufrido una depresión?". No hubo ni un solo individuo que pudiera decir: "Siempre me he visto libre de este problema".

LA DEPRESIÓN PRODUCE INQUIETUD, AFANES, NERVIOSISMO, CANSANCIO, DESVELOS EN EL SUEÑO, SENSACIÓN DE TEMOR Y LLENA LA CABEZA DE PENSAMIENTOS NEGATIVOS.

Claro está que para muchas personas sus depresiones han sido afortunadamente leves: "Lunes de zapatero", "me levanté con el pie izquierdo", "me agarró hoy la de malas", "amanecí avinagrado". Pero todos, todos, tenían conciencia clara de que en ciertos períodos de su vida se sintieron desdichados. Claro está que hay una inmensa diferencia entre no sentirse feliz, y estar mentalmente enfermo. Sin embargo, aunque la depresión se presente en las formas más benignas puede empañar y quitarle brillo y alegría al cristal brillante de la vida, y por eso hay que saber alejarse a tiempo.

La depresión *no hace distinción entre persona y persona*. Es un mal universal. Las últimas investigaciones han demostrado que afecta tanto a los pobres como a los ricos. Todos pueden adquirirla en cualquier momento.

Ninguna profesión está exenta de depresión. La hallamos en taxistas, sirvientas, empleados bancarios, profesores, poetas, mecánicos, reinas de belleza, amas de casa, parlamentarios, vendedores de lotería, millonarios y mendigos.

HAY UNA EQUIVOCACIÓN: muchos creen que el hecho de reconocer que sufren de depresión equivale a reconocer que tienen debilidad mental. Eso no es cierto. *El tener depresión no significa debilidad mental, todo lo contrario:* las personas con más elevado poder de inteligencia son las que más fácilmente se enferman de depresión. ¿No ha leído usted que Bolívar, grande entre los grandes en inteligencia en América, sufrió unas épocas de depresión mental que lo atormentaron grandemente? Churchill, el que salvó a Inglaterra en la guerra del 40, sufría graves crisis de depresión. Los más grandes genios del arte universal como por ejemplo Miguel Ángel, tenían sus ataques depresivos que les mandaban el alma hacia los zapatos, y les quitaba toda gana de seguir actuando. Allan Poe, célebre poeta norteamericano, después de escribir una de sus grandes obras, quedaba con una depresión que le duraba 10 días. ¿Y Jesús en el huerto de los Olivos? Sufrió una depresión que le llevó hasta sudar sangre de tanto pavor y de tan tremenda tristeza que sufría.

Van Gogh, pintor de fama universal, sufría unas depresiones tales que en una de ellas, se quitó un pedazo de oreja. Y san Juan de la Cruz narra que en ciertas épocas le venían unas depresiones tan profundas que le parecía estar abandonado de Dios y de los hombres.

Nadie puede decir: de esta agua no beberé

La vida es algo impredecible y no fácil de adivinar y cada ser humano, necesariamente experimenta infelicidad en algunas épocas de su existencia. Los psicólogos dicen que *"todos estamos hambrientos de felicidad",* y toda vez que la felicidad huye y se aleja de nosotros, nos sentimos deprimidos. Para muchas personas la felicidad es un lujo raro y escaso, porque el que uno sea feliz no depende de las circunstancias sino de la actitud que tengamos hacia esas circunstancias, y hay temperamentos que hacia cada circunstancia nueva experimentan un sentimiento de pesimismo y amargura, y por eso tienen gran peligro de vivir siempre deprimidos.

La infelicidad les llega a todos, en diversas etapas de su vida, y es ilusorio creer que algún ser humano pueda sentirse feliz cuando le llegue la infelicidad; la depresión es lo que se siente cuando la felicidad se aleja, y a todos se nos aleja frecuentemente; luego todos estamos destinados en alguna ocasión a sentirnos deprimidos. Por eso vamos a estudiar las fórmulas que nos preparen a hacer frente a la depresión cuando ésta llegue.

Vamos a estudiar dos temas importantes:

1. ¿Por qué algunos sufren la depresión con más frecuencia que otros?

2. ¿Cuál es la verdadera causa de la depresión?

Algunos dicen: es que mi suerte, mis condiciones y las cosas que me han sucedido son tales que necesariamente tengo que sufrir depresión. *Eso no es cierto.* Si alguien cree que sus circunstancias son tales que necesariamente tiene que vivir deprimido *ya no tiene probabilidad de curarse de esta enfermedad.* Eso se llama fatalismo.

Nosotros hemos conocido gente feliz, contenta, optimista, irradiante de felicidad, y esto con una salud muy defectuosa, con una situación económica bajísima y con series de circunstancias desdichadas. Pero han convertido en alegría lo que los invitaba a lanzarse a los abismos de la depresión, y todo porque descubrieron el secreto de los secretos: *que lo que produce la depresión no son las circunstancias malas que nos suceden sino la actitud mental que tenemos ante estas circunstancias.* Mientras una persona no cambie su actitud mental ante lo que le sucede, esa persona es incurable en su depresión. Por eso aquí vamos a darle las fórmulas para transformar su actitud mental. Léalas despacio. Le van a gustar.

PUEDE PRODUCIR MÁS DEPRESIÓN ARREGLAR UNA CACEROLA
CON AFÁN O ANGUSTIA, QUE RESOLVER UN PROBLEMA
DE ALTA GERENCIA, CON TRANQUILIDAD Y PAZ.

SI CULTIVAS OPTIMISMO
OBTIENES ESPERANZA

SIEMBRA ESPERANZA Y OPTIMISMO
para que entre la gente haya más alegría y menos miedo.

CULTIVA OPTIMISMO Y ALEGRÍA
para que los niños puedan crecer felices y se disminuyan las angustias y el temor.

SIEMBRA ALEGRÍA Y ESPERANZA
para que los jóvenes vean con valor el futuro y no se dejen dominar por el desaliento.

SIEMBRA ESPERANZA Y OPTIMISMO
para que las personas mayores acepten la realidad con fortaleza y no pasen esta vida entre quejas y lamentaciones.

SIEMBRA OPTIMISMO Y ALEGRÍA
para que tu barrio, tu ciudad y tu patria crezcan y progresen pujantes con la seguridad de obtener éxitos y triunfos.

SIEMBRA Y CULTIVA OPTIMISMO, ESPERANZA Y ALEGRÍA
para que tú mismo tengas una existencia agradable y placentera y vivas muchos años y los vivas mejor.

* * *

"ESTAD SIEMPRE ALEGRES,
OS LO REPITO: ESTAD ALEGRES".

(San Pablo)

Para crecer alegre:

**EL NIÑO EN CASA
HA DE VER:**

Ejemplos de bien obrar.
Ejemplos de bien vivir.
Ejemplos de bien hablar.
Ejemplos de sonreír.

(Gabriel y Galán)

ALGO PARA RECORDAR CADA MAÑANA

Tener fortaleza de ánimo para que nada pueda perturbar mi paz mental.

Hablar de salud, prosperidad y felicidad.

Hacer sentir a mis amigos el alto precio en que los tengo.

Pensar solamente lo mejor y esperar solamente lo mejor, trabajar solamente por lo mejor.

Ser tan entusiasta en los éxitos de los demás, como en los propios.

Olvidar los errores del pasado y laborar para el éxito futuro.

Llevar el semblante risueño y mostrarme siempre satisfecho.

Ocuparme de lo más posible de mi mejoramiento espiritual de modo que no tenga tiempo de criticar al prójimo.

Trabajo. Ocuparse siempre en algo útil y no desperdiciar el tiempo.

Moderación: evitar los extremos y no actuar con ira.

Calma: no indisponerse por tonterías, accidentes o problemas.

Castidad: que el placer esté guiado por el amor y no lleve a perder la paz.

Humildad: imitar la sencillez de Sócrates y Jesús.

Benjamín Franklin

Capítulo II

COMPORTAMIENTOS QUE DEMUESTRAN DEPRESIÓN

Cuando uno está mal de un pie se le ve cojear. Cuando alguien tiende hacia la depresión se le manifiesta por ciertos comportamientos que vamos a comentar ahora.

Toda persona quiere verse libre de la depresión. Muchos con tal de obtenerlo recurren al máximo error: el suicidio. Otros al alcohol o a las drogas. La mayoría usa otros métodos más suaves. Así, el niño pequeño al ver que se aleja la madre de su alcoba, siente la depresión de la soledad y empieza a llorar. La madre debe ir acostumbrándolo a superar esta circunstancia. Si cada vez que llora corre a alzarlo, no le está preparando para poder superar más tarde sus soledades depresivas. Cuando va a la escuela la primera vez vuelve a sentir fuertemente la depresión de la separación de sus seres queridos. Esta será después una de las causas más graves para sentir depresión: el alejarse de los seres que más ama. Si uno se apega exageradamente a las personas, su depresión al separarse de ellas será exagerada también. En este caso vale mucho la mentalidad bíblica de Salomón en el libro del Eclesiastés donde insiste a cada paso: *"Todo es vanidad de vanidades, y todo es vanidad"*. Todo es relativo. Tenemos que convencernos de que, a pesar de que las personas valen mucho y merecen todo nuestro afecto y aprecio, sin embargo, el cementerio está lleno de gente que eran importantes, sin las cuales parecía que no podríamos vivir, pero se murieron y el mundo siguió girando lo mismo. ¿Se va un amor?, llegará otro amor. ¿Se va alguien que era muy necesario? Dios puede enviarnos a otro que sea más eficaz aún. *"Si Dios está con nosotros, ¿quién podrá contra nosotros?"* (Rm 8, 31). El gran error de ciertas personas, es, según el profeta Jeremías, el darle demasiada importancia a seres de carne y hueso y creer que sin esas amistades no se puede vivir. Sólo Dios es necesario. Los demás valen mucho, pero tienen reemplazo y se les consigue reemplazo. ¡No vale la pena deprimirse tanto ante ciertas ausencias!

SÍNTOMAS QUE INDICAN LA PRESENCIA DE LA DEPRESIÓN

(Síntoma es una señal que anuncia la presencia de una enfermedad).

Casi todos los que leen este libro tienen amigos o familiares que manifiestan síntomas de depresión. Es muy importante conocer cuáles son estas señales; críticas para poder ofrecer amor y apoyo a esas personas y ayudarles a superar tan tediosa enfermedad.

HAY TRES CLASES DE DEPRESIÓN

Moderada, seria y grave

Nosotros las llamaremos: desaliento, abatimiento y desesperación.

La mayoría de las depresiones comienzan con el desaliento, aumentan hasta llegar al abatimiento, y si no se atajan a tiempo, llegan hasta la desesperación. De ahí para allá ya la persona necesita atención médica porque está llegando al desequilibrio mental.

INDICIOS DE QUE SE TIENE DEPRESIÓN:

**Si esto sucede...
hay depresión.**

Los efectos de la depresión se manifiestan en lo físico, en lo mental y en lo sentimental.

SÍNTOMAS FÍSICOS

a) *Irregularidad en el sueño.* Algunos deprimidos duermen lo suficiente y sin embargo se despiertan cansados, pero la mayoría tienen como primera señal roja que manifiesta la depresión: la falta de sueño. Si se despiertan a la madrugada, muy difícilmente logran volver a dormirse. Y una persona que duerme poco se debilita mucho.

b) *Apatía, letargo o somnolencia, el "no me importa, no me interesa".*

(Apatía es: desgano por todo, falta de interés por personas o actividades).

Se les oye decir: "Estoy cansado todo el tiempo, no tengo ánimo ni siquiera para dedicarme a los pasatiempos". Los deprimidos se despiertan ya cansados por la mañana. Son capaces de cumplir sus responsabilidades, y lo que hacen deja mucho que desear. Se cansan fácilmente. "Los pies me pesan como si fueran de cemento armado", decía uno.

c) *Pérdida de apetito.* La comida pierde su atractivo para los deprimidos. Mientras más grave sea la depresión, menos apetito tiene. A causa de no comer puede llegar a un grave adelgazamiento que le complica mucho más su dificultad. A veces pasa el día con algunos bocadillos, y si la depresión se agrava, puede pasar el día sin comer.

d) *Aspecto descuidado.* Cuando una persona pierde interés en su aspecto y en su presentación puede temerse que esté sufriendo de depresión. Como se forma una imagen negativa de sí mismo, se preocupa menos en presentarse bien. El descuido en su forma de vestir refleja la manera con que el individuo se ve a sí mismo, y puede ser un claro indicio del bajo concepto que de sí misma tiene la persona. Si viste con abandono en circunstancias en que debería hacerlo con pulcritud, puede ser que la depresión le esté llevando a ese abandono en su presentación. En la mujer, como la depresión apaga mucho las fuerzas sexuales, el abandono y descuido en su presentación puede indicar también que le ha llegado la "frigidez", o sea, la pérdida de atractivo hacia las personas del otro sexo. Muchas frialdades en el hogar se deben a que la mujer está deprimida. Cuando ya no le interesa presentarse bien hay que ayudarla a salir de su depresión.

e) *Dolencias físicas.* Los deprimidos sufren males físicos, unos reales, otros imaginarios. Entre los más comunes figuran el cansancio, los mareos, palpitaciones, jaquecas, constipaciones, dolor en la boca del estómago, acidez estomacal, sudor y dificultades respiratorias.

¡Ah! ¡por qué no alegrarnos y alegrar a los otros!
¡Una sonrisa cuesta tan poco y vale tanto!...
Hasta el santo, si es triste —ya lo dijo el de Sales—
es un triste santo.

Este valle es de lágrimas, pero para los buenos
las lágrimas son perlas gloriosamente puras:
mientras las desgranamos, hay joyeros celestes
que trabajan engarces de diademas futuras...

La tristeza es inútil, depresiva y estéril.
El dolor es precioso, con sus cactus eternos,
pero baja del cielo para santificarnos,
no para entristecernos...

Alfonso Junco

SI QUIERES

SI QUIERES SER GRANDE...
   ... Hazte humilde y pequeño.

SI QUIERES SER INMENSAMENTE RICO PARA
   EL CIELO...
   tienes que repartir tus bienes con los pobres de la tierra.

Si quieres llegar a la santidad tienes que amar, amar, amar.
   Amar a tu prójimo con todas tus fuerzas y al prójimo
   como te amas a ti mismo.

SI QUIERES SER SABIO, TIENES QUE NO DEJAR
   DE ESTUDIAR.
   A quien deja de leer y de aprender, se lo lleva la corriente
   de la mediocridad.

SI QUIERES QUE TE AMEN, TIENES QUE AMAR.
   "Como cada uno trate al prójimo, así será tratado".

"Si quieres ser el primero, tienes que hacerte el último".
   Así lo dijo Jesús.

SI QUIERES GOZAR PARA SIEMPRE EN EL CIELO
   tienes que privarte de ciertos placeres sensuales
   indebidos en la tierra.

SI QUIERES QUE DIOS HABLE BIEN DE TI EN
   LA ETERNIDAD TIENES QUE HABLAR BIEN
   DE DIOS EN ESTA VIDA.
   Así lo prometió el Evangelio.

Capítulo III

SÍNTOMAS DE LA DEPRESIÓN

SÍNTOMAS EMOCIONALES
O SENTIMENTALES DE LA DEPRESIÓN

La depresión siempre empieza por la mente. Sigue luego por el sentimiento o las emociones y termina manifestándose en lo físico. Las manifestaciones sentimentales o emocionales de que sí se tiene depresión son las siguientes:

Pérdida de afecto. El deprimido tiene tendencia a aislarse, evitando la compañía de los demás, porque se le han disminuido mucho sus afectos. Empieza a apagársele el amor que sentía por sus familiares: cónyuge, hijos, hermanos y aun el amor que sentía hacia sí mismo. Comienza a no importarle nada de sí mismo ni de los otros, de nada en general. Esto se debe a que la mente no trabaja debidamente porque el individuo está demasiado ensimismado (pensando sólo en sí mismo, en sus propios problemas o fracasos, etc.). Si esta situación sigue, la depresión aumenta, porque hay un principio psicológico infalible: *"O amas o mueres"*. Quien no ama a nadie, se muere mentalmente.

Tristeza. Este sentimiento se va enraizando tan profundamente en su corazón que termina por manifestarse en su rostro. Ya lo dijo Salomón en el libro de los Proverbios: *"Corazón alegre produce rostro simpático, pero un corazón triste se manifiesta en el rostro"*. Es difícil encontrar una sonrisa en la cara de los deprimidos. Por eso los técnicos en relaciones humanas repiten: "Nadie tiene tanta necesidad de una sonrisa como el que ya no tiene ninguna para dar". A medida que se agrava la depresión se va perdiendo la capacidad de responder al buen humor. Y de la tristeza nacen muchos males espirituales. Por eso santa Teresa repetía: "Le tengo más pavor a una persona triste que a un ejército de demonios".

EL EXHIBICIONISMO

Es una manifestación casi universal de que se sufre depresión (exhibicionismo es una tendencia psicopática a llevar a conocimiento público lo que por modestia debe mantenerse en secreto). El jovencito que siente la depresión de su adolescencia exhibe públicamente las palabrotas de su vocabulario. La mujer que se siente deprimida siente una inclinación a usar minifaldas o vestidos escandalosos. La mujer segura, amada y aceptada, no viste de una manera provocativa, sino que naturalmente prefiere un modo de vestir recatado. Por eso los especialistas en psicología femenina dicen que la seguridad que en sí misma tiene una mujer, y su paz y tranquilidad interior, pueden medirse por el largo de su falda y por la modestia cristiana de su vestir. Cuanto más depresión tenga, más exhibicionista será en su modo de vestir. Lo que a muchas mujeres las lleva a ser exageradamente atrevidas en actuaciones sexuales no es su instinto sexual (pues el instinto sexual de la mujer no es tan exagerado que necesariamente las lleve a tales excesos), sino la depresión que les produce su inseguridad. Se sienten inseguras y por eso obran así. Por eso tantas mujeres traicionadas por su marido cometen errores espantosos contra la castidad.

Ciertos hombres son escandalosamente atrevidos en sus conversaciones. ¿Por qué? Quieren exhibir las maldades que han cometido. Las impurezas con que se han manchado; las vidas ajenas que han enlodado con su comportamiento de "animales

LA DEPRESIÓN LO VUELVE A UNO NERVIOSO, INQUIETO,
AMARGADO Y SE SIENTE DESUBICADO
Y NO LOGRA ENTENDERSE BIEN CON LOS DEMÁS.

EL QUE ESTÁ DEPRIMIDO SE VUELVE AGRESIVO,
EXHIBICIONISTA Y HASTA SE FINGE ENFERMO.

sexuales"; las violencias verbales o físicas con que han agredido a los demás; todas las veces que han logrado cumplir aquello de "el que me la hace me la paga; el que puede conmigo todavía no ha nacido", etc. Este modo de hablar (que muchas veces es física mentira, porque en ellos se cumple el antiguo adagio: "Antes de tiempo gran denuedo, llegada la hora, mucho miedo"), este modo de exhibirse hablando, decimos, puede deberse a su depresión, a su inseguridad. Es una válvula de escape ante la explosión de sus temores y ansiedades.

EL DESEO DE SER NECESARIO: de ser estimado

Puede ser otra manifestación de la depresión. Esa persona que tiene generosidades superiores a sus capacidades económicas, con tal de no perder una amistad. Aquel empleado que descuida su hogar con tal de trabajar tanto y de tal manera en la fábrica que el patrón lo considere insustituible. La señora que insiste tanto a sus invitados que al fin los atosiga con tantas atenciones (la señora que le repetía al invitado de honor: "¿Qué más desea? ¿Qué más desea? y el otro, al fin, desesperado, le respondió: "Lo único que deseo es... Que no me moleste más"). *Este comportamiento tiene una ventaja,* y es que sirve de voz de alerta para los padres y educadores: porque si desde pequeño al niño se le manifiesta que sí se le estima, crecerá mucho más seguro de sí mismo, pero si se le vive diciendo: "No vales nada, no sirves para nada", crecerá deprimido, y su sed de ser estimado le puede llevar a graves excesos después. También hay *otra advertencia*: que desde joven hay que independizarse del "qué dirán, qué pensarán", porque si vivimos pendientes de la opinión de los demás, seremos perpetuos deprimidos y sumamente desdichados. Ya Cristo decía: *"Vino Juan Bautista que no comía y no bebía y dijeron: es un endemoniado. Vino el Hijo de Dios, que sí come y sí bebe, y le dijeron lo mismo: es un endemoniado"*. Por eso san Pablo repetía: *"Si lo que busco es la aprobación de la gente, ya no seré seguidor de Cristo"* (Ga 1, 10). Tratar de ser agradables a los demás, sí, y muy bien. Pero, ¿querer tener contentos a todos? Sería atormentarse en vano. Si Dios está contento de nosotros porque tratamos de hacer lo que mejor podemos, ¿qué nos ha de importar que la gente diga lo que diga? Eso se llama "libertad de espíritu", y aleja la depresión como por encanto. "Ande yo contento y... ríase la gente".

LA LOCUACIDAD: o exceso en las palabras

De alguien decía la gente: "Echa más lengua que un gato tomando leche". Y respecto a las señoras de una parroquia se quejaba el sacerdote de que "todas pertenecen a la Academia de la Lengua". Un marido hablando de su suegra exclamaba: "Me venció por agotamiento. Ya no fui capaz de escuchar más". El hablar sin cesar puede ser señal segura de que la depresión anda por ahí, por el alma. La "telefonitis" o costumbre de andar prendido del teléfono, puede estar diciendo: "Tengo depresión, se me nota en esto". Los deprimidos se manifiestan en dos excesos: o callan demasiado o hablan más de lo necesario.

FINGIRSE ENFERMOS

O desamparados; andar diciendo que son perseguidos, o víctimas de injusticias, o no apreciados..., puede ser otro comportamiento depresivo.

EL ATAQUE DE AGRESIVIDAD

Es típico del deprimido. Se manifiesta agresivamente hacia la persona que le ha rechazado y sobre todo contra él mismo. El deprimido se hace este razonamiento: "Yo soy el culpable de todo lo que está sucediendo. Por tanto, merezco castigo. No sirvo para nada...". Y como los demás no lo castigan, se castiga él mismo, regañándose, despreciándose, descuidando su modo de vestir, abandonando los caminos que le podían llevar al éxito, y aun dañando su salud con trago, drogas y hasta llegando al suicidio. Los pensamientos producen sentimientos y los sentimientos se traducen en acción. Si vivimos agrediéndonos y atacándonos a nosotros mismos, puede ser que estamos deprimidos. Jesús dijo: *"Hay que amar al prójimo como uno se ama a sí mismo"* (Lc 10, 27). Por tanto, tiene uno que amarse mucho a sí mismo, porque si no, ¿qué tanto sería lo que podría amar al prójimo? Con el primero con el que hay que ser manso y amable, es consigo mismo. No somos malos, lo que sí somos es muy débiles. Pero al débil no se le tiene rabia sino compasión.

1) *Llorar*. Un síntoma de los deprimidos es su involuntaria tendencia a llorar. Aun aquellos que por años no han derramado una lágrima, rompen a llorar de un momento a otro. Hay personas que declaran: "La señal de que ha llegado a mi vida un período depresivo es la facilidad con la que me dedico a llorar". Las lágrimas de por sí son un gran remedio, y el llorar es un provechoso desahogo. Han hecho el experimento de echar en un recipiente una gota de pus donde hay millones de microbios de las más terribles enfermedades, y dejar caer encima una gota de lágrima recién salida de los ojos. Todos los microbios mueren inmediatamente, porque las lágrimas son el mejor desinfectante que tiene el organismo. Si no fuera por las lágrimas que los ojos envían continuamente a la nariz y a la garganta, allí llegarían las más terribles infecciones. Por eso algunos dicen irónicamente: "Llore para que se desinfecte". Pero la facilidad para estallar en

llanto, en una persona mayor, puede ser una señal de alarma: por ahí anda rodando la depresión, enemigo temible.

2) Hostilidad. Todo caso de depresión se acompaña de ira, al menos al principio. La ira se dirige al inicio hacia la persona que lo rechazó o lo insultó. Más tarde tiene por destinatario a sí mismo por ser el causante del rechazo. No es raro oír al deprimido murmurar: "Estoy disgustado de mí mismo"; "no me gustan las personas".3) *Irritabilidad.* La persona deprimida es fácilmente irritable. La Biblia dice en los Proverbios: *"Quien fácilmente se irrita, hará locuras".* Y esto es un serio peligro en la depresión. La música suave calma muy eficazmente la irritación, pero al deprimido hasta esa misma música lo incomoda muchas veces. Tiene arranques de furia por los ruidos que son ordinarios en cualquier hogar, y ciertas músicas lo cansan y aburren. Un buen aparato de radio o de casetes con músicas suaves estereofónicas ha demostrado en repetidos casos que sirve para suavizar en parte estas asperezas.

Y es curioso que el deprimido se irrita hasta por los detalles de atenciones que tienen para con él las personas amigas, porque no se creen merecedores ni de que los demás dediquen tiempo para ellos, ni de que alguien se preocupe por su bienestar.

Salomón decía: "Luego enseguida el nervioso estalla en cólera. Pero el calmado sabe disimular lo que no le agrada" (Proverbios).

4) *Ansiedad, temor y preocupación.* El sentimiento de soledad y desesperación que va creciendo durante la depresión, abre las puertas para que el temor penetre en el espíritu. Todas las cosas que van ocurriendo se le vuelven excusas para preocuparse. El individuo tiene tristeza por el pasado y miedo por el futuro. Para el deprimido llegan como de perlas aquellas palabras de Jesús, consideradas por los grandes maestros como la *mejor receta*

para alejar el temor indebido: "No os preocupéis por el día de mañana. Bástale a cada día su propio afán. El Padre celestial sabe todo lo que os hará falta. Buscad primero el Reino de Dios y su santidad, y todo lo demás se os dará por añadidura" (Cf. Mt 6, 34). Cuanto bien le hará el leer y meditar de vez en cuando en estos bellísimos consejos del mejor de los maestros del mundo.

5) *Desesperanza.* Consiste en sentirse incapaz de realizarse a sí mismo. Es la angustia por sentirse insuficiente. Es el choque consigo mismo por considerarse imposibilitado para lo que quiere llegar a ser. Los deprimidos se sienten acorralados por las circunstancias que provocaron su depresión y no hallan por dónde salirse de allí. Si miran al pasado lo ven colmado de rechazos, humillaciones y recuerdos tristes. Su presente les parece el retrato mismo de la angustia. Y para el futuro tienen unos anteojos negros en el alma que les hacen ver todo tenebroso sin posibilidad de solución alguna.

Si queremos que la depresión de esta persona no llegue a ser tremendamente aguda y paralizante, *es necesario darle una dosis de esperanza.* Hoy lo primero que hacen muchos psiquiatras es: *hacerle escribir a la persona deprimida veinte cosas por las cuales quieren darle gracias a Dios* (afecto en la familia, salud física, país hermoso donde vive, religión maravillosa la que profesa, buena inteligencia, lecturas agradables, etc.); al día siguiente se le invita a escribir otros veinte detalles por los cuales quiere agradecer a Dios, y así al tercer día. La persona termina cambiando la idea de que todo el pasado ha sido triste y malo, y se da cuenta de que por cada cosa mala que nos sucede, nos han sucedido ya veinte cosas buenas.

El deprimido suele comentar: "Estoy totalmente desanimado; no veo ninguna solución a mi problema; no encuentro salida, ni esperanza". *Aquí no hay remedio tan eficaz como la Palabra de Dios en la Biblia. En Boston el Dr. Carnot, a un deprimido que se desesperaba al ver que su problema no tenía solución,* le hizo leer despacio en la Carta de san Pablo a los romanos, Capítulo 8, la famosa frase: *"Si Dios está con nosotros, ¿quién podrá contra nosotros?",* y aquella otra de la Carta a los filipenses: *"Todo lo puedo en Cristo que me fortalece"* (Flp 4, 13). El abatido se quedó un rato pensando, y luego, con un brillo en los ojos exclamó: "¡Ah, doctor, qué hermosos pensamientos tiene la Biblia. Nunca había imaginado que me produjeran un efecto tan consolador!". Y así es. La religión no es un opio que adormece, pero sí es el mejor calmante que existe para alejar ese malestar terrible que se llama desesperanza. Los filósofos han descubierto que el gran mal que afectó a Kierkegaard y a los existencialistas y que los ha llevado a contagiarse de la *"enfermedad mortal llamada desesperación"* (Kierkegaard) se debe al tremendo error de pensar que este "yo" que es finito e insuficiente pueda resolver solo, sin ayuda del cielo, los infinitos problemas humanos. Viene entonces el choque con la imposibilidad fundamental, y la tentativa de ser autosuficiente se convierte en la temible enfermedad de la desesperación. Pero cuando uno repite con el Apóstol: *"Nuestra suficiencia viene de Dios",* y cuando oye decir a Cristo: *"Todo es posible para quien tiene fe"* (Mc 9, 23), y al ángel Gabriel: *"Nada es imposible para Dios"* (Lc 1, 37); entonces ya la desesperanza tiene que empezar a alejarse, porque no habrá problema por grande que sea, que ante el inmenso poder de Dios, pueda seguir atormentándonos irremediablemente. Muchas personas sufren depresión porque se imaginaron poder superar con sus propias fuerzas los problemas de la vida, y muchísima gente se ha visto libre de esta enojosa enfermedad porque ha descubierto que *"si tenemos fe aunque sea tan pequeña como un grano de mostaza podemos decir a una montaña: 'Vete y lánzate al mar', y así se hará"* (Mt 17, 21). Su fe hizo caer al mar de la tranquilidad las montañas de angustias que les ocasionaban los problemas de la vida.

> ## LOS SUFRIMIENTOS
> ## DE ESTE TIEMPO
> ## NO SON COMPARABLES
> ## CON LA GLORIA QUE NOS ESPERA
> ## EN EL CIELO.
> ### (ROMANOS 8, 18)

> ## NADA ESTÁ DEFINITIVAMENTE PERDIDO, MIENTRAS HAYA ILUSIÓN Y ESFUERZO POR ENCONTRARLO.

CADA CUAL COSECHARÁ,
SEGÚN LO QUE HAYA CULTIVADO,
DICE SAN PABLO.
QUIEN CULTIVA PENSAMIENTOS TRISTES
COSECHARÁ DEPRESIÓN.
PERO QUIEN COSECHA
PENSAMIENTOS ENTUSIASMANTES
COSECHARÁ ALEGRÍA,
ENTUSIASMO
Y BUENA SALUD MENTAL.

CONSEJOS PARA CONSERVARSE DE BUEN HUMOR

Recomendados por el psicólogo Florence Wedge

1°. Hay que comer bien; verduras, frutas, leche, quesos, carne, yogurth, etc. Muchas veces una persona está triste porque no está bien alimentada. Alimentos pobres en vitaminas traen mal humor y tristeza.

2°. Dormir bien; "si quieres acabar con tu compadre, quítale la siesta y llévalo a dormir tarde", decía el antiguo refrán. Dicen los médicos que la tristeza produce sueño, pero también es cierto que el sueño no aceptado produce tristeza. No dormir más de 10 horas pero tampoco menos de 8.

3°. Hay que tener el sentido de lo ridículo. No tomarse tan en serio a sí mismo, porque esto causa inquietud. Y está probado que más de la mitad de las enfermedades tienen por causa a la inquietud.

4°. No buscar los motivos secretos de las acciones o palabras de los demás. Huyamos de pensar: "¿Por qué hizo esto? ¿Por qué diría aquello?".

5°. No ser exageradamente tímido o susceptible. Esto eleva un muro en torno a sí mismo, que aísla. Y ya sabemos el adagio latino: "Tristis eris, si solus eris" triste estarás si te quedas solo.

6°. Dedicarse a ocupaciones placenteras. ¿Quién no tiene predilección por una y otra ocupación? Pues dedicarse a dicha actividad cuando el mal humor quiera asaltar. Ya decía Pío XI: "El diablo le tiene a veces casi tanto miedo al que está ocupado como al que está rezando. Porque el trabajo aleja el aburrimiento".

SALGA A VACACIONES.
NO COMETA EL ERROR DE CREERSE NECESARIO
Y QUE NADIE LO PUEDE REEMPLAZAR EN SU TRABAJO.

UNOS DÍAS DE CAMPO PUEDEN EVITAR MUCHOS
MESES DE DEPRESIÓN.

SEA POSITIVO RECUERDE QUE:

1°. El enemigo más paralizador es... el miedo.

2°. El día más bello y más importante es... hoy.

3°. La mejor maestra es... la experiencia.

4°. Lo más peligroso y derrotista es... darse por vencido.

5°. El defecto más dañoso y agresivo es... el egoísmo.

6°. La mejor distracción y la más útil es... el trabajo.

7°. Lo más maravilloso es saber amar mucho y bien.

8°. La peor bancarrota es el desánimo y la tristeza.

9°. El peor error y el más fatal es... el pecado.

10°. El sentimiento más negativo es... la envidia.

11°. El regalo más generoso es... el perdón.

12°. El mejor amigo y el más grande protector es... Dios.

13°. El conocimiento más útil es... leer la Biblia.

14°. La felicidad más dulce es... la paz.

15°. Sólo una cosa es necesaria... salvarse.

PUEDE SENTIRSE DEPRESIÓN:

1º. EN LOS PRIMEROS DÍAS DE LA LLEGADA
DE NUEVOS MIEMBROS A LA FAMILIA.

2º. AL TENER QUE DEJAR LA ANTIGUA CASA O NEGOCIO.

3º. AL SUFRIR FRECUENTES Y FUERTES DOLORES.

Capítulo IV

CICLOS DE LA DEPRESIÓN

(Ciclo es un período de tiempo en el que se repiten los mismos hechos)

Hay días y épocas más peligrosamente fáciles para sentir depresión. Así, por ejemplo, desde hace mucho tiempo la gente habla del "lunes de zapatero", aludiendo a que en este día uno siente más desánimo y peor genio. Los especialistas saben que la peor época del año en cuanto a depresión es la que sigue a las fiestas de Navidad y Año Nuevo. En los primeros días de enero se multiplican los suicidios, y los pocos psiquiatras que estén trabajando en esa semana tienen doble o triple número de consultas porque hay montones de gente deprimidas en exceso. Tanto que un médico exclamó: "Las festividades se organizan para garantizar desilusiones". Para las personas predispuestas a la depresión, los días siguientes a las fiestas pueden ser fatales. Se sienten peor que nunca. "Cuando la cena es candela, el desayuno es agua", decían los antiguos.

Hay hechos mundiales o nacionales que influyen en el ánimo de toda una nación. Así, por ejemplo, el mal resultado de una guerra trae un estado general de descontento; y una victoria del propio país constituye como una inyección de alegría para la enorme masa de ciudadanos. Es muy frecuente ver en las manos o en la mesa de los suicidas, periódicos o novelas que tratan de hechos desgraciados y tristes. La lectura de esos hechos fue el toque final que le faltaba a la depresión para convertirse en locura. Otro tanto se puede afirmar de las películas de temas negativos, miedosos o crueles. Cuando un joven empieza a frecuentar esa clase de películas, es muy temible un funesto desenlace. Porque después de cada película negativa le vendrá un período de depresión, como también después de cada lectura de novelas pesimistas y trágicas. Nuestro poeta Silva tenía junto a sí al suicidarse un libro del tremendamente pesimista poeta D'Anunzio. Y ya se sabe que después de cada lectura pesimista viene un período depresivo, Esto es muy importante decirlo a tantas personas que alimentan sus ojos con alcantarilla. *"Dime qué lees, y te diré quién eres"*, decían los sabios antiguos. Ahora podemos añadir: "Dime qué tantas lecturas negativas haces, y yo te diré qué tanta depresión vas a sentir". San Ignacio experimentó en sí mismo esta consecuencia. Él dice que en su juventud cada vez que leía una novela le venía un período depresivo y una tristeza desesperante. Afortunadamente tuvo luego la experiencia contraria: "Cada vez que leía un párrafo de la Biblia o unas páginas de vidas de santos, sentía en mí una alegría incontenible, y un deseo inmenso de superarme y ser mejor". *Un período anímico espera a cada uno después de sus lecturas.* Sepamos escoger las que no nos van a traer depresiones sino más bien deseos de superación. (Permítasenos recordar aquí como oportunos, los testimonios que hemos oído y leído de parte de más de cien personas ya, que al leer el libro de relaciones humanas, titulado *"Secretos para triunfar en la vida"*, de Eliécer, han gozado de un período de alegría y paz tan agradable, que no han sido capaces de callarlo y se han convertido en perennes propagadores de la lectura de tan reconfortante libro. Ojalá quien lee estas páginas trate de hacer la prueba también. Cuando termine de leer el libro "Secretos para triunfar en la vida", va a exclamar como tantos otros en tantos países: "Nunca me imaginé que un libro pudiera hacer a mi espíritu tanto bien").

Hay un período de tiempo muy propicio a la depresión: cuando uno se siente cansado. La mayoría de los individuos sienten desánimo después de una tensión emocional o física, cuando se sienten cansados. Si hemos trabajado demasiado o nos hemos acostado muy tarde, somos más vulnerables al desaliento. A los matrimonios siempre se les aconseja que no discutan temas importantes cuando estén cansados. Por ejemplo, al llegar el marido rendido del trabajo a almorzar o cenar. Al terminar la esposa sus duras faenas del hogar. Cuando el joven llega rendido después de un apasionante partido o de un desgastador examen. Nunca se deben discutir problemas después de las nueve de la noche, porque en ese momento hay depresión a causa del cansancio, y la depresión es la peor consejera que existe. Siempre aconseja mal. Es increíble cómo los problemas se agigantan cuando estamos cansados. El cansancio puede provenir de una noche de sueño pesaroso por haber comido demasiado, o alimentos muy pesados. Y eso nos sucede a todos. El desánimo no conoce excepciones: aun el más bonachón, conocido por su buen humor y jacarandoso espíritu, si está cansado se puede quedar sin buen humor. Los israelitas dicen que la más eficaz fórmula médica inventada para que la gente se conserve animosa y alegre, es la que Dios proclamó en el monte Sinaí, el tercer mandamiento: *"Seis días trabajarás y harás tus obras, pero el séptimo día descansarás"*. El que nos creó sabe muy bien que si no descansamos un día cada semana, nos enloquecerá la depresión.

"Persona cansada es persona malgeniada".

El período mensual

En las mujeres suele coincidir el período depresivo con su ciclo menstrual que les causa repercusiones físicas y psíquicas. También a los hombres les llega con cierta periodicidad su época de desaliento (dicen que casi fijo cada 34 o 38 días), pero a las mujeres les llega fijo cada 26 a 29 días, y para ellas este período es más pronunciado y más notorio y molesto. Son días en que los que conviven en su casa deben tenerles más comprensión.

La persona que sabe más o menos el tiempo en que le ha de llegar su ciclo depresivo se prepara mental, emocional, física y espiritualmente para neutralizarlo y tratar de acortarlo. Soldado avisado..., les cuesta más hacerlo morir en guerra.

Para estas ocasiones hay que proponerse no tomar resoluciones negativas porque son equivocadas. Un gran escritor contemporáneo decía: "No permito a mi mente dar juicios definitivos en esos días en que mi humor y mi ánimo están en su más bajo nivel. En esos días pienso que mis escritos son de una pobreza tal, que muchas veces envío con ellos de una vez las estampillas para que el director del periódico me los pueda devolver, porque estoy seguro de que si no me los devuelve los echa a la canasta de la basura. Pero en realidad sucede que las columnas que escribo cuando me siento mal, a menudo son mejores que las que escribo cuando estoy de buen humor. Las personas deprimidas no son buenos jueces de sus propias obras".

Por eso el notable educador san Juan Bosco decía a sus discípulos: "Jamás tomen la resolución de abandonar su vocación en días de depresión o desaliento. Las resoluciones negativas tomadas en dichas épocas son una fatalidad y traen dolorosas consecuencias".

Este libro quiere enseñar el arte de aprender a sacar el mayor provecho a nuestras vacilantes disposiciones de ánimo y lograr la victoria sobre la depresión. Estamos seguros que siguiendo las normas que aquí exponemos, fruto de muchos años de activa experiencia, lograremos no ser víctimas de esta enfermedad. Es verdad que desánimo no es lo mismo que depresión, pero también es cierto que en los días en que estamos desanimados somos más vulnerables a la depresión. Porque en los días en que estamos con una pobre disposición de ánimo sucede que ciertas cosas que antes no nos causaban perturbación alguna, de pronto se transforman en fuente de irritación que puede llevar a la depresión.

Mientras más conozcamos la manera como funciona la naturaleza humana, mejor podremos guiar sus tendencias positivas y negativas. Así, por ejemplo, si conocemos el principio psicológico del gran sabio William James que: *"Si expresamos externamente una emoción, esta emoción se aumenta, y si no la expresamos externamente, ella se disminuye"*, habremos dado un gran paso para no manifestar que estamos deprimidos. Silbaremos o cantaremos cuando nos percatemos de la proximidad del desánimo y él se ahuyentará, mientras que si demostramos una actitud mustia, pesimista y achilada, el desánimo se apodera de nuestro ser. Es lo que el salmista decía para sus momentos de angustia: *"Alzaré mis ojos hacia los montes de donde me viene mi auxilio. Mi auxilio me vendrá del Señor, que hizo el cielo y la tierra"* (Sal 121, 1-2), o lo que decía Roosevelt, el presidente: "De puro aparentar que estoy bien y contento, resulté contento y bien".

CICLOS O ÉPOCAS ESPECIALES DE LA VIDA EN QUE MÁS DEPRIMIDOS ESTAMOS

Durante ciertas épocas de la vida la gente es más susceptible a la depresión que en otras épocas (depresión: estado de decaimiento, acompañado de tristeza, irritabilidad o ansiedad). Unas personas pasan por alto muchos períodos casi sin sentirlos, pero otras quedan allí ahogadas en su decaimiento cada vez. Vamos a ver los períodos más sensibles.

Los primeros años el niño es muy sensible: los médicos están acordes en afirmar que si el niño en sus primeros años es tratado por sus padres con cariño, responsabilidad y buenos ejemplos, es verdaderamente rico en buen ánimo para toda su vida. Pero si en sus primeros años siente soledad, abandono, continuas riñas y malos ejemplos, queda tarado de depresión para siempre. En Inglaterra tienen en un hospital psiquiátrico a un hombre que persigue a su padre para matarlo. Y averiguando profundamente han descubierto que cuando él tenía menos de cinco años veía llegar a su padre borracho, con un cuchillo, amenazando al ser que el niño más quería: la madre. Aunque jamás el papá trató mal a este hijo, sin embargo, los recuerdos de los primeros años le causaron un trauma que ya nadie logrará borrar. Todo lo que los asusta en esta edad les deja ansiedad para edades futuras. En África se ha estudiado por qué ciertos muchachos crecen con una seguridad tan grande y una casi carencia de miedos. Y es porque en sus primeros tres años la mamá los lleva siempre consigo, en su mochila a sus espaldas. El muchachito ha pasado sus primeros años con la más absoluta seguridad, sin temer nada, y esto le repercute en su buen ánimo para toda su existencia. No es superprotegerlo ni evitarle todo lo que le hagan sufrir, no, porque eso sería formar merengues, pero sí hay que procurar evitar lo que les pueda causar un ánimo deprimido o asustable.

La segunda década

De los 10 a los 12 años por lo general la vida del jovencito es muy placentera. Pero llega luego la adolescencia. No es ni niño ni adulto. A cada rato pierde el control. Se siente desconcertado y se rechaza a ratos a sí mismo y tiende a separarse de los demás (excepto de la pandilla). Son verdaderos neuróticos, y esto hay que recordarlo para saber comprenderles sus rarezas, que no las

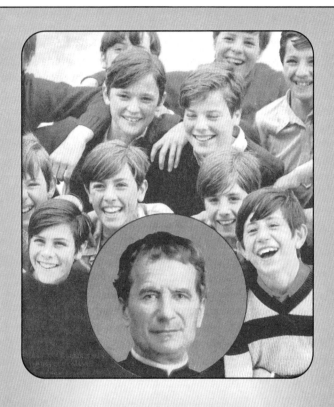

**ESTAD SIEMPRE ALEGRES. OS LO REPITO:
ESTAD SIEMPRE ALEGRES.**

El que vive triste, o está enfermo del cuerpo
o está enfermo del alma.
Tristeza y melancolía, fuera de la casa mía.
(San Juan Bosco)

tienen por malos sino por falta de equilibrio en su sistema nervioso. Un especialista dice: "Llega un momento en el que se comportan de tal manera mal que sólo la madre y el padre pueden amarlos, y a veces el padre se pregunta cómo la madre lo puede aguantar". Su comportamiento es inmoderado, variabilísimo. Un rato abrazan a la mamá y al poco tiempo están dándole puntapiés al mobiliario de la casa. Se van al colegio resueltos a ser joviales y tratables y al cuarto de hora están con un genio de todos los diablos.

Es discutidor. Su actitud es rebelde. Vive solitario y su comportamiento detestable lo hace menos agradable aún, y aumenta el rechazo de los otros lo cual produce en él un comportamiento más hostil aún y así vive su primera experiencia seria de depresión.

Además, en la adolescencia hay un despertar sexual muy fuerte. Su conciencia le dice que debe refrenar esos instintos, pero la voluntad no le alcanza muchas veces y empieza un nuevo tormento: el complejo de culpa que lo lleva a la depresión. Este sentimiento de culpabilidad le viene porque pierde el control de sus instintos sexuales, y da rienda suelta a la imaginación sexual que lo lleva a la masturbación (refregarse los órganos sexuales). —La masturbación produce siempre depresión—. Los médicos sabemos que son tremendamente pocos los casos de personas que se masturban y que no sientan depresión. Este vicio produce una sensación de derrota y de vergüenza. Si el joven tiene quien lo oriente y le diga que éste es un instinto superable; que si se dedica al deporte o a otros ejercicios físicos las hormonas se le riegan por todo el cuerpo y así no quedan concentradas en los órganos sexuales, y por tanto, sentirá menos impulsos a la masturbación; si alguien en buena hora le recuerda que los pensamientos buenos echan fuera a los pensamientos malos porque en la mente no pueden existir dos pensamientos al tiempo, y que si uno se dedica a lecturas interesantes y formativas (por ej.: biografías de grandes personajes que tanto atraen a los adolescentes o revistas deportivas, etc.) los buenos pensamientos de esas lecturas neutralizan los pensamientos sexuales. Y si tiene la suerte de encontrarse con una persona responsable que le advierta acerca de lo grave que es adquirir el hábito de la masturbación (porque hay viejos que exclaman: "Me masturbo cinco veces al día desde hace treinta años y ya no soy capaz de no hacerlo... Ah, si alguien me hubiera advertido cuando era joven y cuando todavía era capaz de dejar este vicio, que llegaría un día en que ya no sería capaz de dominar tan mala costumbre... pero nadie me advirtió"), y le presentan lo que pueden obtener en superación quien se propone no hacer lo que no es debido, y el gran poder que tiene en esto la oración pues coloca junto a nuestra débil voluntad la omnipotente voluntad de Dios, entonces ese joven se verá libre de una de las más terroríficas fuentes de depresión, como es la sexualidad desenfrenada, porque en este caso sí que se cumple lo que dijo Cristo: *"Todo el que comete pecado se vuelve esclavo del pecado"* (Jn 8, 33). Pocas esclavitudes son tan depresivas como la del que se dedica a los desórdenes sexuales. Millones lo han experimentado y darían quién sabe cuánto por no haber tenido tan dolorosas y apabullantes experiencias.

Hay un pequeño período de depresión también en esta edad y es en la época siguiente a su grado de bachillerato. Esa depresión depende de la desaparición de una meta, en este caso el grado de último año de bachillerato. La noche de la graduación se los ve en un éxtasis de euforia y de dicha, reacción que a veces llega al linde de la histeria al despedirse de profesores y amigos. Con harta frecuencia tal experiencia es seguida de un estado depresivo que dura de uno a diez días. Al menos que el joven tenga otras metas ya bien señaladas, este período se le puede transformar en apatía (pereza, indiferencia, desgano para todo). Por eso conviene tener un buen plan para el futuro y ojalá un trabajo que le guste, desde el día siguiente de su grado, o de su vuelta de vacaciones.

LA TERCERA DÉCADA DE LA VIDA

En esta época la depresión ataca más a las mujeres que a los hombres. El varón en la edad de los 20 a los 30 años se dedica fuertemente a su educación y a su especialización vocacional y sus energías varoniles lo mantienen atléticamente activo. De ahí que normalmente no sufran tanto de la depresión como las mujeres en esta tercera época de su vida.

Las recién casadas son víctimas de la depresión a las pocas semanas del casamiento. Una de las causas es la relajación psicológica que produce la vida rutinaria, comparada con los emocionantes preparativos previos al matrimonio. Otra de las causas que explican esta depresión es que sus sueños y expectativas fueron tan idealizados que la realidad se torna decepcionante. El amor es ciego. Únicamente permite ver las cualidades de la persona amada, pero "pronto pasan los gustos y sólo quedan los sustos", como dice la gente, y empieza la otra persona a aparecer con todos los defectos de la pobre naturaleza humana, los cuales traen decepción. Y más si antes de casarse los novios no han estudiado relaciones humanas que les enseñen los secretos y las técnicas para hacer felices a los demás. Hay hombres que han vivido siempre entre varones, toscos, bruscos y ásperos como son los hombres, y de un momento a otro se van a vivir con una mujer, sin saber un un poco de psicología femenina. Ya podemos imaginar la decepción de esta pobre a las pocas semanas de matrimonio. Muchas de estas depresiones amargas se podrían evitar si hombres y mujeres, novios y casados, dedicaran un poco de tiempo para aprender en lecturas o cursos, un poco más de relaciones humanas. Hace poco al atravesar una plaza sentí que un hombre de espesa barba larga me daba un fuerte abrazo. ¿Qué pasa? —le pregunté— "Perdone. Pero es que juré que donde lo viera a usted le daría un abrazo de gratitud, porque hace unos meses leí en uno de sus libros que muchos matrimonios se arreglarían con solo que leyeran un poco más de relaciones humanas. Mi hogar era un fracaso. Peleas y discusiones todos los días. Mi esposa y yo nos propusimos leer su libro "Secretos para triunfar en la vida", y el cambio ha sido tal que parece mágico. Ah, si hubiéramos leído desde años antes las técnicas para hacer felices a los demás, cuántos ratos amargos nos hubiéramos evitado". Tenía razón aquel hombre: para evitar que por nuestra culpa otros en familia sufran depresión hay que aprender las técnicas que las relaciones humanas enseñan acerca del buen trato hacia los demás. El tiempo que dediquemos a estas lecturas producirá frutos de alegría, paz y comprensión. No le pedimos al que lee que nos crea. Sólo le pedimos que haga la prueba.

En el libro *"Preparación para el matrimonio"* del P. Gustavo Eliécer, hay un capítulo muy interesante titulado: "Detalles para los primeros días de matrimonio". Su lectura ha evitado a muchas parejas muy amargas y decepcionantes molestias, y les ha enseñado cómo, si se aman verdaderamente y si son considerados el uno con el otro, los problemas que se presentan al principio del matrimonio se logran solucionar felizmente.

Otra depresión para la mujer recién casada es la que experimenta después del nacimiento de su primer hijo. Los médicos la llaman: "Depresión postparto". Sucede mucho más después del nacimiento del primer hijo que en el de los demás. Puede ser ocasionada por el grave esfuerzo emocional que la madre debe soportar al dar a luz. También puede provenir de que la madre considere al niño como un "intruso" que viene a perturbar la paz del hogar. Esto le puede agravar mucho su depresión. Hay otra causa: que este niño viene a complicar la situación económica de la casa, y por tanto, la depresión que él produce se aumenta hacia el final de quincena o al final del mes cuando el dinero se halla reducido casi a nada.

Para la madre de varios hijos la depresión le puede llegar muy frecuentemente por el tremendo trabajo que supone el cuidado de las criaturas; por sentirse como una prisionera o esclava del cuidado de esos pequeños, y por el temor subconsciente de verse nuevamente embarazada, con todos los problemas que esto acarrea. Si en tales circunstancias empieza a sentir lástima de sí misma, no tardarán en planteársele serios problemas de depresión, lo que puede llevarla a perder interés en su aspecto exterior con pérdida de su propia imagen y, por tanto, agravamiento de la depresión. Y esto le trae otro peligro: que su esposo se interese menos por ella, por el mal aspecto que ahora tiene. Los psicólogos repiten: "Quien se sienta deprimido vístase mejor". Esto disminuye la depresión. Por eso las madres deben recordar que los hombres se dejan estimular y emocionar por la vista; la mujer más elegante que pueda ver su marido cada día debe ser la esposa cuando le abre al atardecer la puerta que da a la calle. Este vestirse con esmero antes de que él llegue a la casa, no solamente le hace bien a él, sino que es también beneficioso para el concepto que ella tiene de su propia vida. San Pedro en una carta decía: "recuerden las mujeres que su mejor adorno no son las joyas ni las modas, sino un corazón amable y dulce. Esto es muy precioso ante Dios. Así se adornaban las mujeres santas del Antiguo Testamento" (1P 3, 3-4). Pero también el Apocalipsis al describir a la esposa ideal dice que se le aconseja adornarse y vestirse con vestidos agradables a la vista (Ap 19, 8).

Hay otra depresión para las madres: cuando los hijos crecen y ella empieza a sentir profundamente que ya no es necesitada por ellos. Aquí le puede llegar la depresión de la inutilidad, que es una de las más apabullantes que pueden sobrevenir, y para evitarla es necesario dedicarse a alguna actividad creadora, o en favor de los demás. Siempre podremos ser útiles a alguien; los pobres siempre los tendremos con nosotros, y si en un doloroso momento, la enfermedad o la vejez nos hacen inútiles exteriormente, sin embargo con nuestra oración frecuente, y con la resignada paz con la que sepamos llevar nuestros sufrimientos, seremos "pararrayos" de la justicia divina, que evitarán castigos y desastres a las personas que nos rodean. Nada atrae tantas bendiciones sobre un hogar como una persona que sufre con paciencia y por amor de Dios. Cuando en una aparición le dijo Jesucristo a santa Catalina: "Si quieres tener verdadera caridad no dejes pasar ningún día de tu vida sin hacer un favor a alguien", y la santa le preguntó: "Y el día en que no encuentro a ninguno para hacerle un favor, ¿qué puedo hacer? El Señor le respondió: puedes rezar u ofrecer tus sufrimientos por los demás, que eso ya es un gran favor que les haces".

LA CUARTA DÉCADA DE LA VIDA

En esta época las personas están sumamente ocupadas. Esas mujeres como amas de casa, educando y cuidando a sus hijos, o si no, empleadas en empresas y oficinas. El padre de familia trabaja en el comercio o en una empresa o profesión, o sigue especializándose en su aprendizaje. Es una etapa de tremenda actividad para la familia, y una de las preocupaciones más fuertes en este tiempo es el comportamiento emocionalmente volátil de los hijos adolescentes. Si los padres han llevado la educación de sus hijos con disciplina y amor, los problemas serán mucho menores. Y más fácil todo aún si los principios morales de la religión son los que rigen todo en el hogar. "Educa al niño en la religión, y ya de mayor no abandonará sus buenos principios" dice la Biblia (Proverbios). Pero si los papás han accedido a todos los caprichos del niño, si lo han mimado en demasía o no les han enseñado debidamente los principios de la religión y del temor y amor de Dios, tendrán que enfrentarse a unos jóvenes rebeldes e indomables, y la década de los 40 puede traer muchas depresiones. En Francia al condenar a un adolescente por terribles crímenes, éste al recibir la sentencia condenatoria exclamó: "La acepto, pero pido también que condenen a las dos personas que fueron causa de mi perversión: esa madre mía que jamás supo enseñarme nada de religión ni exigirme ningún sacrificio, y ese padre que en vez de corregirme mis defectos me felicitaba por mis fechorías". El ataque depresivo de su padre lo llevó a una clínica de reposo. Para ser feliz a los 40 hay que empezar a los 30 o antes, a educar bien a los hijos.

En esta época la depresión es menos frecuente que en las demás edades de la vida porque las personas están más ocupadas. Y una ocupación agradable aleja la depresión. Se cuenta de san Macario que ante un joven oprimido por terribles ataques de depresión se propuso tenerlo siempre ocupado, y ordenó a los dirigentes de la casa que cada uno le pusiera oficios interesantes en diversas horas del día. A las pocas semanas Macario preguntó al antes deprimido: "¿Has vuelto a sentir ataques de depresión?" —y el joven le respondió muy alegre: "No, padre, y ¿con qué tiempo?"—. Nada aleja tanto la tristeza de la depresión como la alegría que se siente al dedicarse a una ocupación interesante. Por eso Dios es el más alegre de todos los seres, porque según las palabras de Cristo: "Dios está siempre actuando" (Jn 5, 17). Dios es el más alegre e incansable trabajador que existe, y nosotros sus hijos debemos imitarlo.

LA QUINTA DÉCADA DE LA VIDA: Y HASTA LOS 65

La mayoría de los psiquiatras afirman que durante la quinta década de la vida aumenta el número de personas afectadas por la depresión. Autoridades mundiales en neurología están de acuerdo que en esta edad aumenta el porcentaje de deprimidos y de suicidas. Durante este período se presenta la depresión en forma fuerte en personas que jamás la habían tenido sino en forma leve. Los que ya la han sufrido, ahora la sufren más fuertemente, o más repetidas veces.

¿Por qué se presenta tanto la depresión en esta edad?

Para mujeres y hombres (para algunos hombres también) llega en esta edad (si no ha llegado después de los 40) la menopausia, que es un período de la vida en la cual se siente un gran desgano por todo lo que antes entusiasmaba: profesión, cónyuge, trabajo, etc. A todos llega, y hay que "aguantar" con calma hasta que pase, sin tomar resoluciones negativas ningunas, porque serían equivocadas. La mejor pomada para este mal es "el aguante", el dejar que pase, dice la gente sencilla.

Además podemos atribuir depresión en esta edad a una gradual disminución del progreso de las energías vitales. No es que la persona esté vieja. ¡No! La vejez empieza propiamente a los 75. De los 50 a los 75 estamos en la "edad madura" que es sin duda la más preciosa de la vida, porque en ella hay equilibrio, experiencia, influencia por lo que se ha hecho, y hasta ciertos bienes materiales acumulados (en muchos casos). Pero el ritmo de crecimiento de la energía vital ya no se siente tan poderoso como antes. Este declinar en el progreso de las energías es el responsable de los cambios temperamentales que se pueden presentar en la década de los 50. Aquí es cuando llegan la merma de las ambiciones, la disminución de la agresividad, pérdida paulatina de interés por lo nuevo, y un mayor apego a lo pasado y antiguo. Puede ser debido todo esto a la disminución de las hormonas por parte de la pituitaria, o a una menor circulación de sangre en el cerebro.

No es nada raro que personas que jamás habían sufrido depresión, de pronto, pasados los 50 años de edad, experimentan un desgano y frialdad en su profesión, en su afecto en el hogar, o en la vocación que han seguido hasta ahora. Es algo totalmente normal. Les da la impresión de no haberse "realizado" plenamente en la vida. Si esta persona pierde el encanto de responder actuando al desafío de la vida, o si le parece que sus sueños e ilusiones jamás habrán de realizarse, puede caer en la depresión. Y esta depresión se le va a repetir si no logra formarse una "actitud mental positiva" que le lleve a aceptar actuando los desafíos de la vida y a proponerse metas e ideales de acuerdo con sus propios talentos y cualidades, que valen mucho.

Las energías sexuales pueden disminuir en esta edad. Puede ser que al sentir menos atractivo entre cónyuges se empiece a buscar otros amores y llegue al hombre a lo que muchos han llamado la "época tonta", en que va mendigando amores extraños que en vez de verdadera felicidad le van a ocasionar complicaciones muy chocantes.

A todo esto hay que añadir para los padres de familia el problema que significa el desprenderse de los hijos que se van casando o se van yendo lejos, lo cual puede producirles también agotamiento nervioso. Todo esto se puede remediar mucho si no se dejan de hacer planes para el futuro y si cada uno sigue dedicándose a actividades que le hagan sentirse útil y no deja que la vida pase sin nuevas realizaciones.

EL SENTIRSE VIEJO NO ES TANTO CUESTIÓN DE AÑOS,
SINO CUESTIÓN DE ACTITUD MENTAL.
PUEDE SENTIRSE MÁS VIEJO UN PESIMISTA A
LOS 40 QUE UN OPTIMISTA A LOS 70.

Los padres de familia pueden empezar a quedarse solos, y entonces es cuando necesitan urgentemente, si no quieren caer en la depresión y en el complejo de inutilidad, el dedicarse a hacer muchas cosas en favor de los demás. Hay pobres que socorrer, niños que instruir, enfermos que visitar, presos que consolar, difuntos a los cuales demostrar el cariño con las plegarias, reuniones cívicas o religiosas a las cuales asistir, etc.

Y cuidado con amores extraconyugales en esta época (en que puede presentarse frialdad entre esposos) porque éstos traen como consecuencia neurosis de culpabilidad, la cual trae consigo la depresión.

Habría que aprovechar también este tiempo para hacer las buenas lecturas que en edades anteriores no hicimos por dedicarnos a las actividades materiales. Pocas cosas hay que alejen tanto la depresión y el aburrimiento como una buena lectura. Un autor famoso escribía: *"Nunca estarás solo si tienes un buen libro"*, y Franklin, el famoso inventor, narra en su autobiografía este dato: "Ya mayor, dediqué dos horas diarias a la lectura de libros instructivos y así subsané la instrucción que mis padres no pudieron darme. La lectura se me convirtió en mi mejor diversión".

LA SEXTA DÉCADA DE LA VIDA
DESDE LOS 66 ESPECIALMENTE

Hay dos clases de personas al llegar a esta edad. Primera: los que saben que hay una meta que alcanzar, un ideal que conseguir y que disponemos de poco tiempo y hay que emplearlo de la mejor manera posible para lograr realizarse; pero que también hay que pasar la vida de la manera más santamente alegre que sea posible. Estos individuos buscan sanos pasatiempos para pasar ratos de descanso. Traban amistad con otros de su misma edad y esto les enriquece la vida. La relación con sus nietos les puede dar una sensación de jovialidad, a la vez que de influencia venerable. Aceptan la vida como es y al sentir que van declinando, no lo toman como una tragedia, sino como el madurar necesario de la naturaleza para pasar a la época de la resurrección final y definitiva, al goce eterno.

El otro grupo son los que al pasar de los 66 quieren rechazar lo inevitable. Confunden "edad madura" (que es la que tienen) con "vejez" (que será después de los 75). Viven pensando o diciendo: "Lástima que ya no soy lo que fui" (como si el corpulento roble dijera: "Lástima que ya no soy el arbolito que se ladea hacia donde lo lleva el viento"; o el vino antiguo y añejo exclamara: "Lástima que no soy ya el agrio vino recién hecho". Esta forma de autorrechazo a la edad que se tiene, lleva fácilmente a la depresión. Y la depresión lo tornará en un ser indeseable y se ensimismará, adoptando una actitud quejumbrosa que puede llevarle a la neurosis.

En esta época de la vida puede suceder que los esposos que llevan más de 30 años de casados experimenten un período de turbulencia y de disgustos, debido a la neurosis de los dos. Ella que está angustiada al ver que su belleza está desapareciendo, y él al sentirse cada día menos vigoroso en su actividad. Afortunadamente este período puede ser pasajero, y una vez que los dos acepten la realidad de la vida con una actitud positiva, y se den cuenta de que si en unos campos han dejado de ser los primeros, en otros en cambio pueden seguir siendo útiles, y que todavía tienen ocasión para ganar muchos méritos para esta vida y para la eterna. Físicamente pueden ya no ser tan robustos y fuertes como lo eran antes. Pero mentalmente están en una de las mejores edades de su vida.

Para muchas personas ha sido una verdadera tabla de salvación para este período de su vida el haberse preparado con la debida precaución para él, sin tomarlo como una época de desastre sino, como es, como la verdadera maduración de la personalidad. Y así tratan de pasar este tiempo con la mínima cantidad de quejas, y viendo en todo la voluntad del Dios Padre de todos, que al permitir que suceda todo esto debe tener sin duda un plan sapientísimo que nosotros no entendemos, pero que seguramente será para nuestro bien, y alegrándose que ya no están en la edad de las vanas ilusiones, sino en la época de la equilibrada madurez.

La mujer al sentir sus cambios hormonales y que ya su reacción sexual disminuye tan notoriamente, no reaccionará negativamente, sino que considerará todo esto como una "espiritualización" de su vida. En esta edad es cuando el amor entre los esposos se vuelve más espiritual, y llega a su verdadera grandeza. Ahora ya no se amarán tanto por el atractivo físico y sexual, sino por simpatía espiritual. Y este amor es inmensamente más noble y ennoblecedor que el anterior.

LA DEPRESIÓN PRODUCIDA POR LA MUERTE DE LOS SERES QUERIDOS

De los 60 para arriba se siente con frecuencia la visita de la muerte a los seres más queridos. El cónyuge, los hijos, los mejores amigos, los líderes más admirados. La mitad de los que pasan de los 65 son solteros, o viudos, o abandonados por el cónyuge.

Ante la muerte del compañero de la vida, hay muchas personas que son incapaces de aceptar esta tragedia. Sobre todo si carecen de reservas espirituales. Si nunca han visto en la vida un plan de Dios, y en cada suceso un acto de su divina voluntad que ha permitido que esto suceda (y que podía haber evitado que sucediera). El peligro en estos casos es no querer aceptar lo que ha sucedido, y dedicarse a la autoconmiseración (a darse a sí mismo continuos mensajes de pésame). Esto lleva irremediablemente a la depresión y acorta la vida. Muchos hay que al morírsele el cónyuge que tanto aman, pierden su deseo de vivir, y la muerte les sobreviene muy poco tiempo después. Si la muerte la manda el Padre Dios que nos creó, y Él es nuestro amigo y no nuestro enemigo. Si la muerte no es un "adiós sino un hasta luego", porque en la eternidad nos vamos a encontrar otra vez. Si morir no es acabarse, sino pasar de una vida de dolor, pecado y peligros a una vida de paz y de cercanía cada vez más radiante al Todopoderoso, ¿por qué desesperarse ante semejante realidad? El libro de Sirac en la Biblia dice: *"No llores demasiado por un muerto, pues te hace mal a ti y en cambio a él no le aprovecha para nada. Pasado cierto breve tiempo deja de llorar, porque él ya está en la paz"*. San Agustín decía: *"Una flor sobre su tumba se marchita; una lágrima por su recuerdo se evapora. —Pero una oración por su alma, la recibe Dios—"*.

Y existe además una reconfortante realidad que muchos han experimentado y van a experimentar: que los muertos con sus oraciones ayudan más desde la otra vida que lo que nos ayudaron en ésta, lo cual ya es mucho decir.

Por eso san Pablo decía: "No os entristezcáis por los muertos como aquellos que no tienen esperanza" (1Ts 4, 13).

Andar entristeciéndose sin cesar por una persona creyente que pasó a la eternidad, es como si una mamá muy pobre viviera llorando porque a su hijo lo sacaron del rancho miserable donde vivía aguantando hambre, y lo llevaron a vivir cómodamente en el palacio del jefe de la nación. Los muertos pasaron a una vida mejor. ¿Por qué entonces vivir llorando porque ellos están gozando?

CUANDO LA SITUACIÓN SE COMPLICA:
TE LLEVO EN MIS BRAZOS

Una noche en sus sueños vi que con Jesús caminaba junto a la orilla del mar bajo una luna plateada. Soñé que veía en los cielos mi vida representada en una serie de escenas que en silencio contemplaba.

Dos pares de firmes huellas en la arena iban quedando mientras con Jesús andaba, como amigos conversando. Miraba atento esas huellas reflejadas en el cielo, pero algo extraño observé, y sentí gran desconsuelo.

Observé que algunas veces, al reparar en las huellas, en vez de ver los dos pares veía sólo un par de ellas. Y observaba también yo que aquel solo par de huellas se advertía mayormente en mis noches sin estrellas.

En las horas de mi vida llenas de angustia y tristeza cuando el alma necesita más consuelo y fortaleza. Pregunté triste a Jesús: "Señor, ¿tú no has prometido que en mis horas de aflicción siempre andarías conmigo?".

"Pero noto con tristeza que en medio de mis querellas, cuando más siento el sufrir, veo sólo un par de huellas. ¿Dónde están las otras dos que indican tu compañía cuando la tormenta azota sin piedad la vida mía?".

Y Jesús me contestó con ternura y comprensión: "Escucha bien, hijo mío, comprendo tu confusión. Siempre te amé y te amaré, y en tus horas de dolor siempre a tu lado estaré para mostrarte mi amor".

"Mas si ves sólo dos huellas en la arena al caminar y no ves las otras dos que se debieran notar, es que en tu hora afligida, cuando flaquean tus pasos, no hay huellas de tus pisadas porque te llevo en mis brazos".

Raúl Villanuev

DE LOS SETENTA Y CINCO PARA ARRIBA

En esta edad aumentan las dolencias físicas. Si la persona tiene una tendencia a la depresión le vendrá la hipocondría (enfermedad nerviosa que le hace sentir melancolía, tristeza y angustia respecto a su propia salud). Para colmo, el círculo de sus amigos ha quedado muy disminuido por la muerte de muchos de ellos, y uno de sus peores sufrimientos es la soledad (Al ver a un viejo y recordar lo solos que nos sentiremos entonces, deberíamos esforzarnos por disipar un poco más con nuestro cariño, su terrible soledad. De una cosa podemos estar ciertos: podremos llegar a ser como son los ancianos con quienes tratamos).

Se llega luego a la *"segunda infancia"*, y se recuerda muy vivamente el pasado. En esta edad siempre tendrá mayor felicidad quien desde joven aprendió a ver la vida en el aspecto que ella tiene de positivo y de optimista y no en sus aspectos negativos y pesimistas. "El optimista vive más años y los vive mejor".

RESUMEN - CONCLUSIÓN

En toda edad pueden venir depresiones. La ausencia de la depresión no debe buscarse en la falta de problemas (porque nunca faltarán), sino en una actitud mental positiva respecto a lo que sucede en la vida. Eso es lo que deseamos enseñar en este libro: cómo enfrentar los problemas con una mentalidad optimista que lleva a la victoria y a la paz.

ARTÍCULO PERIODÍSTICO QUE SE GANÓ UN PREMIO INTERNACIONAL
"No te preocupes"

Querido lector: por todas partes oirás hablar de guerras, de muertes, de incendios, bombas, tanques, aviones, armas atómicas, terremotos...

"Yo te diré: ¡no te preocupes! Si estalla la guerra en tu país y te llaman a defender la patria... Pueden suceder una de estas dos cosas: que puedas defenderla o que no puedas.

Si no puedes, no te preocupes, pues no te llamarán.

Si puedes defenderla, pueden suceder una de estas dos cosas: que te llamen al servicio o que no te llamen...

Si te dejan en tu casa, no te preocupes.

Si te mandan al frente pueden suceder una de estas dos cosas: que te manden a retaguardia o la vanguardia.

Si te quedas en retaguardia, no te preocupes.

Si te mandan a la vanguardia, pueden suceder una de estas dos cosas: que te toque en lugar seguro, o en lugar de peligro.

Si está en lugar seguro, no te preocupes.

Si te ponen en lugar de peligro, pueden suceder una de estas dos cosas: que te hieran o que no te hieran.

Si no te hieren no te preocupes.

Si te hieren, puede ser de gravedad o cosa leve.

Si te hieren levemente, no te preocupes.

Si te hieren de gravedad, pueden ocurrir una de estas dos cosas: que te cures o que te mueras.

Si te curas, no te preocupes.

Si te mueres, "no puedes preocuparte"...

EL QUERER RESOLVER MUCHOS PROBLEMAS
AL MISMO TIEMPO ATRAE LA DEPRESIÓN.

20 CAUSAS QUE PRODUCEN DEPRESIÓN

1. Dificultades económicas.
2. Divorcio.
3. Abortos.
4. Menstruación.
5. Embarazo.
6. Muerte de un familiar.
7. Conflictos familiares.
8. Desocupación.
9. Pérdida del trabajo.
10. Accidente.
11. Situaciones personales conflictivas o riesgosas.
12. Trabajos peligrosos o de riesgo.
13. Inseguridad laboral.
14. Vida en condiciones inadecuadas (hacinamiento, insalubridad, etc.).
15. Segregación racial, persecución ideológica, problemas de carácter político y otras razones similares, como el exilio.
16. Muerte del cónyuge.
17. Condena a prisión.
18. Retiro de la actividad.
19. Exámenes y pruebas similares.
20. Vida en centros urbanos de alta densidad de población.

Capítulo V

CAUSAS QUE PRODUCEN LA DEPRESIÓN

La depresión se reconoce casi siempre como causa de una experiencia externa.

1º. LA DESILUSIÓN

Entre más de mil casos de personas deprimidas que hemos estudiado, no hubo ni una sola que no comenzara con una desilusión o una experiencia de disgusto. Nadie se deprime cuando todo sale bien. Pero vivir es experimentar la desilusión de que algo no ha resultado como lo deseábamos o alguien no se ha portado a la altura de nuestras esperanzas.

Las causas de la desilusión pueden ser muchísimas, desde las más pequeñas hasta las más trágicas. Un padre de familia porque su hijo pierde el año; una madre porque la hija se fuga con un aventurero. El negociante porque quiebra su negocio. La muchacha o el joven al perder el amor del ser que idolatraba. El religioso que no consigue la perfección deseada, etc.

Pero hay muchas causas no extraordinarias. Una puede ser el temperamento y comportamiento de la gente que nos rodea. A causa del desgaste nervioso por los trabajos y preocupaciones de la vida se tornan irritables, desconsiderados y ofensivos con nosotros. Si el amor que sentimos hacia nosotros mismos es mayor que el amor que sentimos hacia los demás, nos ofenderemos cuando ellos nos traten duramente, y de allí empezaremos a descender rápidamente hacia el desaliento que es la primera fase de la depresión. Si recordamos la ofensa recibida, si ese insulto o desprecio que nos hicieron lo guardamos en el corazón por medio del resentimiento, nacerá en nosotros un profundo disgusto que nos llevará a la desesperanza, antesala de la depresión.

Mientras más importante sea para nosotros la persona que nos hizo sufrir, mayor será la desilusión. Teniendo en cuenta que la necesidad de amor es tan grande en nosotros, fácil es comprender que el rechazo de alguien a quien amamos es la mayor fuente de desánimo. Muchísimas personas que son ahora unos pobres harapos de desesperación lo deben a que sufrieron el rechazo de una persona que amaban mucho, y no fueron capaces de superar el traumatismo o choque emocional que les dejó esa impresión.

Hace poco un conocido hombre de negocios, que por dedicar su vida totalmente a sus empresas le dedicaba muy poco tiempo a su hogar, fue abandonado por su esposa, declaraba: "Me tomó más de un año sobreponerme a esta terrible desilusión. Nunca en mi vida había sufrido de depresión hasta que mi esposa me abandonó. Fue como si me quitaran de repente el piso sobre el cual estaba apoyado. Durante semanas lo único que deseaba era morirme". Casos como éste los vemos a diario. Personas autosuficientes y de ánimo alegre y tranquilo, que de un momento a otro caen en la depresión al perder el afecto de un ser querido.

La soledad: puede no ser una causa de la depresión pero sí su consecuencia. El individuo a quien le ha sido arrebatado el objeto de su amor, por la muerte o por el abandono, se hunde en una depresión que lo lleva a la soledad. El dolor psíquico se le aumenta en la soledad y sólo puede ser curado si encuentra amor y comprensión. Infortunadamente el deprimido tiende a alejarse de los demás, y los otros están demasiado ocupados en sí mismos y no le prestan la atención que debería brindársele.

2º. FALTA DE AUTOESTIMACIÓN

Otra de las características casi universales de los deprimidos es su falta de autoestimación. Ocurre casi siempre porque pretenden una perfección tan elevada que les resulta imposible autoaprobarse, y por eso viven exagerando sus fallas. Esto sucede sobre todo en el individuo perfeccionista que nunca está satisfecho con sus realizaciones.

Por ejemplo: un concierto. Un amigo abraza al joven artista y le dice: "Qué maravillosamente has ejecutado esa pieza en el piano". Y el otro, sin esbozar ni siquiera una sonrisa; responde: "No, no fue así. Erré en una nota". Fracaso para él fue errar en una nota, mientras fue un artista en otras tres mil. Todo depende del nivel de perfección que uno aspira a conseguir. El que aspira a no equivocarse nunca en nada, andará siempre deprimido. Esto es tan importante que le vamos a dedicar luego todo un capítulo.

3º. COMPARACIONES INJUSTAS

Cada vez que nos comparamos con alguien que nos aventaja, invitamos a la depresión. El descontento con lo que somos y con lo que hacemos y tenemos, hace que nuestros pensamientos se vuelvan tristes y pesimistas y esto produce depresión. Lo que ocurre es que la mayor parte de las veces somos injustos al hacer la comparación, pues comparamos un área débil de nuestra personalidad con el área fuerte del otro (Nos pasa como aquellos dos campeones que se quejaban de haber sido derrotados. El uno era campeón nacional de billar y el otro campeón nacional de boxeo. Y habían sido derrotados. Pero al campeón de billar lo derrotaron en boxeo y al campeón de boxeo lo derrotaron jugando al billar. ¡Así que gracia!). Don Quijote decía: "Las comparaciones siempre son odiosas", y esto de andar comparándonos con otros es una costumbre muy dañosa que debemos ir abandonando, puesto que no conocemos las debilidades de los demás y en cambio las nuestras hasta las exageramos. Ellos son fuertes en muchos aspectos, —y bendito sea el Señor por haberles dado tantas cualidades— pero nosotros también tenemos muchísimo de qué estar contentos y de qué agradecer al Creador. O es que vamos a desear lo que dicen que pide en su oración el indio boyacense: "Señor: que al vecino jamás le vaya tan bien como a mí, y siempre le suceda el doble de lo malo que a mí me sucede". San Pablo dice: "Alegraos con los que se alegran". Esto es todo lo contrario a este terrible defecto de "entristecerse porque a otros les va bien".

4°. AMBIVALENCIA: O FATALISMO U OBLIGACIÓN INJUSTA

Es una causa muy común de la depresión. Consiste en la sensación de estar fatalmente obligado a hacer o sufrir algo, sin encontrar remedio para salir de esa intolerable situación. Ante la inutilidad de los esfuerzos mentales hechos para superar esta situación amarga, se cae en la indiferencia (falta de interés; no le importa esforzarse por obtener buenos resultados pues está convencido que de todos modos los resultados serán malos). En el "fatalismo" caen mucho los drogadictos y los alcohólicos.

Este sentir que ya no hay solución para el problema es la causa más determinante para los divorcios.

Una pareja es obligada a casarse porque ella está esperando un hijo. El sentirse "obligados fatalmente" a vivir juntos, sin tenerse

PLEGARIA PARA OBTENER SERENIDAD

Niño Jesús: tú eres el Rey de la paz, ayúdame a aceptar sin amarguras las cosas que no puedo cambiar.

Tú eres la fortaleza del cristiano; dame valor para transformar aquello que en mí debe mejorar.

Tengo mil dificultades: ayúdame.
De los enemigos del alma: sálvame.
En mis desaciertos: ilumíname.
En mis dudas y penas: confórtame.
En mis soledades: acompáñame.
En mis enfermedades: fortaléceme.
Cuando me desprecien: anímame.
En las tentaciones: defiéndeme.
En las horas difíciles: consuélame.
Con tu corazón paternal: ámame.
Con tu inmenso poder: protégeme.
Y en tus brazos al expirar: recíbeme.

Amén.

el amor necesario, les va causando una depresión, y poco a poco se les va formando una creciente animosidad y antipatía hacia la causa que urdió esta trampa, la cual en este caso es el cónyuge.

Para el adolescente la causa de su depresión en este aspecto es la "obligación" de obedecer a las órdenes de sus padres o los reglamentos del colegio, etc., que según él, lo mantienen "atrapado" en unas exigencias que no le gustan nada.

La mujer casada se siente "atrapada" en los deberes del hogar. "Ah, no soy más que una simple ama de casa", exclaman. ¿Pero qué mejor profesión en el mundo que ser una "buena madre y una buena ama de casa"?

Es el "terrible cotidiano", según decía Pío XI. El tener que hacer todos los días, a las mismas horas, los mismos oficios cansones y monótonos. Es quizá lo que Jesús llamaba: "La cruz de cada día". Puede ser que al recordar Él, lo pesados que son estos deberes que no podemos eludir, le pareció bien que la primera condición para ser amigo suyo debía ser: "Aceptar cada día su propia cruz cotidiana" (Lc 9, 23).

Pensemos en lo que debe sentir el chofer de bus "atrapado" necesariamente en su obligación de manejar ocho o más horas diarias por entre calles endiabladas; o el minero "atrapado" en su mina o socavón, en tinieblas durante todas las horas de la luz del día; o el paralítico "atrapado" por su enfermedad en su cama, sin poder moverse, o el militar haciendo guardia por horas y horas a cual más de monótonas y cansonas, y sabremos si será o no causa grande para la depresión esta situación. Sólo quien la sepa llevar como una "cruz" por amor de Dios, será capaz de permanecer alegre y de buen humor, a pesar de su dura condición, y no la tomará como una "obligación injusta", sino como una escalera para subirse bien alto al cielo.

Para ciertos individuos muy sentimentales su "fatalidad" puede ser el no sentirse capaces de vencer sus terribles tentaciones e inclinaciones sexuales que les hacen caer continuamente en pecados carnales. Esto deprime horriblemente.

5°. LA. ENFERMEDAD

Todos tenemos nuestros aspectos débiles y nuestros momentos dolorosos. Unas personas pueden soportar mejor que otras las horas amargas de la vida. Pero *la capacidad para resistir a la depresión disminuye siempre con las enfermedades*. Toda enfermedad prolongada nos hace vulnerables y fáciles a la depresión. Y muchos medicamentos producen también efectos secundarios que llevan a este malestar.

Quien ha sufrido una hepatitis queda con una debilidad nerviosa y un debilitamiento de fuerzas que lo dejan muy deprimido. Toda enfermedad al cerebro incluye depresión. Hay muchas drogas que aunque alivian otros males, sin embargo debilitan el sistema nervioso y producen depresión. Hay tranquilizantes que producen alegría y paz en el momento, pero después dejan a la persona terriblemente deprimida. *Las píldoras anticonceptivas* dejan a la mujer en fuerte grado depresivo.

Hay personas con carencia notable de vitamina B (B1, B2, B6, B12) y la falta de esta vitamina produce gentes deprimidas, sin ánimo y llenas de tristezas y miedos.

Y cuando la persona está debilitada por la enfermedad sucede un fenómeno especial; y es que los hechos que habitualmente no le molestaban, adquieren magnitudes desproporcionadas. "Todo lo malo le parece muchísimo más malo". Es más fácil caer en la autoconmiseración durante una enfermedad que en ninguna otra época de la vida.

Estos detalles pueden servir muy bien para tener más comprensión con los caprichos, nerviosismos y exageraciones de muchos enfermos.

Un día en el que la tensión está bajísima, el paciente puede sentir una depresión muy fuerte. Lo mismo el día en el que la jaqueca agobia y no se quiere alejar con ninguna pastilla. Y no digamos nada de un dolor de muelas. Del gran san Pío X se dice que era muy alegre y muy optimista, excepto ciertos días en el que los dolores de muelas que sentía eran tan agudos que la depresión trataba de vencerlo. Por eso tengamos siempre comprensión con los enfermos. No tienen mala voluntad, sino... enfermedades.

6º. DEPRESIÓN POST-PARTO

Aun las mujeres más optimistas y alegres pueden sufrir una crisis depresiva poco después de nacer su hijo. Para consuelo de todas ellas tenemos que decir que esto es absolutamente normal.

Aquí tienen influencia las ilusiones y fantasías. La mujer se imaginaba que su hijito iba a ser un "suave bultico de amor", y ahora le resulta que es "un bulto de carne que llora y huele mal". Hasta amamantarlo le produce dolor.

El mejor remedio que los médicos conocemos a este respecto es el comportamiento amable, comprensivo y bondadoso del padre del bebé. Si es un hombre equilibrado y ama a su esposa como se ama así mismo, tratará con paciencia, delicadeza y afecto a su emocionalmente agotada esposa.

Lo malo en estos casos es que también el pobre esposo se puede encontrar deprimido. Dicen que cuando una criatura nace, la mamá llora en el momento en el que nace el niño, y el papá llora en el momento en el que le pasan la cuenta de la clínica. Ante estos gastos grandecitos, tiene peligro también él de sentir depresión, y si un deprimido trata a otro deprimido, los dos se pueden ir al abismo de una depresión mayor. Por eso una tercera persona (cuñados, suegros, etc.), puede traer el ánimo y el consuelo que se necesitan en estas circunstancias.

Puede ser que la esposa se muestre difícil, irritable, irracional y les haga difícil al esposo y demás familiares tenerle paciencia. Ellos deben hacer lo posible para levantarle el ánimo y la confianza en sí misma. Algunos maridos piden licencia en su trabajo por una semana cuando nace su hijo, para poder estar en su casa y brindar a su esposa todas las atenciones que su estado especial exige. Esta inversión de tiempo, paciencia y delicada comprensión le producirán especiales ganancias para el futuro. A muchas mujeres les molestan los cuidados de su esposo en este tiempo, pero pasado el período de su depresión lo aprecian en toda su magnitud. "Lo traté muy mal en esos días —decía una— pero después me di cuenta de que es un hombre maravilloso".

7°. LA HIPERACTIVIDAD MENTAL

Las personas de gran actividad y productividad padecen una rara forma de depresión, especialmente después de los 50 años: se les han acumulado tantos detalles, planes y energías, que les resulta difícil un descanso mental. Sus pensamientos parecen estar como las nubes en una tormenta: en corto circuito unos con otros, y empiezan a fallarles sus poderes de concentración. Es una experiencia enervante y desalentadora para quien desea sentirse seguro de sí mismo. Al reaccionar disgustado y frustrado porque no puede concentrarse en asuntos importantes, no se da cuenta de que mientras más aspavientos haga, más se le agudiza el problema.

Uno de los síntomas de esta forma depresiva es la súbita irritabilidad sin causa proporcionada. Por ejemplo: llega un día a casa y al oír la algarabía de los niños, que todos los días había sido la misma, estalla en un ímpetu de cólera y les echa un feroz regaño. Luego se va a su alcoba a pensar: "¿Por qué me pasó esto, si antes no me disgustaban sus bullicios? ¿Por qué habré reaccionado tan bruscamente hoy?

Puede ser que su intensa actividad no le ha permitido al cerebro un adecuado descanso, lo cual le lleva a reaccionar de esta manera.

Algunos médicos recetan un tranquilizante suave para contrarrestar el *síndrome de actividad* (síndrome: señal de alarma. Síndrome de actividad: síntoma o señal de que se está pasando más allá de los límites que uno debe dedicar a su actividad). Luego sugieren una reducción de la intensidad del trabajo, aconsejando enérgicamente una actividad menos febril, menos afanosa. Lo grave es que en estos casos de neurastenia el remedio principal es descansar, y eso es lo que menos le gusta al neurasténico: descansar. Casi todos prefieren una dosis de tranquilizantes para tomar en pastillas en vez del remedio verdaderamente seguro eficaz: descansar.

Para muchos individuos una semana de descanso, o un día de paseo les aprovechan más respecto a su buen genio que un frasco de remedios o un mes de buenos propósitos.

8º. EL RECHAZO

Ya hablamos de esto. Pero es necesario insistir en la tremenda necesidad de amor que tienen todos los seres humanos. Cuando ese deseo de ser amados no se logra realizar, llega la depresión. Ese tipo de depresión comienza temprano cuando el niño no logra recibir cariño de sus padres (por eso los asilos son muchas veces fábricas de bandidos y prostitutas: por la depresión que les produjo en la infancia la falta del cariño que deseaban recibir). El adolescente se deprime porque se siente rechazado. El novio se emborracha para tratar de ahogar la depresión que le produjo un rechazo de su amada, y la mujer joven busca el suicidio o llora amargamente porque el hombre de sus sueños se ha ido con otra o se muestra displicente.

En las personas mayores esta depresión sobreviene cuando se pierde el afecto del cónyuge, o se pierde el puesto o empleo o se sufre la traición de un amigo en quien se confiaba. Muchas veces la depresión es desproporcionada porque la persona se pone a cavilar mucho sobre la injusticia de ese rechazo que ha recibido (cavilar: concentrar el pensamiento de un tema sin querer retirarlo de allí). También se agranda esta depresión si el individuo se encierra en su soledad. Grandes educadores, cuando ven a un joven en estado depresivo lo primero que buscan es conseguirle compañeros alegres que lo saquen de su soledad destructora. Aquí se cumple una vez más la Escritura que dice: "Un buen amigo es un tesoro. Un amigo fiel no tiene precio. El amigo fiel es como un remedio que fortalece la vida" (Si 6, 14-16).

Comentar los rechazos que hemos recibido es reavivar las heridas que sentimos. Pero buscar la amistad de personas comprensivas y buenas es adquirir el ungüento que sana las llagas de la incomprensión y del rechazo. El Libro Santo ha hecho una maravillosa promesa: "Los que tengan fe en Dios conseguirán los buenos amigos que necesitan" (Si 6, 16b-17).

PELIGRO DE CONTAGIO

"SI ANDAS CON GENTE TRISTE, TE VOLVERÁS TRISTE"

El llanto:

SENTÓ PLAZA EL LLANTO UN DÍA,
NO RECUERDO EN QUÉ LUGAR,
Y AUNQUE PARA AMILITAR,
NINGÚN JEFE LO QUERÍA,
FUE TANTA SU VALENTÍA,
Y SU INFAUSTO PODER TANTO,
QUE EN EL MUNDO CON ESPANTO
A TODOS ACOMETIÓ,
HASTA QUE POR FIN LLEGÓ,
A SER GENERAL EL LLANTO.

CAUSAS QUE PUEDEN PRODUCIR ALTO GRADO DE DEPRESIÓN

Causa	Puntos
Muerte del cónyuge	100
Separación entre esposos	65
Muerte de un pariente muy amado	63
Encarcelamiento	63
Heridas o enfermedad	53
Sentirse inútil o no apreciado	50
Pérdida del empleo	47
Peleas y discusiones entre esposos	45
Jubilación y dejar el trabajo	45
Gravedad en el estado de salud de un familiar	44
Faltas o pecados graves que remuerden mucho	40
Problemas con los superiores	39
Proximidad de un examen muy difícil	39
Ponerse muy grave la situación financiera	38
Muerte de un amigo íntimo	37
Cambio de trabajo a una actividad diferente	36
Hipoteca sobre la casa y no se puede pagar	35
Haber resultado mal una actividad de la cual esperaban éxitos	30

9°. FIJARSE METAS INADECUADAS
O NO FIJARSE NINGUNA

Hay un natural aflojamiento cada vez que se logra terminar un proyecto. Pero el problema especial para la depresión es fijarse metas que superan las propias capacidades, o no fijarse metas que atraigan la atención.

Toda persona es un ser en busca de metas. Sin metas o ideales dejamos de luchar; pero cuando permitimos que una meta o ideal se constituya en nuestro único proyecto, si lo conseguimos nos sentimos ya entonces con un decaimiento general una vez realizado, y si no lo conseguimos nos entregamos a la depresión.

Por eso es necesario tener muchas metas o ideales, de varias clases: grandes y menores. Unas a largo plazo, otras para conseguirlas pronto. Así, en caso de que una falle quedan muchas otras, y cuando conseguimos realizar una meta, en vez de aflojarnos por ese hito ya conseguido, seguiremos adelante en busca de otros más.

Que a punto de terminar un proyecto ya tengamos otros tres en marcha, y así no tendremos jamás el vacío mental. Cultivemos el arte de fijarnos nuevas metas e ideales. Esto nos mantendrá jóvenes hasta los noventa años.

Una mujer dedicada a la autoconmiseración (a tenerse lástima a sí misma) daba la razón para ello: "Es que ya no tengo ninguna meta ni ideal por conseguir". Esto acaba con la personalidad de cualquiera. Con razón de que haya tanta gente taciturna (callados, silenciosos, tristes, melancólicos, apesadumbrados). Es que hay demasiados individuos sin metas ni ideales que les animen a vivir en felicidad.

LOS IDEALES
DEMASIADO INALCANZABLES
PRODUCEN DEPRESIÓN

SI UNO SE IMAGINA
QUE LO ÚNICO IMPORTANTE EN LA VIDA
ES TENER MUCHO DINERO O MUCHA FAMA
O SER MÁS IMPORTANTE QUE LOS DEMÁS,
ENTONCES SE VA A LLENAR DE INQUIETUD Y DE TENSIÓN
Y DEPRESIÓN AL NO LOGRAR CONSEGUIR TODO ESTO.

"BUSCAD EL REINO DE DIOS Y SU SANTIDAD.
TODO LO DEMÁS SE OS DARÁ POR AÑADIDURA".

(JESUCRISTO)

Hay también personas que tienen depresión porque se fijaron metas demasiado altas. Quieren ser soles cuando sólo tienen capacidad para ser linternas. Quieren tener el genio amable de san Francisco cuando nacieron con el temperamento de Caín. Creen que lo ideal es ser muy famosos, olvidando que nada puede superar en felicidad a un alma tranquila, en paz con su Dios y con sus prójimos. Y de tanto mirar al sol para querer llegar a ser como él, se quedan a oscuras en las tinieblas de la depresión.

LA FÁBULA DEL PICAPIEDRA

Los antiguos narraban la fábula del picapiedra que se aburría de tanto golpear a la roca inmensa bajo los terribles rayos del sol y un día exclamó: "¡Quién fuera sol!". Y en ese momento se convirtió en sol y empezó a lanzar sus rayos quemantes a toda la tierra. Mas de pronto una espesa nube se le atravesó y no dejó pasar sus ardientes rayos. Entonces exclamó: "¡Quién fuera nube!". Y se convirtió en nube. Y, ayudada por el huracán, inundó campos, regó tierras y dominó todo en medio del más terrible invierno. Todo menos una altísima roca que no le hizo ningún caso ni se dejó dominar por la furiosa nube. Entonces exclamó: "¡Quién fuera roca!". Y se convirtió en roca. Y desde su altura dominaba todo el horizonte y nada era más fuerte que ella. Pero un día sintió un cosquilleo y unos golpes: era un picapiedra que le estaba destrozando a cincel y martillazos, y disgustada exclamó: "¡Quién fuera picapiedra!", y en ese momento volvió a ser lo que antes era: un sencillo picapiedra; y sacó una lección: "No hay que aspirar demasiado alto, porque la felicidad no está en ser demasiado, sino en contentarse con lo bueno que se puede ser en el estado en que uno está".

METAS QUE VALEN LA PENA

Jamás debemos conformarnos con metas egoístas o con ideales inferiores a nuestras capacidades. Nifhtingale fue un personaje dedicado durante toda su vida a motivar a la gente para ser más. Y una de sus insistencias era: "Quien tiene ideales nobles probablemente no se enriquecerá demasiado, porque no busca sus propios intereses sino los de los demás". Por sobre todo debemos fijarnos metas que signifiquen: ayudar a otros. Los bienes materiales vendrán también porque la Palabra Divina ha dicho: "Dad y se os dará. Quien generosamente da, generosamente recibirá. La medida que useis para dar a otros, se usará también para daros a vosotros" (Mc 4, 24-25; Lc 6, 38). La gente de más rica personalidad que conozco son los que se han dado al bien de los demás. En cambio muchas personas que ganaron dinero pero sin ayudar a los demás, no han podido comprar con todo su dinero la felicidad.

Ayudar a los demás: he aquí una meta formidable. Nunca nos faltará gente a quien poder ayudar. Y se cumplirá aquella famosa frase de Cristo: "Es mejor y produce más felicidad el dar que el recibir" (Hch 20, 35).

> ## Es mejor y produce más felicidad el dar que el recibir.
>
> ### (Jesucristo)

S.O.S. SIGNIFICA: "NECESITO AYUDA. SOLICITO SOCORRO...".

NO TODO ESTÁ PERDIDO MIENTRAS PODAMOS
TODAVÍA PEDIR AYUDA A ALGUIEN.

LA SAGRADA BIBLIA DICE: "TODO EL QUE PIDE RECIBE.
TODO EL QUE BUSCA ENCUENTRA".

NOTICIA PARA HORAS AMARGAS

"Si se levanta la tempestad de las tentaciones, si caes en el escollo de las tristezas, eleva tus ojos a la estrella de la Mar: ¡invoca a María! Si te golpean las olas de la maledicencia, o de la envidia, mira a la estrella, ¡invoca a María! Si la cólera, la avaricia, la sensualidad de tus sentidos quieren hundir la barca de tu espíritu, que tus ojos vayan a esa estrella: ¡invoca a María! Si ante el recuerdo desconsolador de tus muchos pecados y de la severidad de Dios, te sientes ir hacia el abismo del desaliento o de la desesperación, lánzale una mirada a las estrellas e invoca a la madre de Dios. En medio de tus peligros, de angustias, de tus dudas, piensa en María, ¡invoca a María! El pensar en ella y el invocarla, sean dos cosas que no se aparten nunca ni de tu corazón ni de tus labios. Y para estar más seguro de su protección no te olvides de imitar sus ejemplos. Siguiéndola no te pierdes en el camino. Implorándola no te desesperas. Pensando en ella no te descarriarás. Si ella te tiene de la mano no te puedes hundir. Bajo su manto nada hay que temer. Bajo su guía no habrá cansancio, y con su favor llegarás felizmente al puerto de la ¡Patria Celestial! *Amén*.

(San Bernardo)

Capítulo VI

LOS MÉTODOS PARA CURAR LA DEPRESIÓN

Los tres métodos más popularizados hoy día para curar la depresión son: la terapia con medicamentos, la electroterapia y la psicoterapia. Analizaremos los tres métodos, sabiendo que cada uno tiene sus entusiastas defensores, y que algunos especialistas curan mezclando los tres, y daremos un cuarto método sumamente útil, y el más práctico de todos.

No olvidemos que para poder curar la depresión es necesario saber la causa que la produjo. Por eso es tan importante leer el capítulo quinto donde están bien explicadas las nueve causas que pueden producir depresión. Vale la pena volverlo a leer.

1º. MÉTODO: LA TERAPIA POR MEDIO DE MEDICAMENTOS

"Lo primero que hacemos con el que está deprimido es darle remedios para que le funcione bien el hígado", me dijo el médico de un hospital psiquiátrico. Y añadía: "Desde que el hígado esté funcionando bien, el paciente es otro totalmente distinto".

Hace dos mil quinientos años el famoso médico Hipócrates decía: "Para que el que esté abatido, darle zumos de yerbas para que se le arregle su salud". Los chinos ya hace tres mil años usaban aguas sedantes para poder calmar la depresión. De todas las civilizaciones antiguas se tienen noticias que las gentes tenían aguas especiales con yerbas sedantes y calmantes para los períodos de depresión. Nuestros antepasados sentían que en estados de ansiedad se les recomendaba tomar agua de yerbas, por ejemplo: toronjil, etc.

Hoy en día la industria farmacéutica, después de profundas investigaciones ha producido muchos medicamentos para calmar la depresión. La mayoría de estos medicamentos han aparecido después de 1955. Es un *arma contra las enfermedades depresivas*, arma que se perfecciona cada día más, pero que como toda arma, es peligrosa también. El oficio de estos medicamentos es luchar contra el agotamiento de energías y tratar de dar energías al sistema nervioso.

Ventajas de este tratamiento

Puede aplicarse a enfermos que se sienten demasiado mal anímicamente para poder cooperar con la psicoterapia. El paciente logra un alivio al cabo de pocas semanas si el medicamento es en forma de pastillas, y al cabo de pocos días si es a base de inyecciones. El tratamiento puede prolongarse por mucho tiempo. Es mucho menos costoso que la psicoterapia. Los médicos van adquiriendo práctica y logran recetar buenos medicamentos que suavizan mucho la depresión.

Desventajas

Este tratamiento no remedia las causas del problema del paciente (las 9 causas que producen la depresión y que están en el capítulo V). No logra tampoco reconstruir las relaciones familiares si están averiadas (y esas defectuosas relaciones familiares producen mucha depresión siempre). Los medicamentos le dan al paciente la falsa sensación de que sus problemas ya han sido solucionados o de que él sí es capaz de solucionarlos (pero esta sensación no le dura sino mientras perduran los efectos del medicamento). Muchos al sentirse muy aliviados dejan de usar otros métodos psicológicos que los podían aliviar más duraderamente. Además, varios remedios farmacéuticos tienen efectos secundarios y algunos son hasta tóxicos. Muchos enfermos no logran curarse con medicinas porque siguen teniendo en su mente la ambivalencia (que es la 4ª causa de la depresión. Véase capítulo V, y que consiste en creerse fatal o injustamente destinado a hacer o sufrir algo). Además, hay casos en que la persona está en un decaimiento tal, que ya no se logra evitar que llegue a una psicosis esquizofrénica con ningún medicamento, sino sólo con métodos psicológicos y ayudas morales.

Por tanto, es evidente que las medicinas antidepresivas no ofrecen la solución ideal, para el tratamiento de la depresión. Como requieren cierto tiempo antes de ser efectivas, dejan expuesto al paciente grave al riesgo del suicidio durante este período. Además las medicinas antidepresivas traen a veces unos efectos secundarios tan penosos que los pacientes se resisten a tomar los medicamentos otra vez.

El problema de las anfetaminas (medicamentos muy empleados para suavizar la depresión) consiste en que crean hábito y los pacientes se vuelven peligrosamente dependientes de ellas. El cuerpo va sintiendo más y más inclinación para tomar esas drogas y como el efecto se va sintiendo menos, entonces se aumentan las dosis. Además de esto, a la agradable euforia que produce la anfetamina le sigue una taciturna tristeza que lleva al individuo a una depresión mayor de la que tenía antes de tomar el medicamento.

Un médico famoso dice: ningún medicamento hace exactamente y solamente lo que se espera que haga. Así por ejemplo: la aspirina puede aliviar el dolor de cabeza y producir malestar estomacal.

Hay remedios que quitan dolores pero producen zumbidos en los oídos, etc. Así los sedantes antidepresivos pueden desencadenar varios efectos secundarios v.g. transpiración, bajar o subir la tensión arterial, y algunos pueden destruir los glóbulos blancos y favorecer así las infecciones y trastornos hepáticos.

Las estadísticas médicas señalan que de las personas deprimidas tratadas con la terapia de los medicamentos, solamente el 35% han obtenido su curación. Es una cifra alta y consoladora, pero deja mucho campo todavía a los otros tres métodos.

Con estos remedios pasa algo parecido a lo que le sucede al que fuma para suavizar su nerviosismo: la nicotina le aumenta el azúcar en su sangre por unos momentos, pero después queda descompensado su organismo, y ese azúcar sacado a la fuerza al organismo es reclamada por él con nuevas ansiedades y nerviosismos.

2º. MÉTODO: LA ELECTROTERAPIA

Consiste en aplicar un breve *shock* eléctrico al cerebro, y producir una amnesia o pérdida de memoria momentánea. Se repite tres veces por semana hasta llegar a 21.

Se aplica así: a cualquier hora del día con tal que el paciente no haya ingerido alimentos desde cuatro horas antes. El paciente se recuesta sobre una cama confortable. Se le pone una inyección intravenosa de un barbitúrico (medicamento sedante que hace dormir). El paciente queda dormido a los 10 segundos. Este sueño rápido y placentero le hace experimentar alivio en su angustia mental. Luego se le pone una inyección de una sustancia que le hace relajar y soltar todos sus nervios. Esta relajación muscular le trae descanso. Se le coloca una máscara de oxígeno para que todo su organismo esté bien oxigenado. Enseguida por medio de electrodos colocados en sus sienes se le aplica una corriente eléctrica de bajísimo amperaje durante un segundo, la cual estimula la actividad cerebral y la descarga de los nervios, para que ponga en marcha el proceso curativo.

Mientras tanto el paciente duerme. El tratamiento es indoloro. Dura dos minutos.

A los 15 minutos el paciente despierta. No recuerda en ningún momento lo ocurrido durante el tratamiento. Al principio está como atontado, pero luego reconoce claramente otra vez dónde está y recobra sus fuerzas.

El procedimiento dura en total una hora.

Muchos enfermos tienen miedo que este procedimiento les disminuya su memoria o les dañe su cerebro. Hasta ahora no se ha podido probar que eso suceda.

Otros lo prefieren porque no tiene tantos efectos secundarios como los que producen los medicamentos. Claro está que es un procedimiento costoso.

En enfermos ordinarios el electrochoque ha producido curación en un 35% de los casos. En casos más graves se han obtenido curaciones hasta en un 70% de los que fueron tratados.

Pero en este tratamiento como en el de los medicamentos sucede algo muy importante: si no se corrigen las causas que producen la depresión, no se logrará curarla jamás definitivamente. Pasa como con la persona que cada semana va a quitar una telaraña. Mientras no mate la araña no acabará con la telaraña. Si no acabamos con las causas que producen depresión, a pesar de los tratamientos que se apliquen, se volverá otra vez a caer en estados depresivos.

En muchos casos tratados por electroschock hemos visto que se curaron los síntomas pero no las causas productoras de la depresión. Por tanto, son necesarios otros métodos, y los vamos a explicar.

Una señora sufría depresión. Tomó medicamentos y se curaba solo a ratos. Fue a electrochoque, y después de un tiempo estaba otra vez deprimida. Antes de que empleara el tercer método logramos quitarle un terrible complejo de culpabilidad que tenía, y ahora está plenamente feliz sin necesidad de más tratamientos. Le habíamos arrancado la causa de su depresión y ésta ya no volvió más. Vamos a hablar, pues, de cómo lograr estos efectos tan saludables.

3°. MÉTODO: LA PSICOTERAPIA

Antes de descubrir los medicamentos antidepresivos y el electrochoque, casi el único medio que se usaba para combatir la depresión era la psicoterapia.

Su definición más sencilla es: *"El tratamiento por medio de la conversación"*.

El paciente habla libremente con su consejero y le expresa lo que siente, lo que piensa y sufre. El consejero le ayuda a entenderse a sí mismo y a mejorar su vida de relación con los demás.

Si la causa principal de su depresión es el rechazo o la pérdida de un ser amado, el consejero trata de ayudarle a conseguir un afecto sustituto que reemplace en su corazón y en su mente el ser que ya no corresponde a su amor.

Probablemente el aspecto que más ayuda a la curación con este método es que el individuo desesperado que se siente rechazado y desesperanzado, encuentra un consejero que se interesa por él, que trata de comprenderlo y ayudarlo. En este caso el consejero llega a ser como una muleta que le permite dar los primeros pasos hacia su rehabilitación definitiva.

Defectos

La psicoterapia tiene el defecto de que es larga y es costosa. Por lo general el psiquiatra cobra muy altas sumas de dinero por cada consulta y hay que ir bastantes veces a consultarle (a no ser que se consulte a un sacerdote, y éste no cobra nada). Además muchos psiquiatras no dan ellos mismos las soluciones, sino que dejan al paciente que trate de encontrarlas por su propia cuenta. Pero el pobre está tan deprimido que no logra encontrar por sí mismo las soluciones, y es frecuente el caso que después de muchas consultas y largas sesiones de conversación con el psiquiatra, terminen muy frustrados el que consultó y el que escuchó. El único que casi nunca termina en frustración es el bolsillo o la cartera del psiquiatra.

(Nota: aquí no hablamos de la dirección espiritual que se pide y se recibe de un buen sacerdote. Esta sí es de provecho seguro y no trae peligro ni para el alma ni para la cartera del dirigido).

La psicoterapia se torna peligrosa cuando el consejero trata de imponerle sus propios principios morales al aconsejado, y el consejero es un tipo amoral. Muchos de los que aconsejan, cuando notan que un paciente sufre de un grave complejo de culpabilidad tratan de quitarle importancia al hecho que motiva el sentido de culpabilidad del paciente, y de convencerlo que lo malo no es malo y no es pecado, y van destruyendo así sus principios morales. Y sucede que al invitar al paciente a pasar por alto sus valores morales y a dedicarse tranquilamente a una vida corrompida y pecaminosa, como este consejo viene acompañado de toda la autoridad de un psiquiatra, se sigue sin más ni más. Pero desgraciadamente el nuevo estilo de comportamiento inmoral, aunque al principio trae una euforia y tranquilidad pasajeras, es seguido luego por una aplastante conciencia de culpabilidad y vuelve mucho peor el problema que antes se tenía. Hay dirigidos que pueden decir al psiquiatra lo que un joven dijo al malvado Voltaire: "Instruiste mi cerebro pero mataste mi alma".

Hay otro peligro: *la Terapia de Grupo*. Esta puede obtener felices resultados si los componentes del grupo son personas de alta moralidad y fuertes ideas religiosas. Pero si no es así, puede venir la catástrofe.

Una mujer muy deprimida empezó a participar en una terapia de grupo, donde todos trataban de ayudar a todos. Pero eran personas de una moralidad miserable. Lo primero que lograron fue quitarle sus ideas "anticuadas" de moralidad. Empezó una vida libertina y aunque al principio se imaginó, como le habían dicho, que éste sería el camino de su felicidad y liberación, ahora se encuentra en el más desesperante grado de depresión, tambaleando bajo el peso abrumador de su culpabilidad. Quedó esperando un hijo y era soltera. Y para toda esta tragedia tuvo que pagar una gran cantidad de dinero por la terapia de grupo.

A aquellos falsos consejeros se les había olvidado aquel adagio tan antiguo y tan verdadero: *"Pecar significa reir sólo un momento, para llorar después toda una vida"*.

Debe haber otros métodos mejores para curar la depresión. Veamos uno.

4º. MÉTODO: LA TERAPIA ESPIRITUAL

Este es el método que más descuidan hoy muchos médicos y psiquiatras y por eso la depresión les gana sus batallas.

LA FÓRMULA PARA EVITAR LA DEPRESIÓN
ADQUIRIR PACIENCIA Y BUEN GENIO:

MIRAR A CRISTO CRUCIFICADO,
PENSAR EN SUS DOLORES
Y COMPARARSE CON ÉL.

Como nuestro medio está tremendamente secularizado (secularización es la rebeldía contra todo lo que es sobrenatural y divino) y el humanismo ateo es el que preside y dirige nuestros colegios y universidades, ahora se le da muy poca importancia a todo lo que sea espiritual. Estamos formando cerditos bien cebados, terneritas muy bonitas, veloces potros para correr tras el premio del dinero, pero en lo espiritual estamos formando ateos, fieras feroces que no sabrán sino rabiar y bramar de furia.

Infortunadamente (o quizás afortunadamente) a cada persona le llegan problemas que no logrará solucionar ni con dinero, ni con amistades influyentes, ni con brillantes cualidades personales, y ante esos tremendos problemas sólo tiene una tabla de salvación para no ahogarse en el mar de la depresión y de la desesperanza: la terapia espiritual. Unas creencias que reemplacen todo lo que la naturaleza no logra remediar. Los demás remedios resultan todos ineficaces en ciertos casos muy frecuentes.

Un universitario exclamaba: "Yo ya no necesito de Dios ni de la religión". Y su padre, un profesional muy equilibrado y curtido en las luchas de la vida, le respondió: *"No digas ya no necesito de Dios y de la religión". Es mejor decir: "todavía me parece que no los necesito".* Porque en la vida te llegarán problemas tales que si Dios no te echa una mano perecerás apabullado por ellos, y ningún poder humano será capaz de librarte de sofocante peso".

¿Quién de nosotros no conoce hogares destruidos donde la incomprensión no se logra solucionar ni con dineros, ni con cualidades, ni amistades de alta influencia? ¿Quién no ha sentido ideales que se le esfuman sin saber por qué y cuya pérdida parece no poderse compensar con nada en el mundo?

Dicen que cuando Napoleón invadió a Rusia mandó hacer una medalla con esta inscripción: "Oh Dios: el cielo es tuyo, pero la tierra es mía". —Y un gobernador ruso mandó hacer otra medalla con esta leyenda: "Las espaldas son tuyas, pero el látigo es mío. Firmado: Dios"—.Y la realidad fue espantable: el que creyendo poder dominar el mundo entero con sus solas fuerzas, penetró victorioso en aquel país con medio millón de soldados armados hasta los dientes, volvió después con unos pocos miles de harapientos soldados muriéndose de frío y de vergüenza. Y esta historia se repite cada día con los "secularizados" que quieren dejarle a Dios solamente su cielo y exigirle que los deje solos con sus problemas. La tierra seguirá siendo de Dios, pero los azotes de la depresión seguirán zumbando sobre las espaldas de los engreídos que creen que ya no necesitan del Creador para solucionar sus situaciones difíciles.

Un hombre lleno de salud, de amigos y de dinero le decía a un sacerdote: "Yo no cuento con Dios para nada, y ¿qué me ha pasado de malo?" y el sacerdote le respondió: "No pregunte: ¿qué me ha sucedido de malo?, sino más bien: ¿qué me va a suceder?, porque la Biblia dice con su palabra infalible: "No habrá paz duradera para los que desprecian a Dios" (Is 48, 22). Y esto se cumplirá siempre y en todas partes. El Señor ha dicho también: "Yo soy el que doy la paz y soy el que la quito también" (Is 45, 7). Que el Señor no vaya a alejar jamás de ninguno de nosotros su santa paz. Desde ese momento nos tragaría la depresión.

Una coincidencia. Todas las terapias que existen para vencer la depresión concuerdan en este principio: *el deprimido debe recibir una ayuda externa.* Unos dicen que esa ayuda debe ser un medicamento. Otros que un electrochoque y algunos más que la ayuda de un psiquiatra. Nosotros reconocemos que todas estas ayudas pueden ser muy útiles y necesarias, pero estamos seguros de que se necesita una ayuda mucho más poderosa todavía: una intervención especial de Dios y de su religión en su propia vida. Sin esta intervención se nos van a quedar a mitad de camino todos los esfuerzos por llegar a la altura de la serenidad.

Las cuatro condiciones para la alegría y la paz:

Vamos a presentar en un gráfico los cuatro componentes de una persona. Si alguien desea tener una personalidad serena y alegre debe cuidar sus cuatro aspectos esenciales sin los cuales no puede haber ni equilibrio ni paz. Son la salud mental, la salud espiritual, la salud física y la salud emocional.

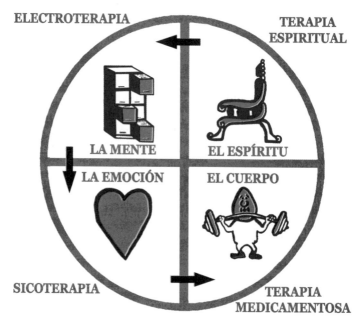

LOS CUATRO FRENTES QUE HAY QUE CURAR

Una de las más graves tragedias de nuestro tiempo es que los humanistas ateos instalados en los colegios, universidades, periódicos, televisión, cine y demás medios de comunicación, han hecho un lavado cerebral tan desastroso a nuestras gentes, que muchas personas han llegado a imaginarse que son simplemente animales, sin dimensión espiritual ni sobrenatural, destinados a vivir gorditos y bien atendidos en esta vida, como los pollos de un gallinero o los cerdos de una pocilga muy bien tenida, o las vacas de un establo a todo *full,* y nada más. Sin proyección hacia la eternidad ni deberes para con un Dios Creador y Juez.

Y esto trae una penosa consecuencia: que la mayoría de la gente cuenta ahora con muy pocas reservas espirituales de las cuales poder disponer en un tiempo de congoja mental, emocional o física. Y ese gigantesco vacío de Dios que hay en la gente actual complica seriamente sus problemas y dificulta inmensamente su curación. En lo espiritual siempre el vacío invita al desastre. Por eso cuando se está vacío de Dios y de principios espirituales se va camino al fracaso.

El día en que murió el famoso y popularísimo pontífice Juan XXIII, murió también a la misma hora y del mismo mal (cáncer dolorosísimo en el estómago) un actor de cine, archimillonario, que había actuado en más de 50 películas. Y mientras el Papa Santo, agarrándose a su colchón para poder soportar los terribles dolores de su cáncer, exclamaba pacíficamente: "Cristo, todo por ti y por la salvación de los pecadores", y moría rezando fervorosamente el Padrenuestro. En cambio el otro allá en la clínica, sufriendo los mismos atroces dolores, mientras la enfermera se retiró un momento para traerle un remedio, abrió el cajón de su mesa de noche, sacó una pistola y se pegó un tiro en la sien. No tuvo reservas espirituales que le ayudaran a superar esta terrorífica ocasión.

LOS CUATRO FRENTES QUE HAY QUE CURAR

Nosotros tenemos 4 elementos que nos pueden hacer felices o infelices.

1. *Lo físico.* Tiene una gran importancia, y de su buena conservación depende mucho el grado de alegría que tengamos. Pero no es lo más importante. Sobre lo físico ejercen un control decisivo nuestras emociones.

2. *Lo emocional.* Es nuestra reacción ante el amor y el odio. Esta reacción no se produce principalmente en el corazón, sino especialísimamente entre las dos sienes: en el cerebro. Allí está la computadora electrónica más perfecta, que influye en todo nuestro físico y en lo intelectual. Cada emoción que llega o sale del cerebro, influye en toda nuestra personalidad.

Si la persona está emocionalmente en paz, todo su cuerpo puede funcionar normalmente. Si emocionalmente la persona está perturbada, todo su físico sentirá tan dañosa influencia.

La enfermedad más frecuente hoy día es: la producida por emociones desagradables. Los médicos dicen que el 85 por ciento de las enfermedades de la gente se deben a perturbaciones emocionales, a emociones desagradables. Por ejemplo: cardiopatía, hipertensión, úlcera, asma y ciertas clases de artritis, jaquecas, acidez, etc., disminuirían de una manera increíble si la gente dejara de estar perturbada emocionalmente.

Todo deprimido empieza a sentirse achacoso con su salud física si su depresión se prolonga por largo tiempo.

Las emociones no llegan sin más ni más. Ellas nacen en nuestro cerebro. Por ejemplo: está usted perfectamente bien y le dicen de un momento a otro que salga al escenario a dirigir unas palabras a la multitud. Sentirá que le aumentan las palpitaciones del corazón, que le salen gallos al hablar porque las glándulas salivales, a causa del susto, dejan de segregar y siente seca la garganta, etc. Eso se llama una emoción.

Una emoción muy peligrosa es la preocupación. Por ejemplo: tenemos una deuda que pagar y no se ve, ¿de dónde sacar el dinero? ¿Hay que presentar un examen difícil? ¿Hay una enfermedad en un ser querido que amenaza con tener graves consecuencias? Comenzamos a preocuparnos, y esa emoción, si dura un tiempo prolongado, nos produce efectos dañosos en nuestro físico y puede traer enfermedades.

Afortunadamente las emociones pueden ser controladas por un poder superior: la mente. Vamos a estudiarla.

3. *La mente.* Nuestro cerebro es la más perfecta máquina calculadora que existe en esta tierra. Ninguna otra la puede superar y ni siquiera igualar.

La capacidad de memoria de la mente humana es casi increíble. La mente subconsciente guarda en su archivo los pensamientos que hemos elaborado, las escenas que hemos visto, los sonidos que hemos escuchado. Es asombroso comprobar cuántos detalles íntimos retiene la memoria.

Pero hay un dato muy especial: que son poquísimas las personas que utilizan más del diez por ciento del potencial que tienen en la mente.

Somos lo que pensamos: o sea, que de nuestros pensamientos dependen nuestros sentimientos. Todo lo que elaboramos en la mente provoca una respuesta en nuestras emociones.

La ventana para llegar a la mente son los 5 sentidos. Lo que llega a la mente por medio de los ojos, de los oídos, etc., provoca una respuesta en el corazón, o sea, en las emociones. Por ejemplo, *una lectura:* si es pornográfica, pasa de la mente a las emociones y enciende las pasiones las cuales empujan al cuerpo hacia el pecado. Por el contrario: si la lectura es formativa, provoca emociones nobles que empujan a toda la persona hacia las buenas obras y hacia la conducta noble. Muchísimos individuos que hoy son víctimas de las más tiranizantes pasiones sexuales declaran que fueron estimulados hacia el vicio por medio de lecturas pornográficas y cines excitantes o programas sensuales de televisión. Y lo mismo han dicho muchísimos que se han dedicado a la violencia y al crimen: su estímulo hacia el salvajismo les vino de películas y lecturas excitantes. En cambio hay en la historia antigua y aún más en la presente una cadena interminable y altamente consoladora de ejemplos de grandes personajes y también de gente muy sencilla que reconocen como primer escalón para su vida de santidad, de heroísmo y de consagración total al bien de los demás, una lectura formativa. Así por ejemplo: lo que desprendió a san Agustín de su vida de sexo y de orgullo para empujarlo hacia los más altos grados de pureza y humildad fue la lectura de las Cartas de san Pablo. Lo que hizo de un militar vanidoso un formidable santo, san Ignacio, fue la lectura de unas vidas de santos. Napoleón de joven sentía más deseos de ser héroe leyendo las *"Vidas Paralelas de Plutarco"*, que ante los ejemplos y consejos de sus superiores. San Juan Bosco y san Antonio Claret declaran en sus autobiografías que la lectura del bellísimo librito *"Imitación de Cristo"* les produjo en su juventud una transformación formidable. Y Bolívar atribuía a sus lecturas formativas que empezó a sus 16 años, el haber dejado su vida de burgués comodón para dedicar por entero su existencia a la causa de la libertad de América. "Dime lo que lees (y lo que ves) y te diré quién eres", decían sabiamente los antepasados.

"EL GRAN MAL DE MI PUEBLO ES QUE NO DEDICA TIEMPO
A PENSAR Y A MEDITAR" (SAGRADA BIBLIA).

DICHOSO EL HUMILDE ESTADO
—EL HOMBRE QUE SE RETIRA LEJOS DEL MUNDO MALVADO
Y EN EL CAMPO DELEITOSO A SOLAS PASA SU VIDA—
NI ENVIDIADO NI ENVIDIOSO.

(FRAY LUIS DE LEÓN)

La depresión es una emoción y una emoción que produce apatía, desgano, decaimiento. Desde el momento en que a la mente lleguen causas que produzcan depresión, ésta empieza a producirse. Por eso mucho más importante que averiguar, ¿cómo curar los síntomas de la depresión? (apatía, insomnio, decaimiento, etc.) es lograr controlar la mente para que no permita que la depresión llegue al individuo. ¿Pero cómo conseguir esto? Vamos a ensayarlo.

UN GRAN REMEDIO: LA TERAPIA ESPIRITUAL

Hay pocas personas que poseen el suficiente vigor mental para dominar sus actitudes negativas y producir siempre emociones positivas que lleven al cuerpo a un normal funcionamiento. El número de estas personas es mínimo.

La mayor parte de la gente necesitan ayuda externa para superar su inclinación a las actitudes negativas, y para no ser esclavos de su debilidad mental.

Hay millones de individuos que han tratado su depresión con medicamentos; muchísimos han recibido la electroterapia, y son incontables los que hacen fila para recibir psicoterapia de psiquiatras muy costosos. Pero una inmensa multitud de esos pacientes reconocen que los resultados obtenidos han sido negativos.

Para esas personas sólo queda un remedio: *la Terapia Espiritual*.

¿Cree usted que un campeón mundial de boxeo subiría al ring a defender su título con un ojo vendado por esparadrapos? Pero ese es gráficamente el espectáculo que se presenta hoy en la lucha contra la depresión: los individuos se presentan al combate con un ojo vendado: no han abierto los ojos para ver el enorme poder que se encuentra en la vida espiritual. Y por presentarse en la batalla mirando solamente con el ojo de lo material, son noqueados sin compasión por la depresión, la ira, el temor y todos los demás copartidarios de la tristeza.

Hay un vacío que complica mucho la victoria en este campo: es el vacío de Dios, de vida espiritual. Hubo una vez un sabio famoso llamado Pascal, y él repetía: "En el corazón de todo individuo hay un inmenso vacío; ese vacío ha sido creado por Dios, y sólo Dios puede llenarlo". Es imposible que alguien encuentre su paz y tranquilidad perfectamente si no se basa en principios espirituales.

TODOS SOMOS NATURALMENTE ESPIRITUALES

Viaje usted por cualquier sitio del mundo donde hay excavaciones de civilizaciones muy antiguas. En todas encontrará que los principales edificios eran templos para orar a la divinidad. ¿Por qué? Es que todo ser humano tiene un instinto natural que lo mueve a adorar a Dios. Ese instinto se lo regaló el mismo Creador.

Lea usted las estadísticas de Rusia, hechas por el mismo gobierno comunista después de haber durado 70 años tratando de hacer que los ciudadanos olvidaran que existe Dios. ¿Qué decían en 1985? "De cada 10 niños que nacen en Moscú, 7 son bautizados". ¿Por qué? Es que el hombre es "incurablemente religioso". En la escuela, en el colegio, en la universidad, en la televisión, en la radio y prensa decían que Dios no existe, pero en su hogar y en lo profundo de su alma se decía: "Sí existe Dios, y toda la creación está proclamando su existencia".

Todo ser humano experimenta en su cuerpo hambre y sed. En su espíritu una necesidad especial de que sí exista Dios.

Aún los más estrepitosos ateos sienten en ciertos momentos de su vida que sus protestas que Dios no existe son de labios para afuera más que de su verdadero corazón. El escritor Calibán narraba que en su primer viaje en barco a Europa a principios de este siglo, uno de los pasajeros declaraba, pavoneándose en el muelle antes de subir al navío, que él era completamente ateo. Pero en pleno viaje, en medio de la más pavorosa tempestad, cuando las olas tenían casi cien metros de altura y jugaban con el barco como con un muñequito, el antes incrédulo se arrodillaba y gritaba: "Dios mío, sálvanos". Se le acercó entonces Calibán y le preguntó: "¿Pero usted no decía en el puerto que era ateo? —Sí, respondió el otro:— Yo soy ateo pero en tierra firme. En altamar sí creo en Dios". Afortunadamente, aun en estos casos se cumple la promesa del bellísimo salmo 106: "Clamaron al Señor en su apuro, y Él los libró de sus angustias" (Sal 106, 44).

Cuando el terremoto de San Francisco, un hombre junto a una estación de gasolina exclamaba: "Yo soy ateo, yo no creo en Dios". Pero luego empezó a temblar horrorosamente y el pobre hombre de rodillas gritaba: "¡Dios mío, perdóname!". Se le acercaron y le preguntaron: "¿No decía usted que es ateo? Y él respondió: "Yo sí soy ateo, ¡pero cuando no hay terremoto!... Para cuando llegan los terremotos espirituales que nos quieren llevar a la depresión, entonces, sobre todo entonces, es cuando necesitamos demostrar que no somos ateos y que sí creemos en Dios y que esperamos en su valiosa ayuda.

Quien descuida su vida espiritual lo hace en daño propio. Dios le ha dado a cada uno esa naturaleza espiritual para estabilizar, motivar y animar la mente, el corazón y el cuerpo. Los que prefieren ignorar ese vigoroso poder que vive en su interior son como un avión de cuatro motores, de los cuales funcionan solamente tres. Lo que necesita no es más poder en los tres motores que ya funcionan, sino poner a funcionar el que está apagado. Hacer funcionar su vida espiritual.

La vida espiritual de la persona contiene su voluntad, cualidad que lo distingue de los demás seres del reino animal. Dios le ha dado a cada criatura humana el libre albedrío: la facultad de elegir libremente. Con la libertad puede aceptar lo que Dios manda, o rechazar sus mandatos. Pero hay una verdad de la cual podemos estar totalmente seguros: la eterna felicidad de cada uno dependerá de la elección que sepa hacer entre obedecer los mandatos de Dios o rechazarlos.

RETRATO DE UNA PERSONA EGOÍSTA Y DE LOS MALES QUE LE ACOMPAÑAN

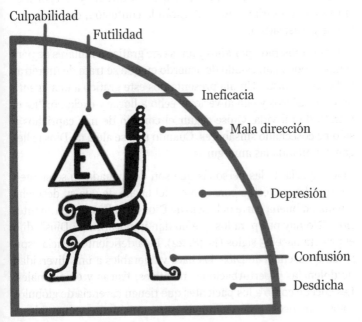

Culpabilidad

Futilidad

Ineficacia

Mala dirección

Depresión

Confusión

Desdicha

En esta imagen se pinta la personalidad egoísta. Sobre el trono de mando está el egoísmo. Esto significa que la persona está tomando sus propias decisiones según su antojo, independientemente de lo que Dios manda. Esto le lleva a progresivos grados de frustración e inutilidad. Cada cual tiene libertad de elegir en cada época de su vida: ¿qué hacer, qué decir, qué evitar, cómo hacer lo que tiene que hacer, de qué manera tratar a los demás, cómo disponer de sus bienes y de su tiempo, etc.? *Y la felicidad, en última instancia, resultará de la sabia elección que la persona sepa hacer* en los diversos momentos de su existencia. Si alguien se dedica a vivir y elegir en cada caso a espaldas de la voluntad de Dios, no importándole nada lo que manda y opina su Hacedor, sino sólo lo que le aconseja su capricho y su egoísmo, entonces necesariamente le llegarán la confusión, culpabilidad, temor y frustración.

Hemos mostrado por años y años este gráfico a millares de personas y todos han estado de acuerdo en que se trata de un retrato fiel del egoísta. Un día presentamos este gráfico a una agente de viajes aéreos y ella al verlo se echó a llorar y exclamó: "Es el retrato de mi vida. Quise seguir el consejo de mis caprichos y sólo he cosechado sinsabores. Cuando uno se aleja de Dios le llegan sin medida las amarguras".

La mayoría de las personas que son desdichadas o se sienten deprimidas, no están conscientes del hecho de que su desdicha emana en buena parte del vacío de Dios que albergan en su interior. "No hay paz para los que no dan importancia a Dios", dijo el profeta hace 25 siglos (Is 48, 22). Esta deficiente ciencia espiritual o ausencia de Dios, los hace vulnerables a una diversidad de dolencias y perturbaciones mentales, físicas y emocionales. Les sucede como a los pacientes que tienen carencia de glóbulos rojos o blancos, o de vitaminas: son sumamente vulnerables a cualquier enfermedad. Y no hablamos aquí de personas que hayan tomado una actitud de enfrentamiento contra Dios. Esos son ya casos más demoníacos que normales. Hablamos simplemente de los que descuidan sus relaciones con el Todopoderoso. Todo ser humano experimenta en su interior una sensación de vacío que le hace buscar necesariamente a Dios. Ya lo dijo san Agustín en frase famosa: "Nos creaste oh Señor para ti, y nuestro corazón andará inquieto mientras no logre encontrarte".

Billy Graham, famoso orador, dice: "En muchísimos hogares donde hay depresión y peleas, lo que se necesita es una tercera persona: Dios. Algunos creen que la depresión y la tristeza se irán si cambian de apartamento o de ciudad o de oficio, y no va a ser quizás así. Lo que necesitan es dejar intervenir a Dios en su favor. Llamarlo a que sea Él la tercera persona en su hogar. Hacer la paz con Él, y Él será el más hábil médico para conseguirles paz y felicidad.

Quien se aleja de Dios carece de los recursos espirituales que necesita para lidiar los problemas que su propio egoísmo le anda creando. Ya en el paraíso terrenal cuando Adán y Eva resolvieron que lo importante era hacer lo que se les antojaba a ellos, y no lo que mandaba Dios, hirieron mortalmente su vida espiritual, y esa herida espiritual ha sido transmitida de generación en generación y hoy sentimos todos sus amargos dolores y sus tristes consecuencias.

Es verdad que uno logra alcanzar aún materialmente felicidades momentáneas. Pero unas, las pecaminosas, son como la felicidad que siente el pez cuando ve la carnada: se le acaba al poco rato cuando siente el anzuelo destrozándole la garganta. Y las otras, las indiferentes, duran como la flor de un día, y casi siempre mucho menos. Nadie logrará una felicidad duradera hasta tanto no le conceda a Dios el puesto número uno en su vida espiritual. Y aquel que se encapriche en querer obrar sin darle importancia a lo que Dios quiere y puede, jamás conocerá un gozo duradero, ni contará con el poder para controlar los aspectos más débiles de su naturaleza.

Jesús prometió: "Os doy mi paz". Y sólo Él puede darla. Si Él no nos la regala, es inútil tratar de conseguirla en otras fuentes. Por eso la mejor noticia es la siguiente:

Hay alguien que llena este vacío tan inmenso: Jesucristo es el extraordinario y único remedio para llenar el vacío de Dios que todo ser humano lleva consigo. Él lo dijo claramente: *"He venido para que tengan vida y la tengan en abundancia"* (Jn 10, 10).

**GRÁFICO DE
UNA PERSONA
CON CRISTO
EN SU VIDA**

El hombre con Cristo
en su vida

**Y OTRA
CON SÓLO SU
EGOÍSMO,
SIN CRISTO**

El hombre sin Cristo
su vida

La "vida abundante" que Él ha prometido con su palabra que nunca falla, no sólo llena el vacío de Dios, sino que concede el poder para eliminar la depresión, y otros problemas emocionales.

Contrariamente a lo que algunos creen, Jesucristo no viene automáticamente, sin más ni más, a vivir en el alma de cada uno. Él llama primero a la puerta del espíritu y dice: "He aquí que estoy a la puerta y llamo; si alguno oye mi voz, y abre mi puerta, entraré a su espíritu, y viviré con él" (Ap 3, 20). Jesús llama por medio de su Espíritu Santo, y de las palabras de la Sagrada Biblia y de los sacerdotes y de otras personas y libros que hablan debidamente a nuestra alma. Cuando una persona es consciente que necesita absolutamente de Dios, de que sin Él todo es vacío y nulidad, y que su obrar en contra de la divina voluntad es una verdadera locura, entonces sí puede llamar a Cristo a su vida y Él acudirá prontamente a su llamada, conforme lo ha prometido. Jamás el Redentor tumba la puerta del alma de nadie. Si no se le invita se queda fuera. Jamás Jesucristo fuerza su entrada en la vida de las personas, pero tampoco deja nunca de llegar al alma de quien lo invita. Y en el instante en que Jesús llega al alma de un cristiano, la vida espiritual de este amigo suyo da un salto inmenso hacia el progreso. Se le forma una conciencia de fidelidad hacia Dios, y se le aumenta la capacidad para enfrentar los problemas de la vida, incluido el de la depresión.

LOS DOS CAMINOS

En el Sermón del Monte, Jesús señaló los dos caminos que uno puede seguir en la vida:

1. Llevar una vida espiritual de acuerdo con la ley de Dios. Este camino termina en la vida eterna.

2. Llevar una vida de acuerdo solamente al egoísmo, sin darle importancia a la voluntad de Dios. Al final de este camino se cosecha el resultado que produce el egoísmo sin Dios: la eterna condenación.

Desde que llegamos al uso de razón empezamos a caminar por estos caminos. A ratos quizá por el uno, y a ratos quizá por el otro. Y es probable que nos haya gustado más andar por el camino ancho del egoísmo sin Dios, que lleva a la propia destrucción. Pero ahora afortunadamente, las desdichas mentales, emocionales y físicas, nos hacen conscientes que la causa de nuestras desgracias es el no haberle dado al Creador el puesto que se merece en nuestra vida, y esto nos lleva a implorar su auxilio y su amistad. Este es el paso decisivo.

Al buscar la ayuda divina, al proponerse ordenar la vida de acuerdo con la ley de Dios, y al convencerse que Jesucristo vino al mundo para pagar en su Cruz nuestros propios pecados, y que está a la derecha de Dios intercediendo cada día por los que queremos ser sus amigos y "que si hemos pecado, abogado tenemos ante el Padre: Jesucristo, cuya sangre nos purifica de nuestros pecados" (La Carta de san Juan), entonces nuestra vida cambia de rumbo y se dirige hacia la alegría y la paz.

DOS CAMINOS A LA ETERNIDAD

La más admirable expresión de amor que el mundo ha conocido está simbolizada por la Cruz de Jesucristo. Por eso en este gráfico se presenta la Cruz de Cristo como un puente por el cual, cualquiera de nosotros, puede pasar del camino ancho que lo lleva a la muerte eterna, al maravilloso camino que conduce a la salvación y a la felicidad. Jesús dijo: "Yo soy el Camino... Nadie va al Padre sino por mí" (Jn 14, 6).

VIDA ETERNA

EL CAMINO ANGOSTO Y EL CAMINO ANCHO

MUERTE ETERNA

CUATRO VERDADES TRASCENDENTALES PARA DAR EL GRAN PASO

Para llenar el vacío tan grande que hay en nuestro espíritu y nacer de nuevo a una vida de alegría hay que comprender 4 verdades fundamentales:

1ª. *La mayor desgracia de nuestra vida han sido nuestros pecados.* No nos puede suceder mal alguno, por grande que sea, que pueda ser mayor que perder la amistad con Dios. Y mientras nuestros pecados no hayan sido perdonados no puede haber paz ni felicidad verdaderas en nuestro espíritu.

2ª. *Jesucristo murió en la Cruz para que se nos perdonen nuestros pecados*. Inspirada por el Espíritu Santo se dijo esta frase en la Biblia: "Mejor que muera uno solo por el pueblo, para que no perezca toda la nación" (Jn 11, 50). Ya murió Jesús por el pueblo, para que no perezcamos nosotros.

San Pablo dice que en la Cruz Jesús tomó nuestra sentencia de condenación y la borró con su propia sangre.

Pero como dice san Agustín: "Si tú quieres, Cristo murió por ti. Si tú no quieres: Cristo no murió por ti". Hay que aceptar para nuestro provecho esa muerte salvadora del Hijo de Dios. Y por los méritos de la pasión y muerte de Cristo pedir perdón muchas veces al Padre Dios.

3ª. *Jesucristo resucitó no sólo para darnos vida eterna,* sino para que nosotros también resucitemos de nuestras miserias. Cristo resucitado quiere darnos valor y entusiasmo para vencer nuestras debilidades.

4ª. *Debemos creer en Cristo y esperar en Él.* Creer es estar seguros de que Él sí puede ayudarnos. Esperar es: estar seguros de que Él sí quiere venir a cada momento en nuestra ayuda. Sus promesas para los que creen en Él y esperan en su bondad son maravillosas: "Todo es posible para quien tiene fe". "Según sea tu fe así serán las cosas que te sucederán". "Nada es imposible para el que cree". "Si tienes fe aunque sea como un granito de mostaza, le dirás a una montaña, quítate de aquí y lánzate al mar, y te obedecerá", etc.

Una vez que hemos reconocido que el mayor mal en la vida es el pecado. Que Cristo murió para conseguir el perdón de nuestros pecados, y que si pedimos perdón en su nombre lo conseguiremos. Que Jesús resucitado nos quiere resucitar también a una vida de paz y felicidad aun en esta tierra. Y que "Todo lo podemos en Cristo que nos fortalece" y que "Si Cristo está en favor nuestro nadie podría contra nosotros", entonces hemos dado ya el paso decisivo que nos trasladó del camino ancho que desciende hacia el abismo del castigo, hacia el camino elevado que lleva a la verdadera felicidad. Ahora nos queda irnos entusiasmando día por día por Cristo con la lectura y meditación de su Evangelio, y el recuerdo de sus mandatos. En adelante cuando vayamos a tomar una resolución importante diremos: "Señor: ¿qué queréis que yo haga?", y de vez en cuando examinaremos nuestro hablar y nuestro proceder para ver si en verdad nuestra conducta está de acuerdo con la voluntad de Dios y de su Cristo.

Ninguna persona que viva según lo expresado en este párrafo anterior experimentará una vida desdichada. Pero de igual manera, ninguna persona que viva de manera contraria a esto que hemos dicho, logrará llevar una vida de felicidad.

No pedimos que se nos crea sino que se haga la prueba para comprobar que sí es así.

EL GRAN INTERROGANTE

De veras, ¿hemos tratado alguna vez de aceptar las 4 verdades que recordamos en el párrafo anterior? De veras, ¿hemos invitado en serio a Jesucristo a que venga a vivir en nuestro espíritu?

Presentamos dos gráficos. ¿Cuál de los dos es el retrato de nuestra vida actual? En el primero aparece Cristo por fuera de nuestra vida, y en nuestra alma reinando el egoísmo, con todas sus desgracias de temor, culpabilidad, frustración, inutilidad, depresión, etc. En el segundo ya Jesucristo ha sido invitado a venir a nuestro espíritu. Y con Él han llegado el perdón, la paz, el gozo, la confianza, etc. De veras, ¿ya invitamos a Cristo que estaba fuera? Si nunca existió ese feliz momento o no estamos muy seguros de que haya existido, debemos de inmediato inclinar nuestras cabezas e invitarle a venir a nuestra alma. Él dijo una promesa maravillosa que siempre cumplirá: "Si alguno me ama, mi Padre lo amará, y vendremos a él, y haremos en él nuestra morada" (Jn 14, 23). Podemos, para estar más seguros de su perdón y de su amistad decirle la siguiente oración:

"Jesús, mi Señor y Redentor: yo me arrepiento de todos los pecados que he cometido hasta hoy. Me pesa de todo corazón porque con ellos he ofendido a un Dios tan bueno. Propongo firmemente no volver a pecar. Y confío en que por tu infinita misericordia me has de conceder el perdón de mis culpas y me has de llevar a la vida eterna. Amén". "Misericordia Señor por tu bondad, por tu inmensa compasión borra mi culpa. Contra ti, contra ti sólo pequé, cometí la maldad que aborreces. Oh Dios: crea en mí un corazón puro y no apartes de mí tu Santo Espíritu" (Salmo 51, 3.6.12).

Si con toda confianza elevamos esta oración u otra parecida, contamos con aquella formidable promesa de Dios: "Todo el que invoque el nombre del Señor, será salvo" (Rm 10, 13). Esta es una de las noticias más bellas que se han escuchado en el mundo. Invoquemos con fe el nombre del Señor y estaremos a salvo también hasta de nuestras tristezas y depresiones, y tendremos garantizada la vida eterna.

No olvidemos nunca la hermosa promesa de Dios en la Sagrada Biblia: "Un corazón arrepentido y humillado, Dios nunca lo desprecia" (Salmo 51, 19).

Temor
Futilidad
Confusión
Culpabilidad
Frustración

El hombre
sin Dios

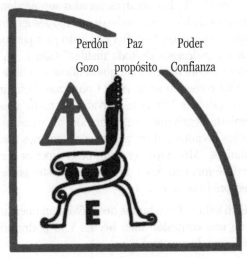

Perdón   Paz   Poder
Gozo   propósito   Confianza

Y recordemos aquella hermosa noticia del profeta Daniel: "Nuestro mejor regalo para Dios será un corazón arrepentido y humillado que le pide perdón de sus maldades" (Dn 3).

¿QUÉ VENTAJAS SE OBTIENEN DE UNA VIDA ASÍ?

La vida puesta bajo el control de Cristo le garantiza al cristiano un dinámico poder espiritual, que se traduce en ganancias que superan todo lo imaginable.

El gráfico anterior muestra las ganancias que obtiene una persona cuando acepta que Cristo viva en su alma y debemos grabarlo en nuestra memoria, como si fuera en bronce, para que no se borre, porque son ganancias que vamos a conseguir si perseveramos en tratar de lograrlo.

Las ventajas que consigue todo el que deja que su vida sea dirigida y controlada por Cristo, son 6, según la Biblia:

1. *Perdón.* Todos nuestros pecados son perdonados por la misericordia de Dios, por medio de su Hijo Jesucristo: "Si confesamos nuestros pecados, Él es fiel y es justo para perdonar nuestras culpas y purificarnos de toda maldad" (1Jn 1, 9). ¿Y puede haber mayor fuente de felicidad que sentirse uno libre de las maldades que ha cometido en la vida? Con razón decía un descreído a un buen católico: "Nada les envidio yo tanto a ustedes como esa inmensa alegría que sienten cuando saben que se les han perdonado sus pecados". Al ser perdonados tenemos que exclamar con el salmista: "Mis culpas eran un peso superior a mis fuerzas. Pero confesé mis pecados y tú me perdonaste, por eso aclamaré por siempre tu bondad".

Esto lo han dicho tantos después de un buen acto de contrición o de una confesión bien hecha. Y lo podremos decir también cada uno de nosotros.

2. *Paz*. Desde el momento en que nuestros pecados han sido perdonados, gozamos de una paz que jamás logrará quien no logre librarse de la angustia de sus culpas. San Pablo dijo: "Una vez obtenida la justificación por medio de nuestro Señor Jesucristo, tenemos paz con Dios" (Rm 5, 1). Aquí se cumple lo que dijo el profeta: "Mucha paz tienen los que aman la ley del Señor" (Sal 118). "Como un río les llegará la paz" (Is 48). No será la paz "escapista" del mundo que consiste en evitar problemas o en negarse a enfrentar situaciones o en buscar salidas en drogas y placeres. Es la paz como "don de Dios" que ha dicho: "Os doy mi paz". No será una paz simplemente "conquista" nuestra, sino regalo del Redentor. Por eso Zacarías dijo de Jesús que perdona nuestras culpas: "Él guía nuestros pasos por el camino de la paz" (Lc 1, 79). Todos los que se han sentido perdonados saben que esto es una gran verdad, y pueden decirle a Cristo que les anuncia el perdón las palabras de Nahúm: "Qué dicha tan grande trae el que anuncia la paz. Este sí que es un mensaje de buenas noticias" (Na 2, 1). Jesús al perdonarnos nos anuncia y nos concede la paz. ¡Gran regalo!

En muchos hospitales de enfermos de úlcera en el estómago o de enfermedades nerviosas se han conseguido curaciones asombrosas sólo con obtener que la persona enferma se sienta perdonada por Dios. Desde ese momento la paz que la inunda es tan grande que su úlcera empieza a curarse y sus nervios a pacificarse. Un buen acto de contrición o una confesión bien hecha han logrado lo que no habían conseguido docenas de frascos de medicamentos: la paz.

3. *Poder*. Desde el momento en que Cristo empiece a vivir en nuestra alma y le brindemos nuestra sincera amistad, sentiremos un poder maravilloso que guía y controla nuestra vida. Y no nos podrá decir en los momentos de angustia lo que dijo a los

Apóstoles en la noche de la tempestad: "¿Por qué teméis, si yo estoy con vosotros?".

Nos sucederá lo que decía san Francisco de Sales del niño pequeñito que viaja en los hombros de su padre que es un fornido campeón: "El niño se siente fuerte y no teme los peligros del camino, porque sabe que su padre que lo va llevando, es más fuerte que los obstáculos y los enemigos que se puedan presentar en el viaje". La Biblia insiste muchas veces que Dios tiene en sus manos todo el poder que necesitamos y muchísimo más. "Poderoso es Dios para daros muchísimo más de lo que os atrevéis a pedir o desear" (Ef 3, 19). El Señor goza traspasando ese poder a sus amigos. Jesús al despedirse de los Apóstoles les anunció: "Recibiréis poder" (Hch 1, 8) y al discutir con los saduceos se quejaba de esto: "No entendéis el poder que tiene Dios" (Mc 12, 24). Ese "poder" que los saduceos no entendían, pero que los discípulos de Jesús sí reciben, es uno de los más admirables regalos que posee toda persona que acepta que su vida sea dirigida por las leyes de Cristo en su Evangelio.

Jesús hizo esta admirable promesa: "Él que crea en mí, hará él también las obras que yo hago, y hará mayores aún, porque yo voy al Padre " (Jn 14, 12). "Os he destinado para que produzcáis frutos espirituales y los produzcáis en abundancia".

El placer es una experiencia transitoria y pasajera, que depende más que todo de circunstancias externas. En cambio el gozo y la verdadera alegría son algo duradero y que depende más que todo del espíritu. Y al espíritu lo que más gozo y alegría le proporciona es estar en buenas relaciones de amistad con Dios. San Pablo exclamaba: "Desbordo de alegría aun en medio de mis tribulaciones, porque amo a Cristo". Jesús prometió a sus amigos: "Transformaré vuestras tristezas en alegrías y nadie os quitará vuestro gozo y alegría" (Jn 16, 20). Un salmo recomienda: "Servid al Señor con alegría", y esto lo logran quienes conceden a nuestro Señor el puesto principal y más importante en su vida. Es algo que los amigos de Dios lo experimentan sin cesar. Nosotros ya lo sabemos muy bien. Ahora lo importante es que quien lea estas páginas lo sepa y lo experimente también.

5. *Propósito de la enmienda.* Este es uno de los más maravillosos efectos que se consiguen cuando en el alma se le concede el primer puesto a Jesucristo: proponernos cambiar nuestra vida mala, egoísta y pecadora, por una vida llena de caridad, de buenas obras y de pureza. Dios y el pecado no se entienden nada bien, y por eso no logran vivir juntos en una misma alma. Si traemos a Dios a habitar en nuestro espíritu, necesariamente nuestros pecados y malas costumbres tienen que irse alejando como se alejan las alimañas cuando a una casa que antes estaba deshabitada llegan a vivir los señores que la han adquirido.

6. *Gran confianza.* Quien admite a Cristo como amigo y jefe de su vida espiritual, empieza a sentir una confianza tal como nunca antes la había experimentado. Puede repetir con san Pablo: *"Sé de quién me he confiado, y por eso avanzo tranquilo". Jesús nos dijo: "¡Ánimo!: yo he vencido al mundo"* (Jn 16, 33) y el Apóstol repite: *"Pues fiel es Dios, por quien habéis sido llamados a la comunión con su hijo Jesucristo, Señor nuestro"* (1Co 1, 9). *"Pues hemos tenido sobre nosotros mismos la sentencia de muerte, para que no pongamos nuestra confianza en nosotros mismos, sino en Dios que resucita a los muertos"* (2 Co 1, 9).

El salmo 2 dice: *"Dichoso será quien confíe en Dios"* (Sal 2, 11b). Esto se cumple todos los días y en todos los países del mundo. Hagamos la prueba y veremos que sí es así.

ORACIÓN POR LA PAZ

"Señor, hazme un instrumento de tu paz.
Donde haya odio, siembre yo amor.
Donde haya injuria, perdón.
Donde haya duda, fe.
Donde haya desaliento, esperanza.
Donde haya sombra, luz.
Donde haya tristeza, alegría".

¡Oh divino maestro!
Concédeme que no busque ser consolado,
sino consolar.
Que no busque ser comprendido,
sino comprender.
Que no busque ser amado,
sino amar.

San Francisco de Asís

MÁS VALE LLEGAR UN POCO ANTES Y AGUARDAR CON PACIENCIA A QUE LLEGUE LA HORA DE SALIDA... QUE LLEGAR RETARDADO Y AGUANTARSE LA DEPRESIÓN DE QUE LO DEJE EL AVIÓN.

NO IMPROVISE. NO ANDE CON AFANES. NO DEJE TODO PARA LA ÚLTIMA HORA.

DEL AFÁN NO QUEDA SINO EL CANSANCIO Y... LA DEPRESIÓN.

**NO TEMAS SOÑAR.
LAS GRANDES REALIDADES HAN VENIDO
PRESEDIDAS DE ENTUSIASTAS "SUEÑOS".**

**EN VEZ DE REPRIMIRTE
RECORDANDO PASADOS TRISTES,
ENTUSIÁSMATE PLANEANDO FUTUROS VENTUROSOS.**

REGLAMENTO DE
LOS EMOCIONADOS ANÓNIMOS

1º. **Relaje sus músculos.** La persona alterada tiene sus músculos tensos. Para "desalterarse" hay que cavar en el jardín, o salir a dar una caminata o dedicarse a otro ejercicio físico.

2º. **Modifique sus pensamientos.** Deje de pensar en eso que le angustia. Ahora no tiene calma para dedicarse a resolver ese problema. Primero cálmese y después ya podrá dedicarse a buscar soluciones para esto.

3º. **Analice cuáles son las causas de su ira.** ¿No serán exageradas? Quizá no corresponden a la realidad.

4º. **Evite el lenguaje exagerado.** No diga "este mal me está matando". Verdad que duele pero no hasta traer la muerte. No diga "esta vida no merece vivirse". Verdad que está pasando un mal momento, pero los momentos malos son los menos.

5º. **No cultive sentimientos negativos.** Si se dedica a la autocompasión se le agrava su mal. Si se dedica a odiar y condenar se le aumenta su irritación. Las emociones negativas le alteran su equilibrio mental.

6º. **Considérese una persona ordinaria.** ¿Para qué tratar de ser satélite volador si somos seres que andamos por la tierra? La gente ordinaria comete errores. Por eso usted también los comete. Pero reconozca que ha hecho esfuerzos por ser mejor y que ha obtenido realizaciones.

CONDICIONES PARA MANTENERSE EN PAZ

1º. Pregúntese: ¿qué es lo que más me preocupa? ¿Qué es lo que más me perturba? Encare ese problema de frente y verá que lo que parece una selva impenetrable no es sino un bosque ordinario que tiene caminos para llegar al otro lado.

2º. Distinga entre indudable, probable y posible. ¿De veras el mal que teme es indudable? Quien sabe si no. Puede ser sólo probable y eso ya es mucho menos. ¿Pero y si solamente es posible? Ahí ya todo el mal disminuye.

3º. Piense: ¿esto que me aflige es verdaderamente tan importante? ¿Tan importante que merezca afectar mi salud mental y emocional por afanarme? ¿Que su importancia no es mucha? ¿Y entonces por qué tanto afán? ¿Es que esta era la única oportunidad que había en el mundo y no hay más? ¿Es que con esa persona no me volveré a encontrar jamás ni en esta vida ni en la otra? ¿De veras?

4º. Mejore sus pensamientos y mejorará sus acciones. Si piensa positivamente actuará positivamente. Si piensa alegremente obrará alegremente.

5º. Exteriorice el amor que hay en su interior. No se limite a amar a los demás. Demuéstreles que los ama. Un estrechón de manos, una felicitación, una sonrisa amable, un "¡Hola!" con todo el corazón. Prodigue palabras de cariño y aprecio a familiares y compañeros.

Capítulo VII

LA IRA Y LA DEPRESIÓN

LO QUE INFLUYE LA IRA EN LA DEPRESIÓN

La ira es una indignación o enojo, o un deseo de venganza por un disgusto que se ha recibido. Lo contrario de la ira es la paciencia, o sea la virtud que impide que en momentos de contrariedad nos dejemos vencer por la tristeza.

Siempre que se presenta la depresión, ella tiene una causa que la ha producido. Aunque no logremos conocer cuál es la causa que produjo la depresión, esa causa siempre existe.

Los especialistas en enfermedades nerviosas afirman que aun en individuos muy inclinados a la tristeza y a la melancolía, siempre que se presenta la depresión, ella se debe a un agente agresivo que la hizo aparecer y la desencadenó. Ese agente desencadenador de la depresión puede estar dentro de nosotros mismos: enfermedad corporal o nerviosa, o recuerdos amargos, o sustos por el futuro, o disgusto por el presente; y puede provenir también de afuera: de personas o cosas o acontecimientos que nos producen disgusto.

Muchísimas de nuestras depresiones se deben a una reacción que sentimos frente a una agresión que nos hacen, o a un rechazo o desprecio, o a una humillación. Hay innumerables depresiones cuya causa es una desilusión que se ha sufrido.

Y nuestra más frecuente respuesta ante estas agresiones es la ira, y ella lleva en cadena directamente hacia la depresión.

Hay gentes muy deprimidas que exclaman: "No, yo no soy persona iracunda ni malgeniada. A mi depresión que le busquen otra causa, porque la ira no lo es de ninguna manera". Pero se dedica uno a examinar detenidamente todos los pasos que su mente fue dando antes de llegar a la depresión, y saca como conclusión que sí fue la ira, el disgusto por algo, lo que le llevó a deprimirse.

Un médico de fama internacional llegó a afirmar lo siguiente: "La depresión siempre y en todas partes, incluye la ira entre las causas que la provocaron. Ya sea una ira manifiesta o una oculta, consciente o inconsciente. Ya sea que quien la padece se haya dado cuenta que sí sintió ira, o ya sea que le parezca que no llegó a airarse".

La ira va dirigida contra la causa que provoca el disgusto que se siente. Puede sentirse ira contra la mala salud que se tiene, o contra la situación económica crítica que se está padeciendo o contra los hechos lamentables que han sucedido, por ejemplo: un accidente, un desastre, una muerte inesperada o sentidísima, un fracaso espiritual o material, etc. Y muy generalmente la ira se siente contra la persona que nos ha producido desilusión. Contra quien debería amarnos y no nos demuestra amor; contra quien debería demostrarnos admiración y aprecio y en cambio nos demuestra desprecio y olvido. Contra quien hiere nuestro amor propio. O contra quien nos hizo graves daños en lo material o en lo espiritual. En la raíz de toda depresión hay una dosis de ira, contra algo o contra alguien.

Hay seres espantosamente deprimidos durante toda su vida porque en su niñez fueron brutal e injustamente tratados por sus padres o por los que estaban encargados de criarlos. Y esa ira y disgusto que hay en su interior o en su subconsciente contra tales injusticias y malos tratos, les produce continua depresión. Por eso hoy está en boga en todos los países la *"sanación de los recuerdos"* que consiste en ir repasando todos los recuerdos tristes de nuestra infancia y de nuestra vida pasada y en cada caso tratar de dar un total perdón a quien nos produjo esa ofensa, y excusar esa agresividad de ellos, atribuyéndola más a debilidad e ignorancia que a mala voluntad. Esto aleja mucho la depresión (más adelante esperamos explicar bien claramente cómo se hace la "sanación de los recuerdos").

En todo ser humano hay dos emociones sumamente fuertes: *el amor y la ira*. El amor bien llevado puede conseguir efectos muy saludables para el espíritu. Pero la ira es una emoción sumamente dañosa para el alma y para el cuerpo. Es una emoción verdaderamente destructora y es difícil encontrar en el ser humano una emoción que le sea más perjudicial y cuyos efectos sean más negativos. Con razón el amable san Francisco de Sales andaba repitiendo: "Preferible que digan de nosotros que no nos airamos nunca y no que digan que nos airamos con razón".

La ira es un mecanismo de defensa contra la agresión. Cuando nos sentimos agredidos por el desprecio, el rechazo, la injuria o el trato injusto, la ira tiende automáticamente a estallar, y ella provoca inmediatamente un deseo de atacar, de lastimar, de destruir y de hacerle mal al injusto atacante. Un ataque de ira puede producir una depresión tan violenta que lleva aun hasta la muerte. La hija de Stalin contaba que cuando su padre, el terrorífico dictador de Rusia, que no admitía jamás discusiones a sus órdenes, les oyó decir a sus colaboradores políticos que lo visitaban, que en adelante él ya no sería el jefe y que tenían junto a la sala todo un batallón de guardias que los apoyaban, sintió tal ataque de ira, que se le reventó una pequeña vena del cerebro y cayó al suelo. Poco después murió. La depresión había sido total y fatal. Y todo a causa de la ira.

EL ALTO PRECIO Y EL COSTO EXAGERADO QUE HAY QUE PAGAR POR LA IRA

Es casi imposible lograr calcular el inmenso costo que exige la ira a nuestro organismo y a nuestra vida espiritual. Las pérdidas que ella proporciona son incalculables. Con razón dice el salmo: "Cuando mi corazón se llenaba de amargura y yo estallaba en ira, yo era como un necio y como un ignorante, y aun, como un animal feroz" (Sal 73, 21-22).

El caso del que no recibió el ascenso

En 1988 un empleado de un banco suspiraba por un ascenso que se imaginaba tener muy merecido. Pero llegó la fecha de los ascensos y fueron ascendidos otros que en su concepto lo merecían mucho menos que él, y a él lo dejaron allí en su mismo cargo inferior. Desde ese día su esposa notó un cambio espantable en su personalidad. Ya casi no hablaba. Rumiaba en su cerebro la injusticia que habían cometido en su contra, cultivaba cada día más y más su resentimiento; y su ira iba haciendo crecer su amargura, hasta que un día en la más aguda crisis de depresión llegó al banco y disparó su revólver contra los cinco empleados que según su parecer eran los causantes de que a él no lo hubieran ascendido. Por años y años tras las rejas de una cárcel tuvo que llorar el haberse dejado dominar por la ira y el disgusto. Demasiado tarde. El costo de su ira fue exagerado y el precio que le costó el haberse dejado dominar por la ira fue inmenso. Con razón recomendaba tanto el apóstol san Pablo: "Cuando os asalte la ira tened mucho cuidado para que no vayáis a pecar" (Ef 4, 26) y el apóstol Santiago advierte que "la ira del hombre no produce justicia según Dios" (St 1, 20). En el hermoso libro de los Proverbios, en la Sagrada Biblia, hay esta frase que es muy diciente: "El necio se deja dominar enseguida por la ira, pero el que es prudente sabe disimular las ofensas y no darles tanta importancia" (Pr 12, 16) y esto lo hace el prudente porque sabe muy bien los terribilísimos daños que pueden recibir en su salud física y en su equilibrio emocional si se deja llevar por la dañina pasión de la ira.

Efectos físicos de la ira

Quizás no hay cosa que produzca más efectos dañosos en el cuerpo que el dejarse dominar por la ira. Los hospitales están llenos de personas que no supieron aprender a no airarse y a no enfadarse; y fueron su enfado y su ira los que les llevaron a la sala de los pacientes. La ira produce tensión (llamamos tensión el estado nervioso en el que los nervios están demasiado tensos debido a la acción de fuerzas que los excitan a estar más estirados y tensos de lo que normalmente deberían estar). Los médicos afirman que no hay nada que produzca más tensión nerviosa que la ira (o sea, el disgusto por el pasado amargo que se recuerda, o por el presente que no agrada, o por el futuro que asusta o produce rechazo o aversión).

En la juventud el organismo tiene bastantes energías para ser capaz de soportar hasta cierto punto las tensiones nerviosas que produce la ira. Pero apenas van pasando los años, las fuerzas de defensa se debilitan y vamos perdiendo capacidad de aguante y el cuerpo afloja en su resistencia y la ira va produciendo en él las úlceras estomacales, la tensión demasiado alta, la colitis, los ataques de amibiasis, jaquecas, faltas de apetito y de sueño, y hasta artritis, glaucomas a los ojos y cálculos en la vesícula y una procesión interminable de males y enfermedades entre las cuales quiera Dios que no esté incluido un derrame cerebral. La ira del espíritu se traduce en enfermedades en el cuerpo.

Algo que entristece al Espíritu Santo

Hemos visto algunos de los trágicos resultados que la ira produce en el cuerpo. Pero por tremendos que sean esos resultados físicos no tienen comparación con los espantosos efectos que la ira produce en el alma. El apóstol san Pablo hace esa advertencia: "No entristezcan al Espíritu Santo. Que de entre nosotros desaparezca toda ira, amargura, cólera, gritos y las palabras ofensivas. Hay que ser bondadosos y amables, perdonándonos uno a otros, como Cristo nos perdonó a nosotros" (Ef 4, 30-32). Si le preguntamos a la gente de qué manera puede una persona entristecer al Espíritu Santo, seguramente nos dirá que cometiendo terribles impurezas, o crueles asesinatos o enormes robos, etc. Pues no sólo de esa manera se hace entristecer el Divino Espíritu. El Apóstol nos dice aquí que lo entristecemos si tenemos ira, amargura, cólera, gritos o palabras ofensivas. Y en verdad que sí lo entristecemos.

Y qué miedosas son las consecuencias para quien entristece al Espíritu Santo. Decía Jesús que le sucederá como cuando a una rama la separan del árbol: se seca, deja de producir buenos frutos y ya no sirve sino para el fuego y la perdición. Si un creyente vive disgustando al Espíritu Santo por medio de la ira, ¿qué buenos frutos podrá conseguir para la vida eterna? Poquísimos por cierto, porque tiene disgustado al que le iba a conseguir los buenos resultados en la vida espiritual.

Pocos pecados hay que están tan extendidos como la ira. Se le pregunta a un creyente, ¿cuál es el pecado que más repite en la vida y que más frecuentemente le domina?, y con gran probabilidad responderá que es la ira, el malgenio.

La ira es el pecado que más derrota a los creyentes (y a los no creyentes mucho peor todavía) y les causa más fracasos espirituales quizá que ningún otro pecado. La ira lleva a niveles casi insignificantes el crecimiento espiritual de muchísimos individuos. Al entristecer al Espíritu Santo lo aleja del alma y ésta se queda raquítica y sin crecimiento espiritual, y la que debería crecer como una esbelta palmera en la vida del espíritu, se queda raquítica y enana como un pigmeo. Alejó al que le iba a hacer crecer, que es el Espíritu Santo.

¿La ira será siempre pecado? Claro está que la ira no siempre es pecado, o por lo menos no siempre es pecado grave. Hay estallidos de ira súbita que anteceden al control de la razón y uno se pone colérico antes de darse cuenta. En muchos casos estos estallidos no pasan de ser pecado venial, y muchas veces ni siquiera llegan a ser pecado, siendo sólo expresiones de una gran debilidad humana. Pero lo que sí no podemos afirmar es que la ira, aunque sea involuntaria no nos sea dañosa para el cuerpo y para la personalidad. Cada estallido de ira es un grave daño que estamos sufriendo en nuestro organismo y en toda nuestra persona.

Santo Tomás dice que el pecado en la ira no está tanto en sentirla (porque muchas veces llega tan automáticamente que uno no tiene ni tiempo para detenerla), sino que el pecado está en el demasiado egoísmo y orgullo o amor propio que tenemos. Porque la causa de que estalle la ira es porque sentimos que nos desprecian, que nos ofenden, que nos dan un tratamiento injusto. Por eso ella se manifiesta cuando nos sentimos injustamente disminuidos o mal tratados. El motivo de la ira es casi siempre el amor propio, al cual se le considera injustamente ofendido.

El sabio Ben Sirac escribió esta frase en la Sagrada Biblia: "El vivir dejándose llevar por violentos arrebatos no tiene disculpa.

Y la cólera furiosa lleva a la ruina a muchas personas" (Si 1, 28-30). El libro de los Proverbios añade: "El que fácilmente se enoja y se llena de ira, hará locuras, pero la persona prudente se esfuerza por no airarse" (Pr 14, 17).

San Vicente exclamaba: "Tres veces he obrado con ira, y las tres veces hice todo al revés". Nosotros podemos repetir eso mismo pero añadiendo varios ceros al tres.

¿Y QUÉ HACER PARA QUE AL EQUIVOCARNOS NO NOS DOMINE LA IRA?

Og Mandino tiene una bella página acerca de este tema tan importante. Dice así: "Tres cosas puedo hacer cuando cometo una equivocación: 1ª Llenarme de ira y de malgenio y deprimirme. 2ª Declararme derrotado y no seguir trabajando en eso en que me he equivocado, y deprimirme todavía más y más. 3ª *aprender*, sacar enseñanzas de esta equivocación, y echar para adelante sin desanimarme ni deprimirme. Por supuesto que si tengo una de las dos primeras reacciones seré un fracasado o un eterno amargado y la depresión me acompañará día y noche. Pero si practico la tercera voy a ser un luchador saludable y vencedor, y la depresión tendría que alejarse de mi vida porque no la aceptaré jamás como huésped en mi alma".

¡Pero es que yo cometo muchas equivocaciones! ¿Y quién no las ha cometido? Las hemos cometido todos y las seguiremos cometiendo toda la vida. Errar es humano, repetían los sabios antiguos. Si no nos equivocáramos seríamos ya como Dios. ¡Pero todavía estamos bastante lejos de serlo!

Pero es que lo importante ante las equivocaciones está en enfrentarlas no con maneras estúpidas y que llenan de depresión el espíritu, sino con formas inteligentes.

Lo primero que hay que hacer es reconocer que lo grave no es haberse equivocado, sino seguirse equivocando tontamente sin enmendarse ni corregirse de esto. No es malo cometer errores cuando se está haciendo la prueba. Lo malo es no hacer nada para no repetir y seguir idiotamente practicando equivocaciones sin hacer nada serio por disminuirlas. Lo importante no es solamente saber qué tantos son los errores que he cometido, sino pensar qué es lo que tengo que hacer para evitar esas equivocaciones en el futuro. Puede uno tratar de disculparse y echar la culpa a otros (y el que echa la culpa a los demás no se corregirá nunca). Puede también uno abatirse y desanimarse y renunciar a tratar de corregir sus errores y a eliminarlos de la propia vida. Pero puede también echar cabeza y utilizar las luces de su inteligencia (que está hecha a imagen y semejanza de la de Dios) y emplear las fuerzas grandes que tiene en su voluntad y pedir al cielo las iluminaciones para saber qué es lo que más le conviene hacer y evitar, y entonces ya los errores no se quedarán pegados a la propia personalidad como un tatuaje imborrable pintado en el cuerpo, sino que irán como las manchas de polvo cuando nos bañamos con bastante agua y buen jabón.

HAY QUE ENFRENTARSE A LAS EQUIVOCACIONES

Hay que analizarlas a sangre fría. Sin disculparnos ni ponernos excusas hipócritas. Pero también sin andar propinándonos palizas mentales como si hubiéramos tenido más mala voluntad de la que en realidad ha habido en esto.

Aceptar la propia responsabilidad que hemos tenido en nuestras equivocaciones, y no convertirnos en fugitivos de la realidad. Lo que hicimos lo hicimos y no vamos a buscar disculpas o a

LOS AFANES EXCESIVOS...
PRODUCEN DEPRESIÓN

UNA MUERTE NO ACEPTADA... DEPRIME MUCHÍSIMO.

REMEDIO PARA ALEJAR
TRISTEZAS Y DEPRESIONES

Un día fue a visitar a san Benito Cottolengo otro notable sacerdote, san Juan Bosco. "Padre Cottolengo —dijo el joven Bosco— vengo a pedirle un consejo: ¿qué remedio debo recomendar a las personas que me vienen a contar que están aburridas de la vida, desesperadas, y llenas de malgenio y de depresión por la pobreza, por las enfermedades y problemas de la vida o por el mal trato que les dan los demás?

Mira Bosco —respondió Cottolengo—, el mal del aburrimiento y de la tristeza y la depresión es el mal moderno más común de todos. Para combatirlo, nos ha mandado Dios un gran remedio siempre antiguo y siempre nuevo: pensar en el cielo que nos espera. No olvides nunca que: "Un pedacito de cielo lo arregla todo".

Se fue el sacerdote Bosco a practicar el consejo recibido de tan popular apóstol, y pronto empezó a notar los maravillosos resultados. Llegaban a su despacho individuos malhumorados y deprimidos que no saludaban a ninguno de los que estaban en la sala esperando turno para ser atendidos. Personas consumidas por la tristeza y carcomidos por la angustia y la depresión. Y el padre Bosco, recordando que "un pedacito de cielo lo arregla todo", les hablaba del cielo que nos espera, de las alegrías que gozaremos dentro de un poco de tiempo y para siempre en la eternidad, y de lo mucho que amaremos y seremos amados eternamente con tal de aguantar ahora un poco, y aquellas personas cambiaban su ira y depresión por paciencia y esperanza.

echar la culpa a otros porque nos quedaríamos para siempre en una triste mediocridad.

Cada uno de los fracasados tenía una lista de disculpas y se negó a enfrentarse a sus errores. Los triunfadores aceptan que se han equivocado pero no se quedan tranquilos mientras no hayan enmendado sus errores.

Si usted permite que sus errores lo depriman se está haciendo un gran mal y con ello no consigue ningún beneficio. Las personalidades fuertes reaccionan positivamente después de cometer un error. ¿Cómo? Esforzándose por no cometerlo ya más, y por mejorar notablemente su comportamiento en adelante. Los que no tienen personalidad o la tienen demasiado débil, se revuelcan en lamentos, en disculpas, en autocompasión y en "sentidos pésames que se viven dando a sí mismos".

El remordimiento trae depresión ("remorder significa morder dos veces: es recordar con rabia los errores cometidos. No es arrepentimiento o tristeza suave por haber ofendido a Dios, sino rabia por haber fallado). *El remordimiento es un saboteador,* o sea, uno que intencionalmente va haciendo daño dondequiera que llega, y puede llevar a la depresión y así echar abajo la personalidad y dañar seriamente la salud.

GRANDES PERSONAJES Y SUS EQUIVOCACIONES

Babe Ruth se hizo famoso por sus impresionantes batazos en béisbol que le conseguían campeonatos mundiales a su equipo, pero reconocía que si había logrado 300 batazos famosos e impresionantes, también "descachó" y erró el batazo 1.333 veces. Y no se desanimaba por eso. Porque el equivocarse forma parte de toda vida humana. No pensaba solamente en los 1.333 batatazos equivocados sino también en los 300 logrados.

HACER TRABAJAR
EN EL CEREBRO UNA IDEA,
UNA SOLA IDEA
PUEDE TRAER LA SOLUCIÓN

**EN VEZ DE DEDICARSE A QUEJARSE
PORQUE EL BARCO SE HA HUNDIDO,
PÓNGASE A BUSCAR SOLUCIONES
PARA QUE NO SE HUNDA USTED TAMBIÉN.**

Tomas Alva Edison, inventor de la bombilla eléctrica y de otros maravillosos inventos más, cometió incontables errores y equivocaciones en su laboratorio antes de llegar a sus famosísimos inventos que cambiaron la vida del mundo. Triunfó porque no se dejó vencer por la depresión cuando cometió errores y equivocaciones.

Abraham Lincoln fracasó en más de la mitad de las campañas que emprendió en la vida, y terminó siendo el libertador de los esclavos de Norteamérica. En vez de deprimirse por sus fracasos, sabía sacar lecciones de ellos para triunfar luego en las empresas que emprendía.

Simón Bolívar perdió una de cada tres batallas que presentó contra los enemigos de su patria. Antes de ganar la victoria de Boyacá donde fue proclamado Libertador de Colombia, había perdido 17 batallas. Pero de cada derrota supo sacar una lección y así en vez de depresión, lo que obtuvo de cada fracaso fue una lección para el futuro.

Wiston Churchill, jefe de Inglaterra en la Segunda Guerra Mundial, tenía la especialísima cualidad de no dejarse jamás deprimir o desanimar por las derrotas o fracasos, por grandes y terribles que fueran. Y contagió de esta actitud positiva a sus paisanos, y al final de la terrorífica guerra pudo exclamar emocionado: "De derrota en derrota llegamos a la victoria final". Empezó cometiendo muchos errores y teniendo muchos fracasos, pero supo echar para adelante sin desfallecer y al fin no pudo encontrar sino lo que les espera a los que saben perseverar: la victoria y el éxito.

Ningún descubridor o político o negociante o apóstol o líder, se atreverá a afirmar que nunca cometió un error. Todos los cometieron. Todos los guerreros y conquistadores famosos tuvieron derrotas feroces (Napoleón perdió una de cada cinco batallas que presentó. Y eso que tenía fama de invencible). Pero los que llegaron a obtener triunfos deslumbrantes tuvieron esta cualidad en común: no permitieron que los deprimieran sus equivocaciones. Reconocieron que el no dejarse vencer por el desánimo produce milagros en la personalidad, y reaccionaron positivamente después de sus fracasos e intentaron nuevamente triunfar y... vencieron.

Rockefeller, el multimillonario magnate petrolero, que empezó con tres centavos de dólar y terminó ganando tres millones de dólares mensuales, era un maestro en saber sacar provecho de sus equivocaciones. Cada noche dedicaba diez minutos para hacer un análisis de su día, y descubrir los errores que había cometido y sacar provecho de esas experiencias. Eso lo había aprendido leyendo la autobiografía de un hombre al cual admiraba mucho: *Benjamín Franklin*, el cual declaraba que este método le había hecho mayor bien que cualquier otro que hubiera emprendido para sacar provecho de sus equivocaciones. Y Franklin aprendió esto leyendo los consejos del sabio *Pitágoras* que vivió seis siglos antes de Cristo y que inventó las tablas de multiplicar, según dicen los antiguos. Este famosísimo sabio no admitía como alumno a quien no se comprometiera a dedicar cada noche diez minutos a analizar los errores del día y a planear cómo corregirlos. Y así formó grandes personalidades. Esto sí hace bien y no deprime.

REMEDIOS PARA ALEJAR LA IRA

A los que no tienen fe les queda muy difícil encontrar remedios seguros y eficaces para lograr alejar la ira. Un joven vino a consultar al sacerdote: "Padre: he estado consultando a un psiquiatra y vengo a pedirle a usted que me aconseje algo para alejar la ira, la cual me produce mucha depresión". —El sacerdote le preguntó:— "Y si ha estado donde un psiquiatra, ¿por qué viene donde un sacerdote? ¡Ah Padre!, —le respondió el consultante—

es que el psiquiatra me dijo cuál es mi problema, pero no me supo dar los remedios para curarlo o alejarlo".

Otros consultan con gentes depravadas y sin conciencia y la solución que les aconsejan es el escapismo: las drogas, el alcohol, los juegos, las diversiones pecaminosas, la sensualidad y la prostitución, etc., y con eso lo único que obtienen es lo que consigue un muchacho imprudente cuando lo mandan a tapar una gotera del techo donde hay una teja partida: se va corriendo por sobre el tejado y en su carrera rompe muchas tejas más, y por tapar una gotera hizo veinte goteras más. El que quiere alejar una depresión pecando, lo que consigue es abrir un roto en el vestido de su alma por querer quitar una mancha.

Es muy fácil decirle al deprimido: "¡Pues aléjese de lo que le deprime!". Fácil decirlo, pero ¡qué difícil hacerlo! Si lo que le causa ira y le deprime es su cónyuge con su genio endiablado o con su infidelidad, o el vecino que le tiene envidia, o la persona con quien tiene que trabajar todos los días, o el oficio que tiene que hacer y que no le gusta y que no le es posible por ahora reemplazar por otro, o una enfermedad incurable, o una crisis económica a la cual no se le encuentra salida... es inútil que le digamos: "¡Aléjese de lo que le trae ira y depresión!" Es que no se puede alejar ni apartar de esto. Entonces ante la falta de una solución meramente humana no quedan sino los remedios que proporciona el buen Dios. Y de ellos vamos a hablar enseguida.

LOS 5 REMEDIOS DE DIOS

1. *Convencerse de que la ira es un pecado. Algo que no nos conviene de ninguna manera.* Y que es curable. La gente tiende a excusarse diciendo: "Yo soy así. Genio y figura hasta la sepultura". Mi padre era un continuo malgeniado y mi madre murió de úlcera a causa de sus continuas iras... En mi tierra todos sufrimos de mal

genio... Donde yo nací no preguntan: "¿De qué mal murió?" sino "¿de cuántos balazos lo mataron?". A los de mi región parece que los bautizaron a todos con "ácido sulfúrico", porque ¡estallan por cualquier cosa! He oído afirmar que los volcanes estallan cuando se les hace alguna ofensa. Si yo fuera un volcán no dejaría pasar ningún día sin producir una violenta erupción y un terremoto, etc.

Todo esto son disculpas muy explicables y que en parte aminoran nuestra responsabilidad de malgeniados, pero que de ninguna manera nos liberan de nuestra grave responsabilidad de tratar de corregirnos de la malísima costumbre de airarnos. El amabilísimo san Juan Bosco afirmaba: ¡"Decir yo soy así, yo soy incorregible, es una blasfemia"!, es una blasfemia o frase ofensiva contra la bondad y el poder de Dios. "¿O es que para Dios puede haber algo que le sea imposible corregir y enmendar?". Y el santo más amable que ha existido después de Jesucristo, san Francisco de Sales, andaba repitiendo: "No hay terreno tan árido y tan desagradecido, que si se le riega y se le abona y se le cuida bien, no pueda convertirse en un hermoso jardín. No hay temperamento tan violento e inclinado a la ira que si se le ayuda con frecuente oración, con examen de conciencia diario, con propósito firme de enmienda y con buenas lecturas, no pueda llegar a convertirse en un carácter amable y simpático. Lo digo por mi experiencia de muchos años".

No tratemos de tapar el sol con las manos. No queramos decir que vivir airándose y llenándose de rabia y de disgusto por cualquier cosa no es pecado ni es malo. Sí lo es, gústenos o no nos guste esta afirmación. Y así como el decirle a un alcohólico: "El beber no es pecado y el dedicarse a bebidas alcohólicas no es nada malo ni dañoso", sería un error garrafal que lo hundiría irremediablemente en el abismo de sus borracheras, así el pretender que el vivir de mal genio y llenándose de ira por todo, no es pecado sino sólo debilidad de carácter. Eso sería darle certificado de buena conducta al más bestial de los enemigos de la paz, la ira, el malgenio.

Solamente llamándole "pecado", "enemigo del alma", "saboteador de la paz espiritual", etc., lograremos ir sintiéndole asco y aversión al hábito de airarnos y de ponernos de mal genio. Si según san Pablo los que se viven encolerizando y se la pasan rabiando, entristecen al Espíritu Santo (Ef 4, 26) no podemos ni imaginar entonces que la ira no es nada malo ni nada dañoso. Sí lo es, y tenemos que tenerle tanto miedo como el que le tendríamos a un perro rabioso que nos quisiera contagiar con la espumeante baba de su boca infectada. La ira contamina de depresión, y esta enfermedad no es nada bonito tener que soportarla. Para muchos, su liberación puede ser acabar con la depresión. Pero la depresión no se irá nunca si no luchamos para que la ira no siga viviendo en nuestra personalidad.

**UN PROPÓSITO
DE SAN FRANCISCO.**

**SAN FRANCISCO
SE ESFORZABA
POR ESTAR SIEMPRE
INTERIOR Y EXTERIORMENTE
ALEGRE.**
(JOERGENSEN)

2. *Confesar y reconocer ante Dios el pecado de la ira.* Como cualquier otro pecado, la ira puede ser perdonada por Dios y curada por Él, si humildemente le pedimos perdón y le suplicamos su ayuda para combatirla y alejarla. San Juan decía: "Si confesamos y reconocemos nuestros pecados, justo y muy fiel es Dios para perdonarnos las ofensas que le hemos hecho" (1Jn 1, 9) y la Sagrada Biblia añade otros tres pensamientos a cual más de hermosos acerca de esto: "No te avergüences de confesar tus pecados y de pedir perdón por ellos" (Si 4, 26). "A quien calla y trata de disimular y disculpar sus pecados no le irá bien, pero quien los reconoce y los aborrece y pide perdón y se esfuerza por evitarlos obtendrá la misericordia de Dios" (Pr 28, 13). Confesad vuestros pecados y así seréis curados espiritualmente (St 5, 16). Así que mientras más le pidamos a Dios que perdone nuestros pecados de ira y mientras más los aborrezcamos por ser algo que disgusta a la divinidad y hace mal a los seres humanos, más pronto y bien seremos curados por el Señor de nuestra enfermedad espiritual de la ira. Con disculparnos no ganamos nada, pero con pedir perdón sí vamos a obtener perdón y curación.

3. *Pedirle insistentemente a Dios que aleje de nosotros la mala costumbre de dejarnos dominar por la ira.* Jesús decía a sus discípulos: "Hay ciertos espíritus malos que no se pueden alejar sino con la oración" (Mc 11, 17).

EL CONSEJO DE UN ILUMINADO

Cuando yo era muy joven, en plenos 20 años, ante mis continuos estallidos de ira deseaba mucho saber algún remedio eficaz para lograr contener los ataques traidores de mi temperamento colérico. Y un día supe que llegaba de Italia un sacerdote que tenía el Don de Consejo (el cual es un regalo que el Espíritu Santo concede a quienes le ruegan mucho, y que consiste en que

ORACIÓN PARA HORAS DE DEPRESIÓN

(basada en el famoso capítulo 29 (L3) del bello libro Imitación de Cristo)

Que tu nombre sea bendito eternamente Señor Dios mío, por qué permitiste que me llegara esta depresión, que me humilla y me hace sufrir. No logro alejarla de mi mente. Necesito refugiarme en ti por medio de la oración, para que me ayudes y cambien en bienes mis males.

Señor: tengo aflicción y mi corazón sufre, porque esta depresión me acosa mucho.

¿Y qué diré amado Padre Celestial? El combate arrecia. "Sácame triunfante de esta hora" (Jn 12, 27).

"Mas para esto llegué a esta hora" (Jn 12). Para que tú seas glorificado cuando ya haya sufrido profunda humillación y reciba luego liberación de parte de ti. "Líbrame señor en tu misericordia" (Sal 39) porque yo pobre y miserable "¿qué haré y a dónde iré sin ti?".

Bien merecido tengo el sufrir penas y tribulaciones y ataques de depresiones. Y no tengo más remedio que soportarlas con paciencia. Pero ojalá obtenga de ti la fortaleza necesaria para resistir hasta que pase la tempestad y nazca de nuevo la calma. Sé muy bien que tu omnipotente mano puede quitarme esta depresión o al menos disminuir su fuerza para que no logre vencerme ni dominarme. Muchas veces me has hecho este gran favor Señor misericordioso, y espero que no te niegues a seguirme ayudando.

Pues cuanto más difícil es para mí, tanto más fácil es para ti cambiar en victorias mis derrotas.

Señor, no nos dejes caer en la tentación de la tristeza, y líbranos de todo mal.

Amén.

**EMOCIÓNESE PERO NO DEMASIADO
NI DESPROPORCIONADAMENTE.**

Ni tan exageradamente que parezca locura,
ni tan fríamente que parezca despreocupación.
Como dicen los campesinos:
"Ni tanto que queme al santo,
ni tan poquito que no lo alumbre".

se les ocurre muy oportunamente lo que deben hacer y aconsejar). Y me dijeron que lo que aquel sacerdote aconsejaba producía unos efectos admirables. Así que me acerqué a él a pedirle un remedio para calmar mi pasión de la ira. Él me escuchó con atención y solamente me dio este consejo: diga varias veces al día esta pequeña oración: *"Jesús manso y humilde de corazón, haz nuestro corazón semejante al tuyo"*. Y si no deja de decirla bastantes veces, verá que sí se cumple también en su vida lo que Jesús prometió: "Todo el que pide recibe". Como sabía que aquel consejo provenía de un hombre iluminado por Dios me propuse practicarlo a diario y repetir la pequeña oración muchas veces cada día. Y el efecto no se hizo esperar. La primera respuesta que Cristo Jesús dio a mis pequeñas pero frecuentes oraciones fue hacer llegar a mis manos el formidable libro *"Cómo ganar amigos"* de Carnegie, cuya lectura cambió y mejoró por completo mi trato para con los demás. Luego el Señor Dios en buena y bendita hora, hizo que alguien muy amable me recomendara leer a san Francisco de Sales, y esta lectura me enseñó a tenerme paciencia a mí mismo, recordándome que el prójimo más cercano que tengo y al que más paciencia le debo tener es…, a mí mismo. Después logré leer *"La Magia de pensar en grande"* de Swartz, *"El poder del pensamiento tenaz"* de Peale y las obras de Og Mandino y un médico que me aconsejó hacer mucho ejercicio físico. Y le doy gracias al Señor porque mi capacidad de vencer y alejar la ira ha llegado a unos grados que jamás en mi juventud me imaginé que lograría conseguir. No es que la ira no me llegue. No. Ella siempre llegará a toda persona en todas las épocas de la vida, pero yo puedo repetir las palabras del gran apóstol de los negros Luther King: "La ira llamó a mi puerta. La fe salió a recibirla, y la ira salió huyendo". Bendito sea el buen Dios por haberme escuchado las pequeñas oraciones que le dirigí pidiéndole su ayuda para lograr dominar la pasión de la ira. En verdad que sí es cierto que todo el que pide recibe.

El apóstol san Juan en su primera carta afirma: "Esta es la confianza que tenemos en Dios: que si le pedimos algo que sea según su voluntad, Él nos escucha, y si nos escucha podemos estar seguros de que nuestra petición será bien atendida" (1Jn 5, 14). ¿Y qué le podemos pedir que sea más según la voluntad de Dios, que la gracia de no dejarnos vencer por la ira que entristece al Espíritu Santo y llena de amarguras nuestra vida y la de los demás?

4. *Darle gracias a Dios por sus innumerables beneficios.* Cuando alguien a quien dominan los pensamientos de ira, de tristeza y de disgusto va a consultar al Dr. Blanton, psicólogo de fama universal, este gran sabio lo primero que hace es decirle: "Por favor: escriba en una hoja de papel diez cosas por las cuales usted desea darle gracias a Dios". A la segunda consulta el famoso psicólogo le vuelve a pedir: "Escriba otras diez cosas por las cuales usted desea darle gracias al buen Dios". Y así a la tercera y cuarta consulta. Está casi seguro de que en la quinta vez que venga a su consultorio (si es que viene, porque cuando uno está curado ya no va a consultar al médico) el paciente ya no le dice que lo dominan pensamientos de tristeza, de pesimismo y de depresión, sino que le confesará con entusiasmo que se siente muy contento al pensar en lo increíblemente generoso que Dios se ha mostrado con él. Antes era triste porque no recordaba ni agradecía los favores del Señor.

5. *Repetir la misma fórmula muchas veces.* Aunque mil veces nos trate de llegar la depresión, mil veces volver a repetir la misma fórmula: 1. Reconocer que la ira es un pecado que nos hace daño. 2. Pedirle a Dios que nos quite la ira y nos conceda un buen genio. 3. Recordar los favores que Dios nos ha concedido y darle gracias.

EL EJERCICIO FÍSICO ALEJA LA DEPRESIÓN.
El mejor deporte es andar... andar y andar...

DOS REMEDIOS HE ENCONTRADO
QUE ALEJAN MI DEPRESIÓN:
HACER MUCHO EJERCICIO FÍSICO Y RECORDAR
LOS ÉXITOS QUE DIOS ME HA PERMITIDO CONSEGUIR.

(IRALA)

Un hombre sumamente inclinado a la depresión y a la tristeza nos decía: "Me propuse repetir esta fórmula y aunque seguí siendo tan irascible, por cada diez veces que antes me llenaba de depresión y de malgenio, logré pronto no airarme sino siete veces y fui disminuyendo el número de mis actos de ira, y ahora casi puedo decir que mi costumbre de vivir deprimido y de mal genio es una enfermedad que pertenece al pasado y no al presente de mi vida".

Una vez después de una charla acerca de lo dañosa que es la ira, se me acercó un señor y me dijo: "¿Es posible que un hombre que ha sido malgeniado durante 50 años logre volverse de buen genio y alegre?". —Le respondí:— "Eso es cuestión de esfuerzo y de tener fe en Dios. El Señor ha dicho en la Sagrada Biblia: 'Todo es posible para el que tiene fe. Nada es imposible para el que cree'. Trate de practicar lo que aquí le recomendamos y tenga una gran fe en Dios y verá ¡resultados admirables!". Tres años después, al finalizar otra conferencia se me acercó aquel mismo hombre y me dijo: "Tengo que contarle que con el esfuerzo por practicar los consejos que usted recomienda para alejar la ira y evitar la depresión y con una gran fe en el inmenso poder de Dios, he logrado alejar de mi vida la ira y el malgenio de una manera que jamás lo había imaginado. Y si quiere saber qué tanto es lo que ha mejorado mi carácter, puede preguntarlo a mi esposa". Enseguida se me acercó la señora y me dijo llena de alegría: "Yo no tengo cómo agradecer al buen Dios que por medio de sus consejos para vencer la depresión y por medio de nuestra oración llena de fe, ha alejado de mi marido su malgenio y su tristeza de un modo que a veces nos parece que sea solamente un alegre sueño".

PARA VIVIR ALEGRES
HAY QUE DAR GRACIAS AL CREADOR

("Sed agradecidos. Sed siempre agradecidos con Dios"), (san Pablo).

Gracias Señor, por todo cuanto me has dado, por los días de sol y los nublados tristes, por las tardes tranquilas y las noches oscuras.

Gracias Señor, por la salud y la enfermedad, por las penas y las alegrías, por todo lo que me prestaste y luego me pediste.

Gracias Señor, por la sonrisa amable y la mano amiga, por el amor, por todo lo hermoso, y por todo lo dulce, por las flores y las estrellas, por la existencia de los niños, de los viejos y de las almas buenas.

Gracias Señor, por la soledad, por la compañía, por el trabajo, por las inquietudes, por las dificultades y las lágrimas, y por todo lo que me acercó a ti.

Gracias Señor, por haberme conservado la vida y por haberme dado techo, abrigo y sustento.

Gracias Señor, por lo que tú quieras darme, yo te pido fe... para mirarte en todo, esperanza... para no desfallecer y caridad... para amarte cada día más y para hacerme amar de los que me rodean. Concédeme paciencia, humildad, desprendimiento, generosidad, tolerancia y mucho amor para con el prójimo.

Que tenga un corazón amable, el oído atento a tus mensajes, las manos abiertas para dar y la mente activa para pensar bien; que siempre esté dispuesto a hacer tu santa voluntad.

Derrama Señor tus bendiciones sobre todos los que amo y concédele tu paz al mundo entero.

Que tu Santo Nombre sea bendecido hoy para siempre, amén.

Gracias, Señor, gracias.

Capítulo VIII

LA AUTOCOMPASIÓN Y LA DEPRESIÓN

LO MUCHO QUE INFLUYE AUTOCONMISERACIÓN Y AUTOCOMPASIÓN PARA HACER LLEGAR A LA DEPRESIÓN

Hemos llegado ahora a la causa principal de la depresión.

Nada hay que desate más fuertemente la depresión y que lleve más rápidamente a estar deprimidos, que la autocompasión y la autoconmiseración. El vivir dándose "sinceros pésames" a sí mismo.

Y sucede un caso curioso: se le dice a una persona deprimida que la causa principal de su depresión es que se está autocompadeciendo, y sin más ni más va respondiendo: "Yo nunca me tengo lástima a mí misma", o "yo no siento compasión por mí misma... en otras personas esto podrá suceder, pero en mi caso no sucede". Una señora se puso furiosa cuando le hablé de eso, y exclamó: "Vine creyendo que usted sabía un poco de psicología pero veo que no comprende mi verdadero problema". Y hasta sucede que algunas se alejan taconeando furiosas, al oír que se les dice que la razón de sus tristezas consiste en que viven autocompadeciéndose, sintiendo compasión por sí mismas.

Pero es que la verdad, como un pinchazo que se le da a un tumor, duele. El deprimido tiene un tumor dañosísimo: es su de-

EL VIVIR QUEJÁNDONOS DE LA GENTE TRAE
AUTOCOMPASIÓN Y DEPRESIÓN.

EL EVANGELIO DICE: "¿CÓMO ES QUE MIRAS
LA BRIZNA QUE HAY EN EL OJO DE TU HERMANO,
Y NO REPARAS EN LA VIGA
QUE HAY EN TU OJO?".

(MATEO 7, 3)

presión, y al pinchar este tumor se sienten dolores no muy gratos, pero sí muy provechosos. Cuando hablo con un deprimido no espero que acepte desde el principio que está sintiendo autocompasión. En su estado de ánimo le es imposible aceptar una palabra tan fea como "autoconmiseración", o una verdad tan amarga como la de que está sintiendo demasiada compasión hacia sí mismo. En cambio le agradaría mucho más que lo llenaran de compasión y que le recetaran un montón de píldoras y que les echaran a otros toda la culpa de los males que está sufriendo.

Los no deprimidos sí aceptan que a veces sienten autocompasión. Y aun los deprimidos, en los tiempos en que no sufren depresión, reconocen que sí padecen de autoconmiseración. Pero cuando les llega la depresión, entonces ya no aceptan esto, y quieren echar a otros la culpa de sus males.

Afortunadamente las personas inteligentes se van dejando convencer poco a poco y llegan a convencerse que la raíz de su mal está en autocompadecerse. Pero si alguien no acepta esto, estamos ante un caso perdido, y entre más se autocompadezca y menos reconozca que esto es un gran mal, más y más aumentará su depresión.

Aunque se tomen todos los remedios y se hagan mil prácticas de electrochoques y de otras clases, si no se cambia el esquema mental, pronto vuelve otra vez la depresión.

Las personas deprimidas tienen siempre una colección de excusas para no aceptar que una de las causas más influyentes en su depresión es su autocompasión, el andar teniéndose conmiseración como a persona que no es tratada debidamente. Si es persona intelectual exclama: "Esa solución es demasiado simple. Tiene que haber otras razones mucho más graves para mi depresión".

151

Otros simplemente no buscan el consejo de quien les quiere dirigir en esto, porque se dicen: "Ah, ya sé qué me va a decir: que todo se debe es a que yo me siento lástima y a que yo vivo dándome 'sentidos pésames'. Y esto no es cierto. La causa de mi depresión debe ser otra mucho más grave". Y estas pobres personas siguen cargando sobre sus hombros ese horrible cadáver tremendamente pesado y sofocador que es su depresión, cuando podrían haber dejado tan horrendo peso en una zanja del camino, desde hace varios años, simplemente reconociendo que es necesario tratar de vivir sin sentir autocompasión.

Miles de personas han confirmado por escrito o de viva voz que sí es cierto que una de las causas principales que llevan a la depresión es la autoconmiseración. Una mujer decía en una reunión: "La primera vez que oí decir que una causa muy importante de la depresión es el tenerse uno lástima a sí mismo, me indigné y exclamé que eso no era cierto. Que las causas de la depresión eran muchísimo más serias que esa. Pero luego me he puesto a recordar en qué pensaba yo en los tiempos inmediatamente anteriores a mi depresión y he logrado descubrir que en verdad mi depresión me llegó cuando me dediqué a autocompadecerme y a sentirme lástima. Y desde que empecé a echar lejos la autoconmiseración, mi vida ha cambiado de triste y deprimida en alegre y optimista".

EL CASO DE UNA MUJER SUPERFLACA

Una mañana llegó una mujer a consultar al psicólogo. Jamás habíamos visto una mujer tan flaca y decaída. Más que un cuerpo humano parecía una radiografía. La gente decía que parecía un frasco de leche con cejas. Tan pálida estaba. En seis meses había perdido 17 kilos. Sólo pesaba 40 kilos cuando debía pesar 60. Su historia era muy triste, y al oírla narrar sentía uno verdaderas ganas de echarse a llorar. Su esposo era un aviador de Estados Unidos y su avión lo habían derribado hacía seis meses los comunistas de Vietnam del Norte, sanguinarios y feroces. Ninguna otra noticia se había vuelto a saber de él. ¿Estaba vivo? ¿Estaba muerto? Ella no lograba apartar ningún día ni a ninguna hora esas dos preguntas de su mente: ¿está vivo? ¿Lo mataron? Sus dos hijos se colgaban de sus faldas y mirándola a los ojos le preguntaban día a día: "¿Mamá, papito estará vivo?".

El psicólogo sintió un enorme deseo de darle su sentido pésame a esa pobre mujer y decirle que la acompañaba en su inmenso dolor, pero él sabía muy bien que las personas deprimidas ya se han tenido demasiada lástima a sí mismas y que por eso mismo es que se les ha pegado la depresión, y que en vez de ayudarlas a autocompadecerse más y más, lo que hay que hacer es ayudarles a comprender que esa autoconmiseración que están sintiendo les está haciendo muchísimo mayor mal que bien.

Por eso el veterano psicólogo le preguntó: —"¿Ama usted, verdaderamente a su esposo? —"Ah, respondió ella—, mis hijos son, después de Dios, los más grandes amores de mi vida". —Bueno—, —siguió diciendo él—: "Y para su esposo y para sus hijos qué es más conveniente, ¿que usted esté en paz y tranquila, o llena de angustias y muriéndose de nervios?". —"Ah, doctor, —exclamó ella paseándose nerviosamente— es que mi angustia me ha hecho perder todo control sobre mis pensamientos". "Bueno, bueno, siguió preguntando el psicólogo: ¿usted qué cree más seguro, que su esposo está vivo o está muerto? ¿Que está siendo bien tratado o que está siendo torturado?". "Pues…, yo me inclino más a creer que él está vivo y que está siendo bien tratado".

Y el consejo que recibió fue éste: "En vez de dedicarse a autocompadecerse dedíquese a darle gracias a Dios porque lo más probable es que su esposo está vivo y está siendo bien tratado. En lugar de seguirse enflaqueciendo a base de angustias, recupere su buen físico a base de pensamientos tranquilizadores, para que cuando él vuelva no encuentre a su esposa convertida en un carramán y un esqueleto, sino conservada, rebosante de lozanía y juventud. En caso de que su esposo estuviera muerto nada ganaría él con que usted se pasara la vida lamentándose. ¿Y para qué llorar como muerto al que probablemente está vivo?".

Las circunstancias externas de aquella mujer no cambiaron. En meses no le llegaron noticias de su marido, pero se dedicó a orar por él y a dar gracias al Señor por todo lo que lo estaba cuidando y recuperó su salud perdida, y a su hogar volvió la alegría y cuando los norvietnamitas le devolvieron a su marido la encontró sana y contenta. Porque había desterrado lejos la autocompasión.

LA FÓRMULA DE LA DEPRESIÓN

Después de estudiar por más de cuarenta años a centenares y millares de personas deprimidas hemos logrado sintetizar así la fórmula de la depresión = insulto, injuria o rechazo o desprecio, + ira + autoconmiseración = Depresión.

Otros han hecho esta otra fórmula:

Suceso no deseado + resentimiento + autoconmiseración = Depresión.

Esta segunda fórmula se cumple, por ejemplo, cuando una mujer siente que está esperando un hijo y no deseaba tenerlo, o cuando a alguien se le muere un ser muy querido. Al suceso no deseado le siguen el resentimiento y la autocompasión y entre los tres fabrican la depresión.

La azafata melancólica

Un día viajando en un avión al ver que la azafata, aunque era muy hermosa, demostraba cierta tristeza en el rostro, me atreví a preguntarle: "¿Tiene usted algún problema que le hace sufrir? Es que la veo como algo entristecida". —Y ella me respondió:— "Es que esta compañía aérea es muy despreocupada y muy desconsiderada. Le ponen a uno un montón de oficio y no le ofrecen las debidas comodidades ni saben agradecerle lo que uno hace". Entonces aunque con un poco de temor de aparecer sermoneador, me atreví a decirle: "Si vive sintiéndose lástima hacia usted misma, se va a volver vieja antes de tiempo. Le puedo asegurar que en nuestro país hay miles de jóvenes de su edad que desearían con toda su alma poder hacer las labores que usted tiene que hacer. Yo le aconsejo que cada día piense en los aspectos positivos que tiene su oficio y no tanto en lo negativo y cansón. Y cuando tenga algo que sufrir no se autocompadezca sino más bien aproveche para decirle al buen Dios que usted acepta lo que Él permite que le suceda y que lo bendice una y mil veces por su trabajo, por sus sufrimientos y también por los éxitos que le tiene reservados para el futuro".

Cuando después de unos tres meses volví a emplear aquella compañía aérea para viajar, a mitad de viaje se me acercó la azafata, ahora con ojos brillantes de optimismo, y mientras me ofrecía la bandeja con *sandwich* y gaseosa, me dijo al oído: "Siga diciendo a otros lo que me recomendó a mí el otro día. Mirar lo bueno que hay en la vida y no lo malo y triste. Porque de sentirse uno lástima a sí mismo no se consigue sino aumentarse las penas y acabar con la salud".

¿A qué clases de personas ataca la autocompasión?

La autoconmiseración no deja clase alguna de personas sin atacarlas. He conocido intelectuales con brillantes doctorados y una inteligencia fuera de lo común, sumidos en la depresión por haber cedido a la desastrosa tentación de autocompadecerse. Y también gente sencilla y de poca instrucción ha llegado hasta los abismos más profundos y oscuros de la depresión porque cuando llegó el deseo de autocompadecerse, en vez de alejar tan espantosa costumbre se dejaron vencer por ella.

El intelectual fracasado

Un hombre con las mejores notas de su universidad vino a consultarme. La depresión había convertido su vida en un trapo inútil. ¿Y cómo había llegado hasta allí? Pues empezó a sentir que su esposa no lo comprendía. Y en vez de aprovechar esta amargura para hacer trabajar más su cerebro, se dedicó fue a darse los pésames a sí mismo: "¡Pobre de mí. Esa mujer no me comprende! ¡Pobre de mí, ella no reconoce mis cualidades! ¡Pobre de mí, mi mujer me desprecia!". Y este sentirse lástima lo fue apabullando y dejó de escribir como lo estaba haciendo antes. Y dejó de seguir especializándose. Y ya casi llegaba al total fracaso.

Cuando vino a consultarme le narré lo que decía el maravilloso músico Schubert: "Las mejores piezas musicales que he compuesto, y las que más agradan al público, son aquellas que escribí en los días de mis más terribles angustias y penas, cuando me parecía que mi vida era un martirio y una agonía". Y le recordé cómo el escritor de fama mundial Tolstoi tuvo que sufrir con una esposa horrorosamente neurótica e incomprensible, pero él en vez de dedicarse a autocompadecerse, aprovechó esos tiempos de incomprensión y de pena y dolor para sacarle a su cerebro el mayor rendimiento posible y logró escribir obras inmortales. Le insistí en que para nosotros lo único verdaderamente importante en la vida es tener contento a Dios. Que a la gente difícilmente la vamos a tener contenta. El Evangelio dice: "Vino Juan Bautista que no comía y no bebía y, la gente decía que era un endemoniado. Vino Jesús que sí comía y bebía y dijeron también que era un endemoniado"... Pero al buen Dios sí lo logramos tener contento si nos esforzamos un poco. Y al fin de cuentas Él, y sólo Él es quien nos va a dar el ¡premio definitivo!

Aquel hombre se quedó mirándome a los ojos y me dijo: "¿Entonces yo he perdido todo el tiempo que he dedicado a tenerme lástima por no ser comprendido por mi esposa? —Y le respondí—: no sólo ha perdido ese tiempo sino que con su autoconmiseración ha esterilizado sus meses y sus años pasados y corre peligro de hacer de su vida una inutilidad si sigue autocompadeciéndose.

Aquel día charlamos largo y sabroso. Le recordé lo que afirmaba san Pablo: "Si lo que busco es tener contenta a la gente de este mundo, ya no seré verdadero seguidor de Cristo"; y lo que decía Jesucristo: "Algunos no pueden llegar a la verdadera fe porque lo que buscan es obtener las alabanzas de los demás". Y lo animé con todas mis fuerzas a independizarse del "qué dirán o qué pensarán los demás" y a no darle tanta importancia a la incomprensión de su mujer.

La historia siguió su curso. La esposa no dejó de ser incomprensiva, pero él si dejó de autocompadecerse. Ella siguió criticándolo por todo, pero él ya no volvió a sentir lástima por sí mismo. Se hizo en una habitación cerrada en su casa y cuando la mujer estallaba en ímpetus de ira y se dedicaba a gritarlo e insultarlo, él se encerraba en su "bunker" y se decía: "¡Aprovechemos la adrenalina que me produce este disgusto para hacer que mi cerebro trabaje con más celeridad! Y poco a poco fue convenciéndose de la gran verdad que es aquella afirmación de la Sagrada Biblia: "Todo sucede para el bien de los que aman a Dios".

¿Y para qué seguir contando? Sus escritos volvieron a aparecer en los periódicos y cuando la esposa airada le gritaba que eso era una tontería que no merecía la publicación, él se decía para sí mismo: "Lo importante es que esto agrade a Dios. De Él, y sólo de Él espero mi paga y mi recompensa". Ya son varios sus libros y varias las ediciones de cada uno y ahora son leídos hasta por su propia mujer. Su nombre no lo decimos aquí porque ha pedido que por ahora lo callemos. Cuando dentro de bastantes años este amigo nuestro haya pasado a la eternidad, quizá en este mismo libro de la depresión coloquen una nota que diga: "El citado escritor se llamaba N.N...". Y ojalá que en su tumba pudieran escribir: "Aquí yace uno que iba rodando hacia el fracaso por dejarse dominar de la autocompasión, pero un día dejó de sentirse lástima a sí mismo y desde entonces empezó a volar muy alto hasta llegar a ser uno de los hombres más exitosos de este siglo".

Y su historia puede ser la de muchos que estén pasando por circunstancias parecidas de incomprensión y malos tratos. Con el poeta Campoamor podremos repetir: "No hay grito de dolor que no tenga al fin por eco una esperanza...". Si en vez de autocompadecernos, luchamos con valor.

La joven del vestido blanco y el alma negra

Una joven esposa vino a consultarme. La dominaba una inaguantable depresión. Sólo llevaba ocho meses de casada pero ya no sentía cariño por su marido. Una tristeza incontenible hacía de su propia vida algo más triste que una tumba.

Repasando sus recuerdos encontramos la causa de su depresión. Desde niña había visto casos escandalosos de unas hermanastras suyas que fueron muy desvergonzadas en sus noviazgos y que dejaron muy mala impresión en el vecindario por sus ligerezas y atrevimientos. Y entonces ella desde los 13 años se propuso firmemente: "Llegaré virgen al día de mi matrimonio. Cuando suba al altar llevaré un vestido blanco y un alma pura y blanca. Me haré respetar cueste lo que cueste".

Y cumplió seriamente sus propósitos. Se enamoró de un marino y su noviazgo transcurrió tranquila y santamente. Pero el hombre sabía convencer mucho a las mujeres (¡marino al fin!) y la noche en que celebraron la ceremonia de las argollas y promesa de matrimonio, ella cometió el error de tomarse unos tragos y de quedarse sola con su novio. Y como el alcohol debilita totalmente el cerebro y la voluntad, aquella noche cometió un pecado contra la castidad.

Toda la vida había deseado llegar virgen y muy pura al día de su matrimonio y ahora por una debilidad se derrumbaban todos sus ideales y propósitos. Qué miserable y manchada se sentía. Se sentía una pobre derrotada por Satanás.

Por esta razón la noche de su matrimonio sufría la profunda tristeza de que a su vestido tan blanco no correspondía un alma tan inocente. Y este pensamiento no la abandonaba. En su interior le echaba la culpa al novio. Él la había hecho tomar trago. Él decía palabras demasiado melosas. ¡Él era el verdadero culpable! Y se creía una víctima de aquel aprovechado. Y esto la fue enfriando totalmente hacia su marido, hasta el punto de convertir en antipatía y frialdad el inmenso amor que en un tiempo había sentido por él. Y con estos sentimientos vino a consultar su caso.

La causa de esta depresión era muy clara: la pobre mujer se estaba autocompadeciendo más de la cuenta. Quería echarle toda la culpa y la responsabilidad a aquel hombre. Y mientras viviera rumiando y recordando con rabia su momento de miseria y de debilidad y dándose a sí misma palizas mentales y guardando resentimiento por ese individuo, era inútil recetarle medicamentos para sus nervios, pues la depresión no se le iba a retirar ni a disminuir, si no se quitaba la causa que la producía.

El primer consejo para la deprimida mujer fue aquel de san Agustín: "Mientras me dediqué a recordar con amargura mis pecados, cada día me atormentaba más y más y sin provecho alguno. Pero cuando me dediqué a pensar en las bondades de Dios y en los maravillosos hechos que de Dios narra la Biblia, recobré la paz de mi espíritu y empecé a dar pasos hacia la paz y la tranquilidad".

Lo primero que ella necesitaba era perdonar al otro. "Si no perdonáis a los demás los males que os han hecho, tampoco vuestro Padre Celestial os perdonará a vosotros los males que habéis hecho", dijo Jesús. ¿Cómo pretender que Dios perdone nuestras maldades y debilidades si seguimos recordando con odio y resentimiento los males que otros nos han hecho?

El segundo paso tenía que ser: perdonarse a sí misma. El Evangelio manda que debemos amar a los demás como nos amamos a nosotros mismos. Por tanto, nos tenemos que amar mucho a nosotros mismos, porque si a los otros hay que amarlos como uno se ama a sí mismo. Pero, ¿cómo puede afirmar que se ama a sí mismo quien vive regañándose a toda hora y echándose en cara sus antiguas faltas a cada momento? Si a los otros hay que perdonar, ¿por qué no perdonarse uno a sí mismo? ¿O es que pretendemos ser tan perfectos que seamos impecables? ¿Y es que se nos ha olvidado que muchísimas de las faltas que cometemos las hacemos más por debilidad que por maldad? Si Dios olvida nuestras faltas para no volverlas a recordar jamás, si arrepentidos le pedimos perdón, ¿por qué no olvidarlas también nosotros y no seguirnos amargando la vida con unos feroces recuerdos que no ayudan a progresar sino a sentir más desdicha y mayor pesimismo y desaliento?

Y el tercer paso que no puede ser evitado jamás: pedirle perdón a Dios. Él ha repetido muchas veces en la Sagrada Biblia que no desea la perdición del pecador sino que se convierta y mejore de conducta y tenga una vida de felicidad y de paz. El salmo 102 nos recuerda: "Como un padre siente compasión por sus débiles hijitos, así el Señor Dios siente ternura y compasión por nosotros. Él sabe de qué estamos hechos y se acuerda de que somos barro. Dios es compasivo y misericordioso, lento a la ira y rico en clemencia y bondad. No está siempre acusando ni echando en cara las faltas cometidas. No guarda rencor perpetuo, no nos trata como merecen nuestras culpas ni nos castiga como lo piden nuestros pecados. Así como está inmensamente lejos el extremo occidente del extremo oriente, así Dios aleja de nosotros las faltas que hemos cometido".

¿Quién no se animará a pedirle perdón a un Dios tan extraordinariamente amable e inclinado a perdonar y a olvidar, y que ha prometido no rechazar jamás un corazón arrepentido y humillado?

Estas fueron las consideraciones que le hicimos a la esposa entristecida y desamorada que había venido a consultarnos. Y como en los cuentos de hadas con un final feliz, aquella mujer se perdonó a sí misma, perdonó a su marido, se confesó y pidió perdón a Dios, y ahora cuando acompañada de su esposo y de sus simpáticos hijitos la vemos salir a pasearse alegre, amorosa y sonriente por el parque cercano a su casa y no vemos en su comportamiento sino amor y gozo, nos dan ganas de gritar a los transeúntes: "Vengan a ver un milagro conseguido con base en alejar de la propia vida la autocompasión y de dedicarse a perdonarse uno a sí mismo y a perdonar a los demás, a pedir perdón a Dios, en vez de andar compadeciéndose o echando a otros la culpa de lo que nos sucede". Mientras más lejos echamos la autocompasión, más nos llenaremos de alegría y paz y menos cabida tendrá en nuestra vida la horrible depresión.

¿Será necesario que cambien la situación y las circunstancias?

Hay un librito muy famoso, publicado 20 años antes del descubrimiento de América y que después de la Sagrada Biblia ha sido el libro religioso más editado en el mundo. En 1991 la Editorial Salvat publicó el dato de que de él se han hecho más de tres mil ediciones. El bello libro se titula: "La imitación de Cristo" y su lectura ha obrado admirables cambios en millones de personas. Pues bien, el autor de la "Imitación de Cristo" dejó escrita esta frase que contiene una gran verdad: "Vayas donde vayas, y fueres donde fueres, si tú no cambias y no mejoras de modo de pensar y de ser, en todas partes seguirás con tus mismos sufrimientos porque la principal causa de ellos no está en las otras personas o en las circunstancias que te rodean, sino en ti mismo, en tu modo de ser y de pensar".

Es lo que la gente dice en su adagio popular: "La fiebre no está en las cobijas".

Los 4 divorcios

Una mujer cuenta que ella se ha divorciado ya cuatro veces, tratando cada vez de buscar la verdadera felicidad, y que después del cuarto marido se ha venido a dar cuenta de que solamente fue relativamente feliz con su primer esposo. Y que su gran equivocación fue dejar una relativa felicidad ya conocida por una muy insegura felicidad desconocida, olvidando lo que decían nuestros tatarabuelos: "Más vale lo defectuoso ya conocido que lo menos defectuoso por conocer". Y le sucedió lo que dice el epitafio a aquel difunto: "Aquí yace uno que estaba bien, pero quiso estar mejor". Y es que muchas veces lo que en verdad nos amarga más no son las circunstancias dificultosas de la vida sino los juicios amargos y pesimistas que hacemos acerca de lo que nos sucede.

Recordemos lo de las moscas que cayeron en la leche:

Contaba un campesino que dos moscas se cayeron entre una jarra de leche. La una era pesimista y llena de tristeza, se puso a quejarse de su mala suerte y quejándose murió ahogada entre el blanco líquido. La otra era optimista y se dijo: "Mi vida no la vendo barata a nadie. Si me ahogo, me ahogaré pataleando, tratando de sobresalir". Y tanto pataleó que formó nata en la leche y tranquilamente se sentó sobre la nata a descansar y a sobrevivir y de allí emprendió otra vez su alegre vuelo. Es que las dificultades solamente ahogan a quienes encuentran sin entusiasmo.

Más feliz se siente una pobre ancianita tomándose con alegría y resignación una taza de chocolate en un asilo de caridad, que miss universo celebrando un banquete en el hotel más elegante del mundo si no se siente contenta de lo que es y de lo que le sucede. La felicidad no depende tanto de las circunstancias que nos rodean sino más que todo del modo como aceptemos y llevemos nuestra vida. Por eso decía un filósofo: "Ninguna otra herencia es quizás más valiosa para ser feliz que la de saber enfrentar la vida con alegría, paciencia y optimismo".

La autocompasión es un pecado. Dicen que pecar es decir, o hacer, o pensar algo que disgusta a Dios o que nos hace daño a nosotros mismos. Y esto de andar sintiéndose lástima y echando a otros la culpa de lo que nos sucede, es una actitud mental tan dañosa para nosotros mismos que no puede menos que disgustar a Dios, y por tanto, la podemos llamar pecado.

Hay personas que no se atreverían a robarle la cartera a otro o a cometer una grave falta de impureza o a inventar una gran mentira, pero que viven tranquilamente cometiendo este "pecado" de autocompadecerse y de vivir echando a otros la culpa de lo malo que les sucede.

El vivir sintiéndose lástima y dándose cada día un "sincero pésame" por tener una vida tan desdichada, es olvidar aquella famosa frase del Libro Santo: "Todo sucede para el bien de los que aman a Dios" (Rm 8, 28). No dice la Biblia que todo lo que sucede es agradable o placentero, sino que contribuye al mayor bien de los que aman al Señor. Y aquí está la gran diferencia. No nos agradan muchos sucesos de la vida, pero han sido permitidos por Dios para nuestro bien, y entonces aquí se halla nuestro pecado cuando nos rebelamos y nos sentimos "víctimas" y nos dedicamos a autocompadecernos: nos rebelamos y no aceptamos lo que Dios permite para nuestro mayor bien, y en cambio nos dedicamos a sentirnos unas pobres víctimas de la injusticia de los demás y de la venganza divina. ¡Tremenda equivocación!

EL CASO DE JOSÉ EN EGIPTO

Cuenta el primer libro de la Biblia, el Génesis, que José era hijo de Jacob; el mejor y el más virtuoso de sus hijos. Pero un día le contó a su padre que los demás hermanos se comportaban muy mal cuando estaban lejos de su hogar, y por haber sido reprendidos por Jacob, los otros diez le juraron la guerra a José.

Y un día lo vendieron como esclavo por veinte monedas, y para engañar a su padre tiñeron el manto de José con la sangre de un cabrito y se lo enviaron a Jacob, para que creyera que a su hijo lo había matado una fiera por el camino solitario.

El pobre José, por más que lloró, gritó y suplicó con todos sus fuerzas que no lo vendieran, fue vendido sin misericordia y llevado a Egipto. Y allá encontró por la ayuda de Dios la buena voluntad del alcalde de la capital que lo nombró jefe de todos sus empleados domésticos.

Pero cuando mejor y más halagüeña era su posición, he aquí que la esposa de su jefe, Putifar, se enamora de José y quiere que él se vaya a vivir con ella. Como el joven prefiere morir antes que ofender a su Dios, entonces la mala mujer le inventa una calumnia y lo manda echar injustamente a la cárcel.

Hasta que toda esta historia parece una cadena de injusticias. ¿Por qué si es el mejor hijo de Jacob, permite Dios que lo vendan como esclavo y se lo lleven a un país desconocido? ¿Por qué si cumple tan exactamente sus deberes como jefe del personal de Putifar, permite Dios que le inventen lo malo que él no ha hecho y lo manden a una cárcel?

Y aquí viene la respuesta del Libro Sagrado: "Todo sucede para el bien de los que aman a Dios". En la cárcel se encuentra José con el copero del rey, el que le servía el vino al Faraón, y le interpreta un sueño en el cual había visto que exprimía tres racimos de uvas y echaba el vino en la copa del rey. José le dice que aquello significa que dentro de tres días sacarán al copero de la cárcel. Y así sucede. Y entonces cuando el Faraón tiene sus famosos sueños en los cuales ve que siete vacas flacas devoran a siete vacas gordas y que siete espigas raquíticas acaban con siete espigas vigorosas, y no encuentra a nadie que le explique tan mis-

165

teriosos sueños, el copero se acuerda de José y lo mandan sacar de la cárcel, y éste le dice al Faraón que las siete vacas gordas y las siete espigas vigorosas serán siete años de grandes cosechas, y las siete vacas flacas y las siete espigas raquíticas serán siete años de sequía y de malas cosechas y que es necesario almacenar ahora todo lo que sobra, para poder tener provisiones para los años de escasez. Y al Faraón le agrada tanto esta respuesta que nombra a José como virrey de todo Egipto y primer ministro del reino.

¿No es verdad que aquí sí que se cumplió la promesa del Señor: "Todo sucederá para el bien de los que aman a Dios"? El haber sido vendido como esclavo y llevado a Egipto, el haber sido calumniado y echado a la cárcel, todo sirvió para que este hombre que amaba mucho a Dios llegara a ser el segundo en todo el reino.

Pero observemos la actitud de José. Él no pierde el tiempo en dedicarse a tenerse lástima. Habría podido empezar a decir: "Soy víctima de la injusticia. ¿Con qué derecho me han vendido? ¿Por qué me inventan lo que no he hecho? y, ¿por qué me mandan a una cárcel siendo inocente"? y consumirse derrotado en la auto-compasión. Pero afortunadamente eso fue precisamente lo que él no hizo, porque era hombre práctico e inteligente. En vez de dedicarse a autocompadecerse, se dedicó con tal juicio y esmero a hacer sus trabajos en casa de Putifar que con su dedicación y la ayuda del buen Dios consiguió ser nombrado jefe de todo el personal. Y después en la cárcel en vez de dedicarse a darse "pésames" por sus desgracias y a echar a los demás la culpa de lo que le estaba pasando, se dedicó con tan grande esmero a ayudar a todos, que según dice el Libro Sagrado, fue nombrado también jefe de todo el personal de detenidos.

José cumplía lo que más tarde repetiría el gran sabio Ampere: "Con una mano me agarro de la mano de Dios pidiéndole ayuda, y con la otra hago todos los esfuerzos por superar las dificultades que se me presentan, pero no pierdo mi tiempo quejándome de los sufrimientos y de las contrariedades que se me sobrevienen".

La historia de José vendido por sus hermanos es una de las narraciones más bellas y emocionantes en toda la literatura universal. Se encuentra en los capítulos 37-45 del primer libro de la Biblia, el Génesis. Al final de tan hermosa historia, cuando José se encuentra con sus hermanos les dice: "Estas penas que me vinieron no me sucedieron al azar o por casualidad, sino que las permitió el Señor para nuestro bien. Fue Dios el que permitió todo esto para sacar de ello un gran bien". Esto mismo vamos a repetir muchos de nosotros cuando sepamos el porqué de los sufrimientos que Dios permite que nos lleguen: "Los permitió Dios para sacar de ellos un gran bien". Y si así es, entonces, ¿por qué deprimirnos por ellos?

EL BUEN SIERVO DE DIOS NO GRITA,
NO DISCUTE,
NO VOCIFERA POR LAS CALLES.
A LA CAÑA MEDIO PARTIDA
NO LA ACABA DE PARTIR.
A LA MECHA CASI APAGADA,
NO LA ACABA DE APAGAR.

(MT 12, 18-20)

La alegría se conserva recordando los beneficios recibidos

"Dad gracias al Señor porque es bueno, porque es eterna su misericordia". (Sagrada Biblia, Salmo)

Gracias Señor, porque es maravilloso alzar los brazos y poder caminar, cuando hay tantos mutilados.

Gracias Señor, porque mis ojos ven, cuando hay tantos que no tienen luz.

Gracias Señor, porque puedo pensar, cuando hay tantos con la mente en tinieblas.

Gracias Señor, porque puedo oír, cuando hay tantos que no te escuchan.

Gracias Señor, porque mi voz habla y canta, cuando hay tantos que enmudecen.

Gracias Señor, porque mis manos trabajan, cuando hay tantos que mendigan.

Gracias Señor, porque tengo salud, cuando hay tantos enfermos del alma y del cuerpo.

Gracias Señor, por el pan de cada día, cuando hay tantos que no tienen que comer.

Gracias Señor, porque es maravilloso volver a casa, cuando hay tantos que no tienen a donde ir.

Gracias Señor, porque es maravillosos amar, vivir y soñar cuando hay tantos que odian, se angustian y se desesperan.

Gracias Señor, porque es maravilloso ser hijos de María, cuando hay tantos que no la reconocen.

Gracias Señor, porque es maravilloso tener un Dios... un buen Dios en quien confiar, cuando hay tantos que mueren sin conocerte.

Gracias Señor, porque es maravilloso tener tan poco que pedirte tanto, tanto que... agradecerte.

A ti gloria y alabanza por los siglos. *Amén.*

EL IDEAL:
UN ALMA SANA EN UN CUERPO SANO

MENTE
EQUILIBRADA

ALMA CON
DIOS

MENTAL ESPIRITUAL

PERSONA SIN DEPRESIÓN

CORAZÓN
SANO

CUERPO
DOMINADO

La fórmula mágica:

EN VEZ DE DEDICARSE A LA AUTOCOMPASIÓN,
SACAR PROVECHO DE LOS SUFRIMIENTOS

Los sufrimientos no son exagerados ni abrumadores. Si consideramos que las penas que tenemos que sufrir son exageradas, las recibiremos con ira y amargura, esto nos puede llevar a la depresión. Pero si recordamos la frase de san Pablo: "Fiel es Dios que no permitirá que os lleguen pruebas que superen vuestras fuerzas" (1Co 10, 13), entonces ya no nos pondremos a pensar que lo que sufrimos es mayor que lo que somos capaces de aguantar. Y esto nos puede animar.

El apóstol Santiago nos da una noticia reconfortante: que el sufrimiento tiene la ventaja de que hace crecer en el alma la bella virtud de la paciencia. Por eso dice: "Alégrense cuando tengan que pasar por diversas pruebas y sufrimientos, pues las penas pueden producir paciencia" (St 1, 2). He aquí el consejo de este gran amigo del Señor: que cuando nos lleguen sufrimientos no nos dediquemos a desanimarnos creyéndonos abandonados injustamente, sino que más bien nos llenemos de alegría sabiendo que con estas contrariedades estamos consiguiendo una gran cualidad: la paciencia.

Remedio para adquirir fortaleza: fuego y golpes violentos.

Los que saben de metalurgia enseñan que si al acero no lo hacen pasar por fuego muy alto y no lo golpean fuertemente, se queda flojo y de poca resistencia. Por eso para que se vuelva fuerte y muy resistente lo "martirizan" poniéndolo a altísimas temperaturas y dándole golpes muy fuertes. Algo parecido pasa con nuestra alma: si no nos llegan sufrimientos nos podemos quedar enclenques de voluntad y con muy poca fuerza de carácter, pero si nos sobrevienen penas y contrariedades podemos lograr adquirir una gran personalidad. Lo cual es una ganancia muy notable. El pensar en todo esto puede ayudar mucho a alejar la depresión.

Quien más sufre, más gracias puede recibir

Vino una mujer a quejarse de que su esposo era demasiado áspero y duro en su trato, y exclamaba suspirando que en cambio su vecina tenía un esposo todo amable y bondadoso. Le dimos esta respuesta: "Recuerde que la persona que ofrece a Dios más sufrimientos, recibirá del Señor mayores gracias divinas. Si la otra tiene menos sufrimientos que ofrecer al buen Dios, probablemente tendrá también menos gracias divinas y menos ayudas que le lleguen del cielo". A la mujer le brillaron los ojos de emoción y preguntó: —¿Entonces yo voy a ser más rica para el cielo que la esposa del vecino?— Claro que sí, con tal que le ofrezca sus sufrimientos a Dios con la mayor paciencia que le sea posible. Sonrió con la alegría de quien recibe una agradable noticia y al despedirse dijo satisfecha: "Me voy entonces a ganarme un gran premio para el cielo aguantándome a este marido tan fiero en la tierra".

Probablemente muchos de nosotros podremos repetir un día aquellas palabras que san Pedro de Alcántara le dijo a santa Teresa al aparecérsele en sueños después de muerto: "Dichosos sufrimientos de la tierra, que me han conseguido tan grandes premios para el cielo". Nada perdemos cuando sufrimos, si sabemos ofrecer todo a Dios. Pero en cambio si sufrimos renegando nos ganamos una antipática depresión y nada vamos a conseguir, para la eternidad. ¡Doble pérdida! Señor: danos un poquito más de paciencia, para aceptar sin renegar ni deprimirnos, las penas diarias que tú permites que nos sucedan. Y que un día podamos repetir con san Pablo: "No hay comparación entre lo poco que tuvimos que sufrir en la tierra, con lo mucho que gozaremos en el cielo". Por un sufrimiento liviano en esta vida nos aguarda un peso inmenso de gloria en la eternidad.

Dimas y Gestas: los dos crucificados

El Viernes Santo en el monte Calvario murieron dos famosos bandidos a lado y lado de Jesucristo. Parece que la conducta de los dos había sido bastante deplorable según se deduce de las palabras de uno de ellos que dijo: "Lo que estamos sufriendo nosotros los dos lo tenemos bien merecido por nuestras malas acciones" (Lc 23, 41). El de la izquierda llamado Gestas renegó hasta sus últimos momentos y en vez de orar se dedicó fue a burlarse de Cristo. Pero el de la derecha, llamado Dimas, dispuso aprovechar aquella ocasión maravillosa que se le ofrecía para borrar sus muchas culpas y conseguirse un puesto en el cielo, ofreciendo al Señor sus sufrimientos, y en vez de maldecir su mala suerte se puso a dialogar con el Redentor Crucificado y a proclamar su admiración por Él, y oyó de labios del mismo Jesús estas palabras inmensamente consoladoras: "Hoy mismo estarás conmigo en el paraíso" (Lc 23, 43).

Analicemos este caso tan curioso: los dos sufren los mismos tormentos y las mismas humillaciones. El uno maldice y reniega y pierde así todos sus sufrimientos. El otro acepta con paciencia sus penas y dolores como pago por sus pecados y los ofrece al Hijo de Dios y consigue "robarse" el cielo, pues esa misma tarde pasa del tormento horroroso de la cruz al gozo eterno del paraíso. ¡Qué negocio tan redondo! Y pensar que ese mismo negocio lo podemos hacer todos y cada uno de nosotros, cada día de nuestra vida: aprovechar las contrariedades y penas que nos vienen y pagar con ellas las deudas que le tenemos a Dios por nuestros pecados y ganarnos con nuestros sufrimientos un puestazo en el paraíso eterno, con tal de que le ofrezcamos a Dios con paciencia lo que Él permite que suframos. ¿Lo haremos así?

La joven que le cortó el capullo a la mariposa

Cuando un gusano se convierte en mariposa, dura horas y horas revoloteando lo más fuerte posible dentro del capullo para romper esas paredes que lo encierran y salir libremente a volar por los campos floridos. Y ese revolotear les consigue a sus alas las fuerzas que necesitan para permitirle después volar debidamente. Y sucedió un día que una muchachita acercó su oído a un capullo y oyó que la naciente mariposa revoloteaba sin cesar como si estuviera desesperada por salir de allí, y la niña imprudente, movida por una equivocada compasión, tomó una tijeras y cortó las paredes del capullo para que la mariposita pudiera empezar ya a volar sin tener que esforzarse más por salir de allí. ¿Pero qué sucedió? Que por no haberse ejercitado el tiempo debido revoloteando para abrir su capullo, las alas de la mariposilla no adquirieron la fuerza suficiente y el pobre animalejo no pudo levantar el vuelo. Y así por querer evitarle un trabajo y un esfuerzo se le privó del placer de lograr volar por las alturas.

Así nos pasa a nosotros. Solamente si la vida tiene problemas y dificultades adquirimos la fortaleza necesaria. El luchar fortalece. El no tener que hacer ningún esfuerzo entumece y paraliza. Por eso el buen Dios jamás deja pasar un día de nuestra vida sin alguna molestia o alguna contrariedad, o un dolor o un problema. Para que el aleteo, el esfuerzo que hacemos por salir de aquello que nos quiere apabullar, aumente las fuerzas de nuestra voluntad y nos haga subir mucho más alto en el campo de nuestra personalidad. Por eso Él dice en la Sagrada Biblia: "Al hijo que más quiero, más lo hago sufrir".

Cuando las penas y los sufrimientos se miran bajo este aspecto de que nos hacen crecer y traer fortaleza a nuestra voluntad, entonces ya en vez de producirnos depresión y abatimiento, nos animan a luchar más y más por superarlos y por aumentar nuestra fuerza de voluntad al aguantarlos. Mientras más tengamos que luchar, más fuerzas adquirimos para subir a las alturas de una gran personalidad.

Además hay otra noticia que no puede olvidarse: que la cruz de nuestros sufrimientos no la tenemos que llevar nunca solos. Si llamamos a Cristo, Él tomará la parte más pesada de nuestra cruz, y nosotros el otro extremo, y así entre los dos será mucho más fácil subir cada día al calvario de nuestras penas.

Hay que conseguir otro mueble. Un sabio sacerdote alemán, cuando una señora le fue a contar que vivía llena de depresión y de tristeza por los muchos problemas que se le presentaban, le respondió: "—Usted tiene que conseguir un nuevo mueble para su casa—".

"¿Un mueble más? ¡Si ya tenemos toda la casa llena de muebles por todas partes!".

"Sí, usted tiene que conseguirse un nuevo mueble: un reclinatorio, para que de vez en cuando se arrodille y le pida a Dios que la libre de la depresión y que le conceda un buen genio y la gracia de vivir alegre, y no triste y renegando. No olvide nunca que la depresión sólo se aleja con las rodillas, y que la verdadera alegría se adquiere también con las rodillas, o sea: rezando, pidiendo a Dios que nos ayude en esto".

Y aquella señora hizo el ensayo. En vez de pensar tanto y con tanta tristeza y rabia en sus problemas se dedicó a pedirle a Dios que le concediera la alegría y que le alejara la depresión, y el efecto fue verdaderamente admirable. Puede ser que a alguno de nosotros nos diga hoy lo mismo una voz desde el cielo: "Lo que necesita para alejar de su alma la depresión y conseguirse la alegría y el optimismo es un nuevo mueble, un reclinatorio, una nueva costumbre, dedicarse a pedirle a Dios constantemente que le aleje la tristeza y la depresión y le conceda vivir alegremente los días que aún le quedan en esta vida". "Todo el que pide recibe. Pedid y recibiréis", decía Jesús.

¿Con cuál se quiere cambiar?

Llega un hombre desesperado a la oficina del Dr. La Haye y le dice: "Mi situación es tan deprimente que yo cambiaría mi suerte por la de cualquier otro hombre, sea quien sea". El psicólogo le responde afablemente: —"Bueno si así lo desea, vamos nosotros a un grupo de oración que tenemos, a pedirle a Dios que le cambie a usted su situación por la de alguno de los otros que han venido aquí a consultarme sus problemas: veamos por cuál quiere que pidamos a Dios que le cambie su suerte: ayer vino un señor a contarme que esta semana tiene que irse a la cárcel a pagar siete años de prisión. ¿Quisiera usted cambiar su suerte con la de él?".

"¡Oh no, eso sí que no!".

"Otro vino a contarme que está tuberculoso, que escupe sangre y que su enfermedad le produce una debilidad total y un desgano por todo. ¿Cambiaría usted su suerte con él?". —"No, no, ¡ni pensarlo!"—.

"Veamos otro caso: Un hombre llegó esta semana muy deprimido porque una mala mujer le prendió la enfermedad de la sífilis y el médico teme que esa enfermedad se le suba al cerebro y lo enloquezca. ¿Le parece a usted que le pidamos a Dios que le cambie su suerte por la de ese hombre?"

—"No, doctor—, ¡cómo se le va a ocurrir semejante cosa!".

"Bueno, veamos otros tres últimos casos: uno ha venido a decirme que tiene una hernia en la columna vertebral y que a la menor fuerza que hace sufre unos dolores agudísimos que no se le calman con ningún analgésico. Otro me contó que está metido en la drogadicción y que se siente totalmente esclavizado por ese vicio y que no ve ninguna salida a su espantosa mala cos-

175

tumbre. Un tercero llegó aquí muy aterrado porque por haber tenido un lance amoroso con la esposa de un policía, el militar aquel lo busca por todas partes para matarlo y me decía que él vive en continua angustia y con miedo cada día de que ese sea el último de su vida... ¿Por cuál de estos quisiera usted cambiar su suerte?"

El deprimido suspiró y dijo: "—Doctor, por lo que veo, yo soy de los menos aporreados por la suerte y de los menos desdichados. Yo me consideraba más desventurado que todos los demás, pero ahora me doy cuenta de que hay otros más infelices que yo. La gente dice: 'Mal de todos, consuelo de bobos', pues me voy a aplicar a mi vida ese refrán y a tratar de convencerme de que estoy ¡mejor que muchos otros!".

A este señor se le aconsejaron los remedios espirituales que estamos dando en este libro y pronto dejó de ser un "tío quejitas" que de todo se lamentaba, y aprendió a ser un "incorregible optimista" que en su vida vive mirando no lo triste y amargo que le sucede, sino lo alegre y positivo que hay en cada día.

Lo que encontró una mujer en el fondo de un baúl

Murió la abuela y al arreglar su alcoba para dedicarla a otras personas, la nieta, joven esposa, se puso a curiosear el baúl donde la simpática anciana guardaba sus recuerdos. De pronto encontró una bella imagen de Jesús crucificado y junto a la imagen un papel con esta leyenda: *Fórmula que me dio un santo sacerdote para vivir de buen genio y no dejarme vender por la depresión o la tristeza*: mirar de vez en cuando a Cristo crucificado y pensar cómo actuaba Él cuando le llegaban sufrimientos y cómo debo actuar yo. Él se callaba cuando lo trataban mal, ¿y yo?... Él le ofrecía todo lo que sufría al Padre Dios, ¿y yo? Él rezaba por los que lo ofendían, ¿y yo?... Él decía: "Padre, que no se haga lo que yo quiero sino lo que quieres tú; hágase tu santa voluntad", ¿y yo qué digo cuando sufro? *Nota:* "Desde que empecé a practicar esta fórmula todos notaron que cambié mi tristeza en alegría, y mi depresión tuvo que irse y dejarle el sitio al optimismo".

Tihamer Thoth cuenta que desde que aquella joven esposa leyó la "fórmula" que la abuelita le había dejado para adquirir buen genio y ahuyentar la depresión, su marido y sus hijos y hasta su suegra, notaron con total satisfacción que su modo de ser se había vuelto enormemente más simpático.

¿Y por qué no ensayar nosotros también a practicar de vez en cuando esta fórmula?

Se ha ensayado y produce buenos resultados

En las droguerías de la Edad Media, en algunos frascos de remedios, el boticario colocaba un letrerito que decía: "Se ha ensayado y produce muy buenos resultados". El mismo letrero habría que colocarle a la "fórmula" que acabamos de citar. Y si en otros produjo buen efecto, ¿por qué no lo va a producir en nosotros? Veamos un ejemplo que demuestra que sí es efectiva la tal fórmula.

La muchacha que se quedó paralizada a los 15 años

Se llamaba Liduvina. Se fue a correr y a deslizarse por sobre una pendiente llena de nieve, y se resbaló y cayó a un precipicio. Del golpe se le partió la columna vertebral y quedó paralizada de por vida.

Lloraba noche y día. Nada la consolaba. Es terrible tener sólo quince años y saber que no volverá a dar ya ni siquiera un paso más en la vida ni podrá levantarse de su lecho de dolor. Ni las visitas de sus mejores amigas lograban consolarla. Antes bien, cuando las sentía llegar corriendo y riendo alegremente, se echaba a llorar y exclamaba: "¿Por qué? ¿Por qué ellas corren y ríen y yo aquí clavada en esta cama, totalmente paralizada, sufriendo? ¿Por qué, por qué? ¿Qué crimen he cometido para que esto me haya sucedido?". Y se echaba a llorar inconsolablemente. Sus compañeras la contemplaban en silencio y se alejaban entristecidas. La depresión la tenía dominada por completo.

Pero un día vino a visitarla un sacerdote que tenía fama de santo y que había recibido de Dios el "don de consejo", que consiste en saber indicar a las personas lo que más les conviene y más les hace bien.

El padre Juan Pot, que así se llamaba aquel hombre de Dios, después de haber escuchado de labios de Liduvina la historia de sus tristezas, que ella creía insoportables, le recordó aquellas bellas frases de san Pablo: "Todo sucede para bien de los que aman a Dios". "Fiel es Dios para no permitir que nos lleguen pruebas que superen a nuestras fuerzas" y "por un poco de sufrimiento en esta tierra nos espera una cantidad inmensa de gozos en el cielo" y luego le dijo con la solemnidad de quien recomienda un gran remedio: "Le voy a dejar *la fórmula para conseguir la paciencia* y evitar la depresión y la desesperación. Colocaré aquí enfrente de su cama la imagen de Jesús crucificado. Y usted de vez en cuando mira a Cristo clavado en la cruz y piensa: y si Él sufrió tanto por mí, ¿por qué no voy a sufrir también yo algo por Él? Y si el Padre Dios lo ama tanto que dijo varias veces: "Este es mi Hijo amado en quien tengo todas mis complacencias", ¿por qué entonces le permitió tan terribles sufrimientos? Dios no permite que a su Hijo amadísimo le suceda nada que sea para su mal. ¿Por qué entonces le clavaron las manos y los pies y lo destrozaron a latigazos y lo coronaron de espinas y lo escupieron y lo golpearon y fue atormentado por terrible sed en la cruz? ¿No será que el sufrimiento es algo inmensamente provechoso para la propia personalidad y de gran provecho para salvar almas y convertir pecadores?... Liduvina: mire de vez en cuando a Cristo crucificado y piense en esto. Después me cuenta qué resultado le ha producido esta "fórmula".

A la muchacha no le gustó ni mucho ni poco el tal consejo. Ella lo que deseaba era o curar o morir. Ninguna otra cosa le llamaba la atención. Pero ahí estaba clavada en esa cama sin poderse ni siquiera voltear hacia un lado. Los dolores de una neuritis aguda le parecían cada día más insoportables. Y necesariamente sus ojos se dirigían cada mañana y cada tarde hacia la imagen de Jesús crucificado que el sacerdote había colocado frente al lecho de su dolor. Entonces empezó a practicar la fórmula: mirar al crucifijo y pensar en los dolores que el Salvador padeció por salvarnos. Y el Espíritu Santo empezó a llenar su cabeza de los más provechosos pensamientos... como éstos: Jesús padeció horrorosos martirios pero ahora goza glorioso en el cielo por siglos y siglos. ¿Y no me sucederá también a mí otro tanto si ofrezco por amor de Dios estas mis horrendas penas? ¿Acaso no puedo yo también ganarme un puesto de primerísima clase en el cielo con sólo aceptar esta cruz de penas que nuestro Señor permite que me vengan? Jesús salvó tantos pecadores con sus sufrimientos. ¿Y no podré yo también salvar muchas almas y librar del infierno a muchos pecadores ofreciendo por ellos lo que padezco y sufro?

Y un día cuando vino el padre Pot a visitarla ya no la encontró llorando sino sonriendo. Había aprendido a amar el sufrimiento, y a aceptarlo como un medio de aumentar sus premios para el cielo y de asemejarse a Cristo doliente y como un arma para convertir pecadores y salvarlos.

Y ahora ya sus jóvenes amigas no encontraban su cara llena de lágrimas sino más bien sus ojos brillantes de alegría y sus labios rebosantes de sonrisas. Había recibido del Espíritu Santo el don de Fortaleza que les concede a las personas un inmenso valor y una gran paciencia para soportar el dolor.

Y para terminar la historia, nuestra amiga Liduvina duró 48 años paralizada en una cama. Murieron sus amigas de la juventud y también sus más cercanos familiares. Fue abandonada por muchos y en los terribles inviernos de Holanda, cuando la temperatura baja a diez grados bajo cero, había días que sufría tan terribles fríos que las lágrimas se le congelaban en las mejillas. Solamente dos consuelos no le faltaron ya nunca más: el pensar en los sufrimientos de Cristo en la cruz, y la Sagrada Comunión. Por meses y meses sólo se alimentaba de la Sagrada Hostia. En los últimos siete meses no durmió ni una sola noche. Sus dolores llegaban a extremos increíbles, pero repetía gozosa: "Si para que se me fueran estos dolores me bastara rezar una pequeña oración, no la rezaría, porque cuando sufro es cuando mi vida se asemeja más a la de Jesucristo, y porque mis sufrimientos me sirven para pagarle a Dios las deudas que le tengo por mis pecados y para llevar al cielo a muchos pecadores que podrían condenarse si no hubiera quien sufriera por ellos".

Murió en el año 1433 y tuvo el honor de que su biografía la escribiera el célebre Tomás de Kempis, el autor del famosísimo libro *"La imitación de Cristo"*. Y en Schiedman, Holanda, han construido un bello templo a santa Liduvina, la muchacha que se quedó paralizada a los 15 años, pero aprendió la *fórmula* de pensar en Cristo crucificado y así supo aceptar sus males y sufrimientos y ganarse con ellos un altísimo puesto en el paraíso. ¿Qué me dirá a mí esta historia?

EL OCIO, EL ESTARSE SIN HACER NADA, PUEDE DISTRAER LA DEPRESIÓN, PERO NO LA ALEJA.

CON SÓLO DEDICARSE A "NO HACER NADA"
Y A VER PASIVAMENTE LA TELEVISIÓN O A LEER REVISTAS,
PUEDE "DISTRAER" POR UN RATO LA DEPRESIÓN,
PERO ELLA NO SE ALEJA CON ESO.
HAY QUE DEDICARSE A ACTIVIDADES QUE LO HAGAN
A UNO MÁS ÚTIL Y LE HAGAN CIRCULAR MEJOR LA SANGRE
CON EL EJERCICIO FÍSICO.

Capítulo IX

CÓMO SUPERAR LA AUTOCONMISERACIÓN

La autocompasión no solamente es un pecado, algo que disgusta a Dios y nos hace daño a nosotros mismos, sino que es también una mala costumbre, una costumbre muy peligrosa. Cuantas más veces la acepta uno y le permite venir a hospedarse en su cerebro, más esclavizadora y tiránica se va volviendo, y más va inclinando al individuo a sentirse lástima cada vez que tiene que enfrentarse a alguna dificultad. Con ella pasa lo que decía santo Tomás acerca de la impureza: "Cada vez que se le da gusto a una de sus exigencias, produce más fuertes deseos de repetir esa mala acción. Ese es su castigo: dar más inclinación y facilidad al alma para repetir sus malas acciones".

La mayor parte de las acciones que hacemos en la vida las hacemos por costumbre. Y la costumbre es la combinación de ciertos instintos e inclinaciones y gustos que tenemos, más las circunstancias y el ambiente que nos rodean. Mientras más nos dejamos llevar por ciertas inclinaciones y por ciertos instintos, más fuerte y profunda se va volviendo una costumbre. A la costumbre o hábito los psicólogos le han dado el nombre de "*respuesta condicionada*". Llegada la ocasión y agradando hacer aquello, se hace.

¿Es verdad que somos esclavos de nuestras costumbres?

Los psicólogos dicen que no hay desgracia psicológica más grande que el adquirir una mala costumbre. Y algunos llegan hasta a afirmar que cada uno es esclavo de sus costumbres, ya sean buenas, ya sean malas.

Pero estudios modernos han demostrado que el ser humano sí es capaz con la ayuda de Dios, de liberarse de una costumbre. La experiencia ha demostrado que la práctica de una cosa que hacemos durante 39 días seguidos se transforman en una costumbre, pero que también una costumbre que dejamos de practicar durante 39 días seguidos, se puede considerar ya una costumbre de la cual nos hemos liberado, y que no es capaz de dominarnos por completo.

Claro que esto anterior sirve para otras costumbres; como por ejemplo: fumar, tomar bebidas alcohólicas, silbar o escupir, etc., pero en cuanto a la compasión ya el asunto cambia, porque puede ser que en 39 días no se nos presenten cada día ocasiones de autocompadecernos y de sentirnos lástima, y entonces, como no llega la ocasión, no hay la autoconmiseración. Pero lo que sí es básico y fundamental es que por días y semanas nos propongamos modificar nuestro esquema mental y no aceptar ni un solo día ni una sola hora los pensamientos de autocompasión, porque si a éstos los logramos ir alejando, también lograremos independizarnos y librarnos de la perniciosa costumbre de autocompadecernos.

Por experiencia en la vida de muchos pacientes hemos logrado constatar que las personas que logran alejar como malo y dañoso todo pensamiento de autoconmiseración, sienten un gran alivio y su depresión disminuye de manera muy notable, pero quienes siguen gustando el falso "placer" de sentirse lástima y compasión, no mejoran un tris en su enfermedad mental de la depresión. Y hay un dato curioso: por asombroso y raro que parezca, la autocompasión se convierte en un agradable ejercicio mental para mucha gente (masoquismo se llama un falso deporte: masoquismo es sentir placer en ser humillado y tratado mal). Es un ejercicio mental que produce cierto gozo insano a algunas mentes pesimistas, pero cuyas consecuencias no causan ningún placer, sino por el contrario los terribles disgustos que trae la depresión.

4 REMEDIOS PARA ATACAR LA AUTOCOMPASIÓN:

1. *Reconocerla como un pecado,* como algo que disgusta a Dios y nos hace daño a nosotros mismos. Como una costumbre dañosa.

Si la Sagrada Biblia nos dice: "Hacedlo todo sin murmuraciones ni discusiones" (Flp 2, 14) al pasarnos murmurando de lo que nos sucede, ya estamos desobedeciendo un mandato del mismo Dios. ¿Quién puede amar de verdad lo que considera que disgusta a Dios y le hace daño a uno mismo? Y eso es la autoconmiseración.

Pero este paso es dificilísimo, porque nosotros tendemos siempre a justificar nuestra autocompasión. Y en este caso somos a la vez juez, defensor y acusador. Y fácilmente declaramos en nuestra mente que sí tenemos mucha razón en sentirnos lástima y en echar a los demás la culpa de tantos males que nos suceden. Y aquí es necesario dejar de echar la culpa a otros y de darnos "sentidos pésames" a nosotros mismos y mirar de frente a la autoconmiseración como un Goliat gigantesco, como a un dañosísimo pecado mental que si le permitimos que se nos siga acercando nos va a triturar y a destruir.

Convenzámonos: mientras no consideremos a la autocompasión como a un pecado mental dañoso y traicionero que nos puede arruinar, no lograremos de ninguna manera abandonar la triste costumbre que tenemos de autocompadecernos.

Lo malo es que tenemos una cabeza muy dura y nos resistimos a querer dejar de autocompadecernos. Nos pasa como al profeta Jonás del cual dice el Libro Santo que se dedicó a renegar de los sufrimientos y contrariedades que le llegaban y el mismo Dios vino a tratar de convencerlo de que lo que le sucedía era para bien y no para mal, y al preguntarle amablemente nuestro Señor: "¿Te parece que está bien el irritarte y que tienes razón para estar tan disgustado?". Y el malgeniado de Jonás tuvo el atrevimiento de responderle al Creador: "Sí, Señor, me parece que está bien el irritarme y que tengo mucha razón en andar muy disgustado" (Jon 4, 9). Se nota que no era muy santo el hombrecito aquel todavía. Pero esa misma es la respuesta que nosotros nos empeñamos en decirle a Dios con nuestras autocompasiones y continuas lamentaciones: "Sea cual fuere el fin de lo que me sucede, y por más que el bien que se consiga con mis sufrimientos y contrariedades sea muy grande, me parece que está muy bien que yo ande irritado y de mal genio, y que tengo mucha razón en andar muy disgustado y teniéndome lástima y compasión". De veras que de santos no tenemos todavía ¡ni el barniz!

Nunca pongamos excusas para autocompadecernos. Recordemos que si queremos alejar la mala costumbre de sentirnos lástima y compasión es absolutamente necesario odiar y aborrecer esa costumbre como algo malo y dañoso. Si la aceptamos como algo justo y normal no seremos capaces de liberarnos jamás de su esclavizante control.

Pero el no aceptar excusas para la autocompasión es dificilísimo, porque nuestro egoísmo siempre busca alguna. Quizás alguien nos traicionó como un nuevo Judas. O trabajamos en un empleo o puesto en el cual nunca vemos ningún progreso. O en el hogar hay alguien que se manda un genio feroz o nos trata con una frialdad paralizante. O el marido visita a una amante o la mujer se volvió agria y sin cariño. O un hijo es drogadicto o los negocios andan de mal en peor. O la salud falla y falla. Un día un dolor y otro día otro. Y las enfermedades parece que hicieron una cadena sin fin y cuando una se está yendo la otra ya está llegando. Probablemente el egoísmo nos va a decir: "Estas son razones más que suficientes para que usted se tenga lástima y compasión", pero el buen criterio y la sana prudencia nos dicen: "Cuidado, porque si usted acepta la autoconmiseración le va a llegar la depresión y esto es un mal horrible y apabullante". ¿Qué importa que los motivos sean más o menos justos y reales, o desproporcionados o imaginarios? Lo importante es que la depresión está a la puerta del alma como fiera ladrona buscando un descuido para entrar, matar y destrozar. Y la autocompasión le abre la puerta a la depresión y cuando ésta entra, ¿quién es capaz de volverla a sacar?

Pongámosle un rótulo o título a la autocompasión: "Pecado". "Disgusta a Dios". "Me hace daño a mí mismo". Y así la odiaremos y trataremos de no aceptarla en ningún momento de nuestra vida. Ella es una "no aceptación de lo que Dios permite que nos suceda" y puede llevarnos más a maldecir que a bendecir, y si se convierte en costumbre puede alejar de nosotros no sólo la alegría y la paz sino las bendiciones y la amistad del Señor Dios. ¡Lo cual sería una verdadera catástrofe!

2. *Remedio*: pidámosle perdón a Dios por nuestra autocompasión. Ella es un no aceptar aquella enseñanza divina que dice: "Todo sucede para bien de los que aman a Dios". Hasta ahora nos hemos rechazado y rebelado como potros salvajes que no quieren dejarse llevar por la brida de quien los quiere guiar hacia el puerto de la paz y de la eterna tranquilidad. Pues vamos a decirle a nuestro Señor las palabras que le dijo el santo Job, cuando después de haber dedicado un tiempo a autocompadecerse, recibió una fuerte reprimenda del justo Dios, y convencido de que el dedicarse a autocompadecerse había sido un grave error y un perder su tiempo, y un disgustar al Creador, exclamó: "Señor Dios, yo trataba de corregir tu sabiduría infinita con razones y alegatos sin sentido, y me dediqué a hablar de lo que no entendía. Retracto las palabras quejumbrosas que pronuncié y te pido perdón por ellas, y me dedicaré a ofrecerte penitencias por estas ofensas que te hice hablando sin razón" (Jb 42, 1-6).

No olvidemos: mientras más veces le pidamos perdón al Señor por haber cometido el pecado de andar sintiéndonos compasión y creyéndonos pobres seres, víctimas de injusticias; mientras más le pidamos perdón al buen Dios por esta rebeldía nuestra que nos impide aceptar lo que su sabiduría infinita permite que nos suceda, más seremos perdonados por Él, y una gran paz y una incontenible alegría inundará nuestro corazón. Y repetiremos con el salmista: "Mientras no confesaba mi pecado, mi alma desfallecía de amargura. Confesé al Señor mi pecado y gocé de mucha paz" (Sal 38, 18-19).

3. *Pidamos a Dios la victoria contra la autocompasión.* Hay una frase del apóstol san Juan que verdaderamente llena de emoción al oírla o leerla. Dice así: "Esta es la confianza que tenemos en Dios: que si le pedimos algo que agrade a su voluntad, Él nos escucha, y si nos escucha es señal de que va a responder nuestras peticiones" (1Jn 5, 14-15). ¿Y acaso no será algo que agrada mucho a la santa voluntad de Dios el pedirle que nos libre de andar cometiendo el pecado de la autoconmiseración que a Él le disgusta y que a nosotros nos hace tanto mal?

Seamos realistas: por nosotros mismos no somos capaces de resistir y rechazar los pensamientos de autocompasión. Son demasiado fuertes y demasiado frecuentes e insistentes para que logremos alejarlos. Pero con la ayuda de Dios sí lograremos echarlos lejos. Oremos con fe y podremos decir con san Pablo: "Todo lo puedo en aquel que me fortalece" (Flp 4, 13). Sí, todo lo puedo, orando, todo, hasta ser alegre y, ¡no autocompadecerme!

4. *Démosle gracias a Dios por las penas y contrariedades que nos quieren llevar a la autoconmiseración.* Es esta una práctica que trae efectos increíbles. Miles de personas en el mundo entero han hecho esta experiencia y han notado un cambio inesperado en su vida y en su comportamiento. Antes maldecían y renegaban y sentían lástima y compasión. Pero desde el momento en el que empezaron a darle gracias a nuestro Señor por esas penas y amarguras que les llegan, se han encontrado como sumergidas

en un mar de paz y de tranquilidad y como en un oasis de alegría y de gran paciencia y valor.

Cuando hacemos esto estamos cumpliendo aquel mandato divino que dice: "Dad gracias al Señor en toda ocasión, porque esta es la voluntad de Dios en Cristo Jesús" (1Ts 5, 18).

Ahora le damos gracias al bondadoso Dios sin entender el porqué permite que nos sucedan estas cosas. Pero un día en la eternidad veremos claramente que todo esto por amargo y duro que nos haya parecido, entraba en un plan maravilloso que la sabiduría divina hizo para nuestro bien, y siempre para nuestro mayor bien. Y veremos cuán sabiamente procedimos cuando le dijimos con el padre Foucauld: "Me pongo en tus manos Padre. Haz de mí lo que quieras. Sea lo que sea lo que tú permitas que me suceda, bendeciré siempre tu santísima voluntad porque estoy seguro de que me amas inmensamente y que nada de lo que permitas que me suceda será para mi mal. Lo único que me puede suceder para daño mío es mi pecado. Lo demás que el amadísimo Dios permita que me suceda será siempre para mi verdadero bien. Por eso le diré muchas veces en mi vida: 'Aleluya' que significa: bendito sea mi Dios, alabado sea mi Dios, gracias sean dadas a mi Dios. Aleluya para siempre. Amén. ¡Aleluya!".

Haga un ensayo: la próxima vez que sienta dolores y enfermedad, bendiga a Dios por esos dolores y males y dígale un "muchas gracias" por permitirle participar así de esa manera de la pasión de Jesucristo. Y cuando alguien le insulte o le trate injustamente o diga de usted lo que no es verdad o le demuestre desprecio, bendiga a Dios y déle gracias porque le permite asemejarse tanto a Cristo que fue humillado y calumniado. Y cuando sienta que su situación económica es deplorable, en vez de maldecir, o renegar, bendiga a Dios que le permite imitar a Jesús que nació pobre en su pesebre y no tuvo en su vida apostólica dónde reclinar la cabeza y murió despojado en una cruz. Haga el ensayo, y en vez de dedicarse a autocompadecerse, dedíquese a darle gracias a Dios por estas contrariedades y sentirá que una oleada de paz y de alegría inunda su alma. Haga el ensayo y verá que sí.

CURIOSIDAD: ¿POR QUÉ SERÁ QUE MUCHAS VECES UNA PERSONA REZA Y REZA Y LA AUTOCOMPASIÓN Y LA DEPRESIÓN NO SE ALEJAN?

Muchas personas deprimidas se van alejando poco a poco del trato con los demás y van perdiendo amigos por vivir con la verborragia de la autocompasión, y cómo las palabras de lástima hacia sí mismos ya no brotan de su boca normalmente sino como decía san Bernardo: "A manera de vómito", y se van volviendo tan insoportables por sus quejas y lamentaciones que el único que es capaz de aguantar su quejadera es el mismo Dios. Pero resulta que por más que se quejan y se quejan con Él, no obtienen que se les vaya su depresión. ¿Por qué será esto? ¿Por qué no atiende Dios sus súplicas? ¿Por qué no les da gusto en lo que piden?

San Agustín responde: "Tus oraciones no son respondidas por el cielo porque, rezas mal, o rezas siendo malo, o rezas pidiendo cosas malas, que no te convienen". Y esto último puede ser la razón de que las oraciones de tantos quejumbrosos no sean atendidas como ellos quieren: es que rezan pidiendo "cosas malas", o sea, lo que a ellos no les conviene.

Una petición mala de Moisés: cuando a Moisés le faltaban todavía muchísimos años para volverse santo, un día hizo a Dios una petición mala, y en medio de una gran depresión le dijo así: "Señor, si esta situación tan deprimente del pueblo que dirijo va

189

a seguir así, yo te pido que me quites la vida" (Nm 11, 15).

Una oración muy parecida a ésta hizo el profeta Elías en uno de los momentos de mayor depresión de su vida cuando se sentía perseguido por todos y ayudado por ninguno. Tampoco Elías era santo todavía. Lo sería más tarde. Pero a ninguno de estos dos orantes le atendió Dios su petición porque lo que pedían era algo malo. Y además Dios no necesita de nuestros consejos ni le hace falta que le vivamos diciendo cuándo debe mandarnos la muerte. Él ya tiene hechos perfectamente todos sus planes acerca de nuestra vida y es inútil que tratemos de corregirle la plana al Creador.

¿Qué hizo el Todopoderoso ante esas situaciones de depresión y de desaliento? Llenó de valor y de paciencia a estos dos hombres, les hizo ver que sus sufrimientos no serían inútiles, y los animó a seguir luchando contra las dificultades. Pero no los libró de sufrimientos.

Así hará con nosotros muchas veces. Le pedimos que se vaya esta pena, se acabe este dolor, que no suceda más esto que tanto nos aflige. Pero si Él sabe que nos conviene más el seguir sufriendo todo esto, en vez de quitarnos el sufrimiento, nos dará valor para soportarlo, pero no lo quitará del todo.

Un cambio propuesto y aceptado. El siglo XIX, por allá en 1820 estaba de párroco en Ars, Francia, san Juan M. Vianney. La gente de ese pueblecito eran tan desagradecidas y tan frías para la religión que su antecesor les dejó dicho: "Los cristianos de aquí, en lo único en que se diferencian de los burros es..., en que están bautizados". Y el pobre Vianney se desanimaba porque trabajar allí era como arar en el mar y sembrar en el viento. Por las noches le colgaban cerdos vivos en su ventana para que le dieran serenata chillando. Cada vez que nacía un hijo ilegítimo en el pueblo se lo achacaban a él que era puro como un ángel. Los hombres no iban a misa, pero sí llenaban las cantinas... Y el

pobrecito párroco le pedía y le pedía a Dios que lo librara de esos sufrimientos y que lo enviara a otra parroquia. Pero el obispo no lo movía de allí y la gente no cambiaba. Al fin se le ocurrió una idea luminosa: se dedicó a decirle a Dios en la oración: "¡Señor, ya que no quieres cambiar mi situación, cámbiame a mí! Ya que no me quieres quitar estos sufrimientos, concédeme valor y alegría para soportarlos por amor tuyo y por la salvación de las almas".
—Y esta oración sí le agradó a Dios, y le concedió tal cantidad de paciencia, de valor y de fuerza para soportar sus sufrimientos que ya nunca más volvió a pensar en pedir al cielo que le quitara o le disminuyera las penas. Sólo pedía valor. Y éste nunca le era negado. Y así aguantó 37 años más en aquella parroquia y al morir ya era un santo y había hecho santos a sus parroquianos.

¿Qué será lo que yo pido que no le gusta a Dios? ¿Acaso estaré pidiendo que se me solucione los problemas que me hacen sufrir, en vez de dedicarme a pedir a nuestro Señor que me conceda paciencia y fortaleza para ser capaz de soportar mi vida sin andar quejándome y autocompadeciéndome? Si lo que pido es no sufrir, eso que pido no me conviene y no me será concedido. Pero si pido valor, obtendré valor.

Recordaré lo que decía san Juan Bosco: "Lo que nos hace santos no es lo que sufrimos, sino la paciencia con la que lo sufrimos".

Propósito: me conseguiré en alguna librería San Pablo el hermoso casete titulado *"Por el abandono a la paz"* de Ignacio Larrañaga, y lo escucharé varias veces. Lo puedo escuchar en esos tiempos muertos. Por ejemplo: mientras tiendo la cama por la mañana o hago el aseo, etc. Después de oír varias veces ese bello casete notaré una paz en mi alma, que antes nunca había experimentado quizá. Haré la prueba para convencerme de que esto sí va a ser así. Esta misma semana trataré de conseguirlo.

LOS TRES MÉTODOS QUE SE ENSAYARON PARA CURAR DEPRIMIDOS

En la Universidad Católica hicimos un ensayo de curación de deprimidos, dividiéndolos en tres grupos. Al primer grupo se le enseñaron varios métodos de curación de la depresión y se les dejó que los practicaran por su cuenta. Al segundo se les enseñaron estos métodos y se les motivó muy fuertemente para que se dedicaran a orar al Señor para lograr superar la depresión y la autocompasión. Y al tercer grupo además de enseñarles los otros métodos de curación y de insistirles en la necesidad de orar, se les trató de convencer de que hay que orar dando gracias y que hay que agradecer al Señor cada pena, cada contrariedad y cada sufrimiento que nos sucede.

Al cabo de varias semanas los del primer grupo habían adelantado muy poco en la curación de su depresión y autocompasión. Los del segundo grupo que habían orado y se habían dedicado a emplear los demás métodos para curarse de su tristeza, el 50 por ciento habían mejorado notablemente. Y de los del tercer grupo, los que se dedicaron a dar gracias a Dios por sus penalidades, el 85 por ciento había progresado maravillosamente en su lucha contra la compasión. Es que "dar gracias" produce buen resultado.

Un accidente y una acción de gracias

Habíamos logrado comprar un automóvil nuevo después de muchos meses de estar ahorrando. Y al poquito tiempo de haberlo estrenado llegó un imprudente y le dio un fuerte golpe que lo dejó todo sumido y arrugado. Me puse pálido de la ira. El estómago se me encogió y empecé a planear cómo vengarme de aquel irresponsable. Pero enseguida elevé mi pensamiento al cielo y exclamé: "Bendito sea Dios. Gracias a Dios. Él nos lo dio, Él nos lo quitó. Bendito sea Dios". Recordé el consejo del Apóstol: "No andéis afanados. Que vuestra oración se eleve a Dios dándole gracias"

(Flp 4, 6). Y como resultado de mi oración no guardé ninguna amargura por aquel accidente. No me habría podido conservar así de tranquilo si no hubiere dicho una plegaria de acción de gracias al Señor por lo que permitió que sucediera. Yo no entendía por qué tenía que haber sucedido aquel accidente tan irracional. Pero no hace falta entender para dar las gracias a Dios. Él, sí sabe muy bien por qué permite que sucedan las cosas. Y ante estos hechos inesperados nos quedan dos caminos a seguir: o quejarnos, maldecir, renegar y llenarnos de autocompasión y de depresión, o en cambio dar gracias a Dios por lo que sucede y conservar la paz en el alma y verse libre de la autoconmiseración que es la que lleva a la depresión. Y es mucho más provechoso escoger el camino que lleva a no autocompadecerse.

OTRA FÓRMULA PARA COMBATIR
LA AUTOCOMPASIÓN: REZAR ACEPTÁNDOSE

El sabio psicólogo Larrañaga, llamado "El Profeta suramericano del siglo XX" porque sus conferencias y libros obtienen transformaciones admirables, ha recorrido toda Latinoamérica propagando este lema para alejar la depresión: *"Aceptarse"*. Leamos la siguiente bellísima página del célebre autor: "Usted tiene que aceptarse con las cualidades que Dios le dio. Puede ser que si tuviera más cualidades que las que tiene, fuera ahora un jefe de bandoleros o un engreído materialista en vez de ser un buen cristiano".

"Acepte su temperamento y con paz vaya moderándolo, educándolo y perfeccionándolo". "No hay campo tan árido que con riego, abono y cultivo no llegue a producir buenas cosechas", decía san Francisco de Sales.

"Usted no escogió tener un modo de ser hipersensible. Y lo tiene. Acepte que así sea. ¿O es que por disgustarse y renegar lo va a arreglar?

Acepte el archivo de su vida: tantos recuerdos humillantes y hasta tristes y avergonzadores. Acéptelo. Así es y ya nadie lo puede cambiar. Acéptelo sin resentimiento, sin rabia, bendiciendo la voluntad de Dios que así ha permitido que sucediera.

En forma de oración hágale al Señor el holocausto de su oposición a lo que usted es y a lo que le ha sucedido. Holocausto es un sacrificio en el cual se quema destruyendo totalmente lo que se ofrece. (Holo-causto: todo quemado). Queme ante Dios toda resistencia, todo lo que le ha sucedido. Todo lo pasado que lo amarga o le deprime, quémelo ante el Señor. Ya fue. Ya no hay cómo hacer que no haya sido. Quémelo con el abandono total en las manos del buen Dios. Eso hay que hacerlo muchas veces. Diga de vez en cuando: "Quemo ante Dios todo rechazo a lo pasado, a lo presente y al futuro". *Amén.*

Siga diciendo: "Tengo que aceptar con paz lo que me falta en mi personalidad. Y quiero aceptarlo con una actitud de fe. Todo lo que sucede en el mundo está bajo la voluntad de Dios y ni siquiera se cae un cabello de nuestra cabeza sin su permiso. Él ha permitido que yo sea la que soy y que me haya sucedio lo que me ha pasado. Me entrego en sus manos con paz y aceptación. Y coloco también en sus divinas manos aquello que yo no puedo cambiar".

¿Que encuentra en su constitución personal tendencias que no le agradan? No se irrite. No se desanime. Eso sería castigarse a sí mismo. No se declare enemigo de usted mismo. Todo acomplejado vive en guerra consigo mismo. Pero usted no quiere ser un acomplejado. Viva como una flor feliz en el jardín del Padre Celestial.

Acepte su cuerpo como es. Dígale al Padre Dios: "¡Oh Señor!, acepto este mi cuerpo tal cual como está formado, porque aceptarlo es acatar tu santa voluntad".

No se deje llevar a la tristeza por las enfermedades que llenan de nubes negras el horizonte de su vida. Las enfermedades, sobre todo después de los 50 años, parece que están haciendo fila para hacerlo sufrir a uno. Cuando una de ellas se va hay otra y otras dos esperando turno. Acepte con paz ese misterio doloroso de la vida. Ame la vida como las plantas aman al sol.

No se desanime porque no tiene más inteligencia. Cuidado, no sea que le llegue el resentimiento o la autocompasión. Usted no es tan inteligente como lo desearía, pero es lo suficientemente inteligente para poder hacer en la vida las obras que el plan de Dios le ha encomendado. Él no le exige a nadie más de lo que la propia inteligencia de cada uno puede dar. ¿Que usted no tiene una inteligencia brillante? Pero es cordial, es servicial, tiene nobles sentimientos. Es verdad que no puede deslumbrar pero sí puede animar. No tiene la capacidad de un reflector que ilumina todo un aeropuerto, pero sí puede como una sencilla lámpara casera iluminar el sitio donde vive. Recuerde que a pesar de todo usted es un prodigio de los dedos del Creador.

¿Que le vienen melancolías y no las puede alejar? ¿Que le ataca la depresión y quiere convertir su alma en un pequeño infierno? ¿Que se entristece por todo? ¿Que siente inclinación al pesimismo y al desánimo? Así nació y así se morirá. La gracia no cambia la naturaleza. Los medios para volverse santo lo hacen a uno mejor pero no le quitan el temperamento con el que nació. Usted emplea todos los medios que en este libro se le aconsejan para alejar la autocompasión y la depresión. Y de resto: no se entristezca. Tome en sus manos toda su personalidad, así como es, con todos sus defectos y colóquela en las manos del Padre Dios. La Sagrada Biblia dice de nuestro Señor: "Él sabe de qué barro somos hechos" (Sal 102, 14). Dígale confiadamente: "Yo acepto esta mi personalidad y este mi modo de ser, porque todo esto es expresión de tu voluntad, y yo amo tu santa voluntad porque tú eres mi Padre y todo lo permites para mi mayor bien".

Acepte su propia historia. ¿Qué gana con darle cabezazos a la pared? ¿Para qué recordar sucesos dolorosos de su vida? El tiempo es irreversible. Lo que pasó pasó y no dejará de ser como fue. Agua pasada no mueve molinos. Todos los sucesos de la vida que usted por más que se irrite y se rebele contra ellos recordándolos con ira obstinada, esos hechos no se alterarán ni un milímetro. ¿Entonces quién es el que pierde al recordarlos con ira? ¿No le parece una locura seguirle dando cabezazos a esa pared que no cede? ¿Para qué tomar en sus manos unas brasas tan calientes? ¿Quién es el que pierde? No se castigue a usted mismo. Esos son hechos ya pasados. Acepte con paz la voluntad del Padre Dios que permitió que eso sucediera. Él había podido hacer que eso no sucediera. Pero lo permitió. Por algo será.

¿Pero sí era en verdad el Padre Dios quien andaba con todo aquello? Pues piense que si Él no lo hubiera querido permitir, nunca hubiese acontecido aquello, porque ni siquiera una pequeñita ave del campo cae al suelo sin que el Padre celestial así lo decrete (Mt 10, 29). "Y usted vale muchísimo más que muchas aves juntas" (Hasta aquí el P. Larrañaga).

ORAR PIDIENDO EL ESPÍRITU SANTO

Jesús prometió solemnemente: "Mi Padre dará el Espíritu Santo a los que se lo pidan" (Lc 11, 13). Algunas personas preguntan: "¿Y cuántas veces tengo que pedirle al Padre celestial que me envíe el Espíritu Santo?". —La respuesta es ésta: —Todas las veces que lo necesite. ¿Y cuándo es que no lo necesitamos?

Los educadores dicen que nada puede reemplazar a la repetición. Y en la oración hay que repetir y repetir muchísimas veces una misma petición. Y además los psicólogos afirman que la repetición de lo bueno acaba con lo malo. Si repetimos muchísimas veces la petición de que nos sea enviado el Divino Espíritu, terminaremos alejando los malos espíritus de depresión y desánimo que nos quieren paralizar.

Le recomendamos que se lea un bellísimo librito de esta misma colección que se titula: *"Maravillas del Espíritu Santo"*. Le va a encantar. Las 12 ediciones que ha tenido en pocos años demuestran la enorme aceptación que el tal libro tan pequeñito y tan barato, pero tan instructivo, ha conseguido entre la gente creyente. Allí va a encontrar los efectos verdaderamente maravillosos que consigue quien se dedica a pedir que a su alma venga el Espíritu Santo. Él es una persona supremamente activa y cuando llega a un individuo le transforma su cerebro en luz, su corazón en fuego de amor y su voluntad en roca fuerte que resiste cualquier ataque del enemigo. Si la gente supiera lo que va a cambiar su vida si recibe el Espíritu Santo, no dejaría ni un solo día de pedirle al Padre Celestial por medio de su Hijo Jesucristo que le envíe tan poderoso y Santo Espíritu. Empiece usted a pedirlo desde ahora mismo. Y lo recibirá.

Pero no esperemos que el Espíritu Santo obre milagros, si no le colaboramos. Hay individuos que desean que el Divino Espíritu obre el milagro de quitarles su autocompasión y su depresión, pero sin poner ellos nada de su parte. "Ayúdate que yo te ayudaré", nos sigue diciendo Dios. El Señor no hace por nosotros lo que nosotros podemos hacer, pero nos capacita y nos envía su Santo Espíritu para que nos dirija en la batalla contra la depresión. Y lo primero que nos pide para no estar deprimidos es que echemos lejos esos esquemas de autocompasión y de tristeza que nos oprimen. Si dejamos de sentir lástima por nosotros mismos, entonces sí el Espíritu Santo encuentra ya el campo listo para llenarnos de abundantes frutos de alegría y de optimismo. Dejémoslo actuar.

Un ejemplo de depresión por autocompasión

Por meses y meses habíamos ahorrado entre cuatro amigos todo lo que nos sobraba de nuestros gastos personales para poder comprar un campero que nos sirviera para salir a visitar y ayudar a las personas pobres que necesitaban de nuestro trabajo espiritual. Y al fin lo logramos conseguir. El equivalente de veinte mil dólares nos costó, al contado. Un toyota ordinario que podía subir por cualquier pendiente de los barrios pobres y que tenía capacidad para llevar varios enfermos o para cargar bastantes provisiones para los pobres. Estábamos felices (esta clase de carros es sumamente costosa en nuestro país).

Pero a uno de nuestros compañeros se le enfermó su papá y empezó a tener que ir a visitarlo cada noche. Y no se había dado cuenta de que a los camperos los ladrones les van siguiendo cuidadosamente sus itinerarios y los sitios por donde viajan. A la cuarta noche de visitar a su padre enfermo, al subir al segundo piso de su casa sintió un ruido, miró por la ventana y con terror vio que se llevaban el campero que había dejado estacionado en la calle. Pusimos la queja ante las autoridades pero el toyota no apareció. Y no lo teníamos asegurado. Era una verdadera tragedia para nosotros.

Mi depresión fue grande. Los ahorros de meses y años, todos perdidos en una sola hora. Y tanta ilusión que teníamos de poder visitar esas gentes pobres y llevarles ayudas, y de poder traer enfermos a los hospitales.

Varios amigos me visitaban para darme el pésame por tan grande pérdida; y el compañero que tenía al papá enfermo estaba avergonzado de su descuido. Yo hasta llegué a hacerle reclamos al mismo Dios. "Señor, si era para bien de la gente. Si era para extender tu religión. Si lo habíamos comprado con el sudor de la frente". Y rezaba y rezaba, pero el bendito toyota no aparecía. Y mi depresión aumentaba cada día.

Hasta que una tarde paseándome por un bosque me puse a pensar: "¿Cómo, yo que le insisto tanto a la gente en que no se dejen vencer por la autoconmiseración me estoy autocompadeciendo? Y yo que tantas veces he repetido a mis consultantes la bellísima frase de san Pablo: 'Todo lo permite Dios para el bien de los que lo aman', ahora me estoy dedicando a no aceptar lo que Dios ha permitido que me suceda?". Y me quedé unos momentos allí de pie debajo de un gran árbol y le di gracias al Señor por haber permitido que nos robaran el campero aquel. En aquel momento sentí una oleada de alegría y de paz que inundó todo mi ser, y la depresión se evaporó como agua echada sobre una parrilla ardiente. Después, varias veces trató de volverme la depresión, pero cada vez le volví a dar gracias a Dios por este suceso, y la depresión tuvo que irse. Hasta que hace unos meses vino a visitar nuestra obra un benefactor norteamericano y al saber que para visitar los barrios pobres en terrenos empinados lo teníamos que hacer a pie y con dificultad, nos obsequió un hermoso toyota extralargo, último modelo. Y tres amigos más nos han brindado cada uno su camioneta de doble transmisión para muchísimos de nuestros viajes en favor de los necesitados. El Señor nos quitó un bien con una mano, y nos ha llenado de bienes con sus dos manos grandes y generosas. Pero antes quiso que alejáramos la autocompasión y le diéramos gracias a Él por lo que nos había sucedido. Y dar gracias produce muy buen resultado.

**MIENTRAS COME
NO HABLE DE COSAS TRISTES NI PIENSE ESO.**

**LO MEJOR PARA UNA BUENA DIGESTIÓN
ES UNA ALEGRE CONVERSACIÓN**

Capítulo X

LO QUE PUEDE HACER LA MENTE PARA DETENER LA DEPRESIÓN

Los sabios afirman que la mayoría de la gente no hace trabajar sino la décima parte de su cerebro. ¡Terrible desproporción!

En Europa dicen por burla que el día en el que descubran cómo injertar cerebros, y pongan "bancos de cerebros" para que los que van a morir regalen el suyo para injertarlo a alguien que haya tenido algún accidente, en ese tiempo, por el cerebro de un alemán pagarán mil dólares, porque está bastante desgastado de tanto pensar; por el cerebro de un norteamericano pagarán cinco mil dólares porque está algo desgastado, pero no tanto. Y que por el cerebro de un suramericano pagarán ¡veinte mil dólares, porque murió sin estrenarlo! Es una burla pero puede tener algo de razón. Porque muchas veces no empleamos la cabeza sino para sacudirla o para rascarnos, pero poco la empleamos para pensar, y pensar como se debe.

Y hay otro detalle curioso. Los científicos afirman que si se quisiera construir un computador que reemplazara al cerebro humano, el tal computador tendría la altura de un edificio de cien pisos. Tan enorme es la cantidad de aparatos que se necesitan para reemplazar nuestro kilogramo de materia pensante que tenemos debajo del techo de nuestra cabeza. Pero semejante poderío mental lo dejamos casi siempre sin usar y sin aprovecharlo.

Tenemos dos fuentes de datos: consciente y sub-consciente.

Todos llevamos en el alma dos grandes fuentes de datos: el consciente y el subconsciente. Del consciente nos damos cuenta. El subconsciente obra sin que nos demos cuenta de su acción. Y el que más obra en nosotros a cada momento es el subconsciente.

Nada de lo que nos ha sucedido se queda sin ser grabado en el cerebro. Todo lo que actualmente nos gusta o nos disgusta, se debe a recuerdos que tenemos coleccionados en nuestro cerebro. Dicen que cuando un gato se sienta en una parrilla caliente, nunca más se vuelve a sentar en esa parrilla aunque ella esté fría. El subconsciente le recuerda el quemón del otro día.

Los recuerdos del subconsciente pueden frenarnos hacia lo malo o pueden dejarnos indiferentes, según la importancia que les demos.

San Agustín, el borracho y el perro

Cuenta san Agustín que un hombre iba cada sábado a una taberna y se emborrachaba y le propinaban tremendas palizas, pero al próximo sábado volvía otra vez allí a emborracharse. Y que un día llevó a un perro y al pobre animalejo le dieron también su paliza, y el perro no volvió nunca más a la tal cantina. Y el santo exclama: "Oh perro inteligente, le ganaste en prudencia al bruto de tu amo". Es que el uno sí aprovechó los amargos recuerdos de su subconsciente, y el otro no les concedió ninguna importancia a sus recuerdos.

Hay personas tan prudentes que cuando el subconsciente les recuerda que un comportamiento indebido les produjo malos resultados, no vuelven a repetir dichos comportamientos dañinos. Pero hay otros tan cabeciduros que por más que su subconsciente les recuerda los malos resultados de sus actuaciones indebidas, sin embargo, las siguen repitiendo, poniéndose excusas falsas como por ejemplo: "Yo soy así... me gusta... no soy capaz de ser de otro modo... después lo arreglo, etc.". Son actuaciones suicidas e irracionales que hacen un gran mal.

Transportemos este caso a la autocompasión. Alguien nos trata mal, nos desprecia, nos hace algún daño o nos causa alguna pérdida económica, etc. El subconsciente nos recuerda este hecho doloroso. Y empezamos a sentirnos lástima y compasión. Pero enseguida nuestra memoria subconsciente nos recuerda también que cada vez que nos hemos dejado llevar por la autocompasión hemos caído en la depresión. Tenemos dos caminos: el del gato que no se vuelve a sentar en la parrilla porque sabe lo doloroso que es un quemón, y el del compañero del borrachito, que no quiso volver a la cantina donde lo apalearon: en este caso echamos lejos la autoconmiseración y no nos dedicamos a echarle a nadie la culpa de nuestros males ni a sentirnos unos infelices, y más bien nos dedicamos a darle gracias a Dios por estas contrariedades, y en poco tiempo recobramos la calma y la alegría. Pero el otro camino es el del borracho del cuento de san Agustín: volver a la cantina donde nos apalearon y ser apaleados una vez más, por brutos y tercos. Seguir autocompadeciéndose y dejar que la depresión nos proporcione palizas despedazadoras. El subconsciente puede ser empleado para nuestro bien o para nuestro mal. Pues usémoslo en favor nuestro y no en contra nuestra.

Una que es capaz de hacer fracasar la voluntad

Los psicólogos han descubierto que nuestra imaginación tiene un poder tan grande en favor nuestro o en nuestra contra, que a pesar del gran poder que tiene la voluntad, si mantenemos una imagen negativa y derrotista de nosotros mismos en la pantalla de nuestra imaginación, a la larga nuestra pobre voluntad se va debilitando y se deja derrotar por los problemas y dificultades de la vida. Así por ejemplo: el que se hace la imagen de que es un ser demasiado débil y que no es capaz de resistir al atractivo del mal, llega en verdad a no resistir y a dejarse llevar de los mayores fracasos morales.

Un hombre me contaba: "Llevaba muchos años de paz mental y corporal en cuanto a la castidad. Pero un día me dediqué a mirar fijamente desde muy cerca el rostro de una mujer muy bella. Y esa imagen se me grabó en la imaginación. Y acepté aquel recuerdo con satisfacción sensual. Y fue mi catástrofe moral. Perdí la paz corporal y mental que gozaba y caí en pecados de pensamientos y de masturbación. Solamente cuando logré borrar de mi imaginación aquella imagen fatídica pude volver a recuperar la paz. Pero fue obrar de muchos meses". Con razón decía el santo Job en la Biblia: "Para mantener mi alma en paz he hecho un pacto con mis ojos: no mirar fijamente a gentes muy hermosas" (Jb 31, 1). Es que el poder de la imaginación se puede convertir en tiranía apabullante.

Otro amigo melancólico me contaba que después de seis meses sin beber, un día se dedicó por largo rato a imaginarse un espumante vaso de cerveza, y fue tal el deseo que su imaginación le produjo, que su voluntad no fue capaz de resistir y fue y se emborrachó. Quizá por eso nuestro Señor Jesucristo fue tan drástico al prohibir los pecados de pensamiento e imaginación, y llegó a decir: "Todo el que mira a una mujer consintiendo un mal deseo, ya con eso cometió pecado de adulterio en su corazón" (Mt 5, 28). Es que Él sabe muy bien el peligroso influjo que sobre la voluntad puede ejercer la imaginación. Ella logra dominar a la misma voluntad.

Recordemos: *cada vez que la imaginación y la voluntad entran en conflicto, gana la imaginación*. Por eso es que la autocompasión es tan supremamente peligrosa, porque llena la pantalla de nuestro cerebro de imaginaciones negativas: ¡todo me sale mal! ¡No me quieren! ¡Soy víctima de la injusticia! ¿Por qué tenía que sucederme a mí todo esto? ¡Esta salud mía es una calamidad!... Y esto lleva a la pobre voluntad a una conducta de desánimo, de tristeza y a verdaderos fracasos en la personalidad. Por eso William James repetía tantas veces: "Cada uno es lo que piensa. Yo creo que el mayor descubrimiento psicológico de nuestro siglo es que si mejoramos nuestro modo de pensar mejoraremos todo nuestro comportamiento". Ah, si nuestra imaginación, en vez de proporcionarnos películas desanimadoras de recuerdos tristes, nos presentara la película de nuestros triunfos pasados y de los que nos pueden venir en el futuro, y en vez de hacernos aparecer como unos pobres seres dignos de compasión y de lástima nos presentara la imagen de lo que realmente somos: unos seres a quienes nada sucede sin que lo permita Dios para su mayor bien, y unos hijos de Dios destinados a conseguir admirables triunfos, pero eso sí, por el camino de la dificultad que hace crecer la personalidad, y no por el camino ancho de la facilidad que forma degenerados. Oh, cómo cambiaría nuestra vida si la imaginación en vez de ser nuestra enemiga se convirtiera en nuestra aliada.

UNA SUMA IMPORTANTE:
VOLUNTAD + MENTE + EMOCIÓN = ACCIÓN

Y aquí viene otro dato curioso: la voluntad no puede gobernar al subconsciente. A éste la única que lo logra dominar es la imaginación. El subconsciente marcha al paso que le dicte la imaginación.

Pongamos un ejemplo: el subconsciente presenta a nuestra mente los hechos de la vida pasada. Y nosotros por nuestra mala costumbre de autocompadecernos, preferimos recordar más los hechos tristes que los alegres, y recordamos más las derrotas que hemos sufrido que los triunfos que hemos tenido, y seguimos imaginando que somos unos seres torpes, sin cualidades suficientes, rechazados, gente de mala suerte, etc. ¿Qué hace entonces el subconsciente? Pues seguir trayéndonos las imágenes y recuerdos que más aceptamos y que más tiempo retemos en nuestra imaginación, y así nos vamos apegando cada vez más y más a las malas experiencias del pasado y miraremos con tristeza lo que ha sucedido y con miedo y desánimo lo que nos pueda suceder en el futuro. La imaginación mal empleada fue llevando al subconsciente a volvernos más tristes e infelices. Pero pensemos por el

Peligro: dejar anidar en la cabeza ideas negativas.

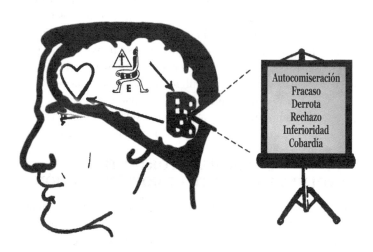

Autocomiseración
Fracaso
Derrota
Rechazo
Inferioridad
Cobardía

MAL USO DE LA IMAGINACIÓN

contrario que no nos gusta ni mucho ni poco recordar lo triste y desagradable que nos ha sucedido y que rechazamos como dañoso cualquier recuerdo negativo de nuestro pasado y en cambio llenamos de imágenes alegres los planes que tenemos para el futuro. El subconsciente al darle cuenta que le rechazamos sus recursos amargos y preferimos los recuerdos placenteros y amables, irá retirando poquito a poco la película de sus datos entristecedores e irá proyectando imágenes sanas y positivas en la pantalla de nuestra mente. La buena imaginación supo guiar al subconsciente.

No se nos olvide nunca: según sean las imágenes y las imaginaciones que coloquemos en la pantalla de nuestra mente, así será nuestra actitud. "Cada uno es lo que piensa a lo largo del día". Las imaginaciones tristes y los recuerdos amargos interrumpen el funcionamiento de las glándulas digestivas, mientras que los pensamientos alegres y los recuerdos amables las hacen trabajar sincronizadamente. Por eso la gente que vive llena de pensamientos e imaginaciones y recuerdos amables de alegría y optimismo vive de mejor salud que la que se intoxica pensando y recordando lo triste y desagradable.

La libertad se obtiene cortando ligaduras. Si corto las ligaduras que unen mi pensamiento y mi imaginación a un fracaso tenido o una ofensa sufrida, me libraré de muchas tristezas. Si corto la ligadura de mi imaginación a los peligros y males que me pueden venir en un futuro incierto, me libro de agotadores temores que me iban a atormentar inútilmente.

Nuestra imaginación es la que le da vida a muchos enemigos de la paz y de la alegría. El P. Larrañaga dice: "Pensando cosas tristes y recordando hechos amargos vamos dándoles vida y fuerza a dos temibles enemigos de la felicidad: el temor y la tristeza. Todo recuerdo de algo amargo que nos sucedió en el pasado y todo pensamiento miedoso acerca del futuro traen a nuestra alma tristeza, nerviosismo, miedo, resentimiento. Si nuestra mente vive conectada con hechos dolorosos del pasado o con situaciones miedosas del futuro, se está envenenando y debilitando sin cesar. Por eso es absolutamente necesario cortar toda comunicación con esos recuerdos y esos temores. Sólo así tendremos paz y verdadera tranquilidad.

Es terrible tener que andar siempre acompañado de alguien o de algo que uno no ama, que detesta y desprecia. Y si usted vive recordando cada día hechos humillantes de su vida anterior y pensando con temor en hechos dolorosos que le pueden llegar en el futuro, pues usted anda día y noche con un enemigo horrendo y martirizador: su subconsciente, envenenado y enloquecido por una imaginación mal dirigida.

Deténgase: usted se está desestimando. Quizá usted se está desestimando, y por eso es que le llegan la autocompasión y la depresión. Es que su mente y su imaginación no están calificando su vida, su pasado, su presente y su futuro como lo merecen. Y usted se está vendiendo y apreciando en muchísimo menos de lo que vale. Y eso es fatal para el buen genio y la alegría. No se ponga poco precio porque eso sería una mentira. No diga que su pasado ha sido un desastre porque eso además de ser mentira es una total ingratitud al bondadoso Dios. No piense que su futuro va a ser terrible. En ese futuro que tanto teme, en ese futuro está Dios, que lo ama inmensamente. Y nada sucederá sin que Dios lo permita. Hoy es el "mañana" que ayer tanto temíamos, y ya vemos que no ha sido tan terrible como lo imaginábamos. Y mañana diremos lo mismo. A cada día le basta su propio afán. ¿Para qué vivir hoy sufriendo por un mañana que no ha nacido?

Deténgase: usted es como una casa en venta: hay que observar los valores y cualidades que tiene. No malbarate este tesoro que ha recibido. Observe sus valores ocultos. ¿Que su personalidad es como un terreno algo rocoso, tosco, inculto, poco atractivo? Pues siga observando y verá que allí hay tesoros escondidos. No deje que su imaginación trabaje en contra suya. Hágala trabajar en favor. ¿Que se la pasa soñando en ideales difíciles de conseguir? Siga soñando que el soñar en altos ideales es muy necesario para conseguir valiosas realidades. Dios satisface los buenos deseos de sus amigos (Sal 145, 19).

Llenar la mente de ideas positivas

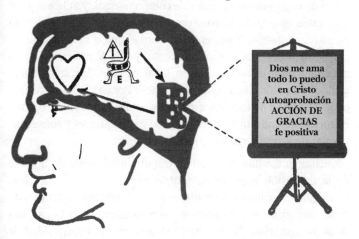

Dios me ama
todo lo puedo
en Cristo
Autoaprobación
ACCIÓN DE
GRACIAS
fe positiva

BUEN USO DE LA IMAGINACIÓN

Lo que puede el cambio en la imaginación. Alguien venía a consultarme su problema de obesidad (yo he notado que el famoso "gordo feliz" no existe. Puede reírse por fuera pero por dentro no está tan contento de su gordura exagerada. Y el dejar de ser obeso no es cosa tan fácil). Y el caso de esta persona era que apenas veía un plano apetitoso la pantalla de su imaginación le presentaba lo agradable de aquella comida y su imagen gordiflona y rechoncha. Mi consejo fue éste: "Proyecte en su imaginación una imagen suya como de una persona esbelta y totalmente normal en su cuerpo. Y ante esa imagen sacrifique lo que le impida obtenerla". Después de unos meses había disminuido 22 kilos y cuando entramos a una heladería rechazó un apetitoso helado con nueces y chocolate y pidió en cambio un platico de frutas, y explicaba: "Este sacrificio de no comer lo que me engorda, ya no me resulta muy costoso, pues he colocado en la pantalla de mi imaginación la imagen mía como de una persona esbelta y de cuerpo normal, y ante ese ideal que deseo conseguir, logro observar un comportamiento debido en mi alimentación. Y yo pensaba: 'Verdad que la imaginación logra llevar a un buen comportamiento, y que si proyectamos en nuestra mente la imagen de un ideal elevado, logramos hacer cualquier sacrificio con tal de obtenerlo'". Por eso T. Roosevelt repetía: "Lo que a mí me llevó a los más grandes éxitos fue formarme en mi mente una alta imagen de lo que yo deseaba ser y conseguir, y tratar de lograr llegar a ese ideal".

Muchos individuos que habían tratado inútilmente de librarse de la depresión recurriendo a otras técnicas terapéuticas, han conseguido resultados alentadores proyectando únicamente imágenes beneficiosas y optimistas y esperanzadoras en la pantalla de su imaginación. Porque este método tiene la especialidad de que ataca a la depresión en sus raíces y no solamente en los síntomas. Cuando uno tiene una infección en la sangre no basta para curarse con que se eche un poquito de pomada en la herida infectada. Es necesario atacar a los microbios que andan por la sangre. Así sucede con la depresión: no basta con emplear medios externos o tomar pastillas. Hay que curar la imaginación que está infectada de recuerdos tristes del pasado y de afanes asustadores por el futuro o de juicios negativos acerca del presente. Solamente cuando hayamos pasado por nuestro pensamiento barriendo y echando afuera todo pensamiento o recuerdo que sea triste o miedoso y pesimista, entonces sí la curación está cerca.

Si tomamos remedios, si vamos al electrochoque, si hacemos ejercicios físicos, estamos curando externamente nuestra depresión. Pero si cambiamos nuestros pensamientos negativos por pensamientos positivos, entonces sí que estamos curando internamente las causas de toda depresión.

Uno que había perdido su hogar

Vino a consultarme un hombre muy angustiado porque su esposa lo había abandonado y ahora él se consumía en la más deprimente soledad sin poder ni siquiera ver sus pequeños hijos. Averiguándole las causas de sus desavenencias con la esposa logré sacar las conclusión de que ella ya no era capaz de soportar los continuos ataques de depresión que sufría este pobre hombre. ¿Y por qué se deprimía? Porque sentía autocompasión. Su padre había sido uno de esos perfeccionistas que nunca están satisfechos de sus hijos y por todo los critican y regañan. Y el pobre hijo se fue formando una imagen totalmente negativa acerca de sí mismo: "Yo no valgo nada", "yo no sirvo para nada", "todo me sale mal", "a mí nadie me quiere", "todos me desprecian", etc., y con estas imágenes negativas en su cerebro, toda su personalidad se inundaba de tristeza, malgenio y depresión, a causa de la autocompasión que se estaba teniendo. Entonces lo invité a que rezáramos una pequeña oración pidiendo a nuestro Señor que nos iluminara algunas cualidades que nos había concedido y de las cuales debía darle gracias. Nos arrodillamos por unos momentos y nos quedamos en silencio. Luego le dije: "Por favor, no se levante del suelo sin haberle dicho antes a Dios un gracias por tres cualidades que Él le ha regalado a usted". Se quedó otro ratico en silencio y luego empezó a decir: "Gracias Señor, porque soy un trabajador consagrado a mi trabajo. Gracias Señor, porque nunca he robado, ni calumniado ni guardado odio a nadie. Gracias Señor, porque jamás me ha faltado el pan de cada día ni el modo de ganármelo".

Cuando nos pusimos de pie, sus ojos le brillaban de alegría. Había cambiado en su mente los pensamientos negativos por pensamientos positivos y de acción de gracias. Yo le recomendé con toda mi alma que se consiguiera una nueva colección de películas para su cerebro: que en adelante no proyectara en su imaginación la imagen de un hombre que no vale, que no es estimado, que no sirve para nada (autocompasión se llama este deporte fatal) sino que más bien proyectara siempre en su cerebro imágenes de alegría y optimismo: los recuerdos de los éxitos obtenidos en la vida (que no son pocos), de los proyectos de triunfo para el futuro y de las cosas agradables y placenteras que suceden en el presente. Que no olvidara que si somos imágenes y semejanza de Dios necesariamente tenemos muchísimas más cualidades que defectos. Lo invité a que confiara mucho en nuestro Señor que ha prometido repetidas veces: "Yo nunca te abandonaré". Que de vez en cuando le pidiera perdón por su ingratitud, por no haberle dado suficientemente las gracias por tantos favores concedidos y por haberse dedicado más a pensar en lo malo y triste que tiene la vida (que siempre es menos que lo otro) y que no dejara pasar día sin darle gracias por algunos de los favores que con tanta generosidad regala cada día a quien confía en Él.

Al retirarse, antes de cruzar la puerta, vi que en sus labios se dibujaba una sonrisa de satisfacción. Y hoy, después de un año, al encontrarme con su esposa le oí decir: "Hemos vuelto a rehacer nuestro hogar. Bendito sea Dios que él ya no es ahora el crítico, quejumbroso y apesadumbrado pesimista con un ataque de depresión cada tres días. Ahora ve la vida por el lado positivo y no por su aspecto negativo. Mis hijos y yo decimos que ahora sí verdaderamente da gusto vivir con él".

¿Qué clases de pensamientos quiere el Espíritu Santo que tengamos? Cuando uno se va donde un psiquiatra a pedirle curación de la depresión, éste le aconseja: "Desahóguese. Cuénteme todas las tristezas y desgracias de su vida". En cambio el Espíritu Santo que conoce perfectamente cuáles son los pensamientos que más provecho le hacen a nuestra alma, les inspiró a los autores que escribieron la Biblia una serie de pensamientos positivos y optimistas que deben llenar nuestro cerebro. Como estos, por ejemplo: "Olvidemos lo que queda atrás, y lancémonos valerosamente a lo que está en el futuro, corriendo hacia la meta para alcanzar el premio que Dios nos tiene destinado allá en lo alto por medio de Cristo Jesús" (Flp 3, 13). San Pablo no se pone a recomendarnos que nos dediquemos a pensar: "Yo soy un bruto y un fracasado, a mí todo me ha salido mal. Mi vida ha sido una inutilidad, etc". No. El Apóstol nos recomienda olvidarnos de eso que ya pasó y que ya no va a cambiar, y lanzarnos hacia el futuro con la frente en alto y el corazón palpitante de esperanza y optimismo y dedicarnos a correr hacia esa meta gloriosa que nos espera: el premio que Dios nos tiene preparado para concedérnoslo por medio de Jesucristo. "Ad maiora nati sumus": para mayores cosas hemos nacido, repetían los antiguos. No malgastemos la vida llorando el pasado. Hagámosla productiva proyectando atrevidamente los éxitos para el futuro.

El pesimismo nos invita a pensar: "Todo está perdido. Yo nací para el fracaso. Que triunfen otros, a mí me apachurró la vida". En cambio la Palabra Divina nos recomienda: "Coloca en manos de Dios tus afanes y se verán realizados tus buenos deseos" (Sal 54, 9). "Poned todas vuestras preocupaciones en manos de Dios, que Él se interesa mucho por vosotros" (san Pedro). "Venid a mí todos los que tenéis penas y sufrimientos y angustias, que yo os aliviaré" (Jesucristo). Qué inmensamente superiores y optimistas y animadores son los pensamientos que el Espíritu Santo ilumina, a los pensamientos paralizadores y pesimistas que nos inspira nuestra autocompasión y nuestro hígado enfermo.

Los chinos dicen: "Con los animales compartimos nuestra seriedad y hosquedad, y con Dios compartimos la alegría y el buen humor". Si vivimos demasiado serios y de mal genio, ¿no será que nos estamos acercando más al comportamiento de las fieras que al modo de ser de nuestro amable Creador?

Un suicida menos

Un hombre se iba a suicidar. Pero de pronto oyó esta frase que le consoló enormemente: "La vida está todavía esperando cosas muy importantes de usted". Esta bella noticia le hizo dejar su propósito de suicidarse. Cambió en su cerebro la película tenebrosa de lo malo que había sucedido en el pasado, por la película agradable de lo mucho y muy bueno que nos puede suceder en el futuro. Esos son los pensamientos que el Espíritu Santo desea para nuestra imaginación.

Palabras de un gran líder

MacArthur fue el héroe de la guerra del 45, jefe del ejército de Estados Unidos en su lucha contra el Japón. Este gran hombre repetía unas frases que nunca deberíamos olvidar. Son éstas: "Usted es tan joven como sus alegrías y tan viejo como sus tristezas. Tan joven como sean sus pensamientos optimistas y tan viejo como los pensamientos pesimistas que acepte en su cerebro. Usted es tan joven y lleno de vida como sea su confianza en Dios y en usted mismo, y tan viejo y cercano a la muerte psíquica como sean sus desconfianzas en la ayuda de Dios y en sus propias capacidades. Usted es tanto más joven cuanto mayor sea su esperanza de conseguir éxitos, y tanto más viejo cuanto mayor sea su desesperación y su falta de optimismo acerca del éxito".

Ojalá volviéramos a leer de vez en cuando esas bellas palabras.

Hay que autoestimarse en vez de autocompadecerse.

Emerson, el famoso filósofo, aconsejaba: "No se enronquezca y no se desgañite gritando contra los defectos que usted tiene y contra las cosas malas que le han sucedido en la vida. Cante más bien la belleza de tantas cosas buenas que le han sucedido y califique con muy buenas calificaciones las muchas cualidades que usted tiene".

Sin ser inmodesto, ni vanidoso, ni altanero, cada uno tiene que sentir entusiasmo por su propia persona. Cuando la gente se escandalizaba de que santa Teresa hubiera escrito en su autobiografía que ella desde pequeñita era hermosa, inteligente y simpática, la santa respondió: "La humildad es la verdad". Decir lo contrario sería mentira, y eso sí que disgustaría a nuestro Señor.

Hay muchas personas paralíticas espiritualmente, y maniatadas intelectualmente, porque tienen un concepto demasiado pequeño de su personalidad y de lo que en realidad valen y son capaces. La mayoría de la gente se valora en mucho menos de lo que en realidad vale. Cada uno de nosotros podría hacer muchas cosas buenas que antes parecían imposibles, si nos dedicáramos a creer que sí somos capaces de realizarlas. Cada ser humano tiene encerrado en sí un poder extraordinario para triunfar y para realizar muchas cosas buenas. Pero si se estima en menos de lo que vale, entonces todo ese poder queda encadenado por el pesimismo y el miedo, y ya no obrará las maravillas que Dios había deseado que realizara.

Son tan sorprendentes los resultados que consiguen los individuos que cambian su autocompasión por una sincera autoestima, y que reemplazan su pesimismo y negativismo por un entusiasmo y optimismo desbordantes, que se puede decir que la autoestima, el optimismo y el entusiasmo pueden realizar verdaderos milagros en la vida de un ser humano. ¿Por qué no ensayar usted también a realizar ese cambio en su personalidad? Hay que echar fuera la autocompasión y llenarse de autoestima. ¡Haga la prueba! Muchos ya la hemos hecho y estamos muy satisfechos de los resultados. ¿Por qué no hacerlo usted también? Verá efectos admirables cuando se dedique a borrar de su mente todos los pensamientos tristes y pesimistas y se dedique a llenarse de pensamientos de alegría y de esperanza y de una prudente autoestimación.

EL PODER DE LA SUGESTIÓN

Sugestionar es inspirar a la persona palabras o actos involuntarios.

La tristeza, el pesimismo, la autocompasión, inspiran en nuestra actuación muchos comportamientos verdaderamente indebidos. El andar pensando: "Yo no soy capaz, yo no puedo, yo no poseo simpatía, a mí nadie me quiere", etc., es una sugestión que nos lleva a actuar de manera muy desagradable y derrotista.

Pero no es suficiente crear una imagen alegre de autoestima de uno mismo. Esto vale mucho y ayuda a echar para adelante con más vigor. Pero hace falta también "sugestionarse" de que con el poder de Dios y con nuestro propio esfuerzo somos capaces de conseguir verdaderos éxitos para el futuro. Así como todo pensamiento negativo lleva a hablar o actuar de manera indebida y dañosa, así también el sugestionarse sanamente de que "sí pode-

mos", lleva a la persona a tener palabras y actuaciones sumamente exitosas, y obra un verdadero cambio en la propia vida.

La mayoría de la gente piensa "en pequeño". En cambio, la gente de fe, que sabe confiar en Dios y en sus propias capacidades,
piensa "en grande" y, sabiendo que somos hijos de Dios y que,
por tanto, tenemos sus enormes poderes a nuestra disposición
para hacer el bien, repite con san Pablo: "Dios suplirá lo que nos
falta a nosotros" (Flp 4, 19).

Un serio peligro: actuar sin motivaciones. Los sociólogos han
estudiado las causas de por qué la gente joven de este tiempo
tiene tanta inclinación a deprimirse y a dedicarse a las drogas y
al alcohol o demás vicios para distraer su ánimo deprimido, y
han encontrado una causa muy influyente en la depresión: el actuar sin motivaciones, el no ponerse metas esperanzadoras para
alcanzar, y en cambio proyectar metas derrotistas, negativas y
pesimistas que llevan a sentirse deprimido, y sin razones suficientes para llevar una vida entusiasta.

En Lourdes, el tren que lleva los enfermos al famoso santuario
de la Virgen se llama "El Tren de la Esperanza", porque los que
allí viajan tienen confianza de ser curados de su enfermedad. Pero
el de regreso se llama "El Tren de la Alegría", porque los enfermos
que en su mayoría no vuelven curados de su enfermedad, regre-
san en cambio totalmente llenos de alegría porque allí junto al
sitio donde se apareció Nuestra Señora adquieren una motivación
para vivir y sufrir: vuelven convencidos de que su dolor no es inútil, que con sus sufrimientos están ayudando a convertir pecadores, a santificar sacerdotes y a conseguirse un altísimo puesto en
el cielo. Lo que hace que su desánimo anterior se convierta en una
exultante alegría al volver a sus hogares, es sencillamente que encontraron una motivación para su vida y sus sufrimientos.

El Corazón de Jesús le decía a sor Consolata Bertrone, mujer que sufría mucho: "Acostúmbrate a vivir con un semblante como el del que está dispuesto a sonreír", y cuando ella se convenció que con sus penas y enfermedades estaba ayudando al Redentor a salvar almas, ya no tuvieron que aconsejarle que tuviera siempre una sonrisa de satisfacción en sus labios. Siempre sonreía de alegría, porque ahora tenía una fortísima motivación para estar contenta aun en medio de sus dolores: estaba ayudando a salvar el mundo y a volverlo mejor.

San Ignacio enseñaba: "Es propio de Dios y de sus ángeles llenarnos de pensamientos de alegría al hacernos ver que nuestra vida y nuestros sufrimientos no son inútiles, pero es propio también del diablo y de sus secuaces traernos pensamientos de tristeza y de turbación y de desánimo al querer que nos revelemos contra lo doloroso y desagradable que nos sucede".

De san Romualdo, gran penitente del año mil, dicen sus biógrafos que tenía siempre un rostro tan alegre que llenaba de alegría a cuantos trataban con él. Y cuando alguien le preguntó cuál era la causa de su continua alegría respondió: "Es que yo soy un negociante que vivo consiguiendo enormes ganancias cada día. Todo sufrimiento y trabajo y contrariedad y oración que ofrezco a Dios se me convierte en un tesoro admirable que me pertenecerá para siempre en el cielo". Y aunque era un hombre que casi no comía ni bebía y que dormía sobre el puro suelo con una piedra por almohada y que no tenía ni un solo centavo y que sufría de dolorosas enfermedades y se desgastaba y fatigaba trabajando mucho, vivía totalmente alegre porque actuaba con motivaciones entusiasmantes. Y las motivaciones elevadas llenan el alma de elevadísimos consuelos.

San Francisco se encontró con un pescador entristecido y le dijo: "¿Usted para qué trabaja y pesca?". "Para vivir", "respondió el otro". "¿Y para qué vive?", le volvió a preguntar el santo. Vivo para poder trabajar y pescar. Y san Francisco suspirando exclamó: "Qué poquito es vivir sólo para trabajar, y trabajar sólo para vivir". Con razón que tanta gente viva tan triste. Es que no tienen motivaciones elevadas que inviten a tener más entusiasmo.

¿Cuánto gana usted? Un médico famoso le preguntó a un sencillo campesino: "¿Cuánto gana usted?" Y el labriego le respondió: "Doctor, yo gano lo mismo que usted". Imposible —dijo el médico— yo gano un sueldo que es veinte veces mayor que el salario mínimo. Pues mire, doctor —siguió diciendo el campesino: —"los dos ganamos lo mismo: si hacemos cada día bien hecho todo lo que tenemos que hacer y por amor de Dios y del prójimo, y soportamos con paciencia los sufrimientos que Dios permite que nos lleguen, los dos nos ganamos el cielo para siempre. Pero si no hacemos lo que tenemos que hacer y vivimos renegando por nuestras penas, los dos nos ganamos el infierno para toda la eternidad". El famoso médico suspiró emocionado y se alejó pensando: "Una frase de estas vale más que un sermón". Aquel campesino sí vivía motivado, y seguramente que vivía alegre y lleno de entusiasmo porque la sana motivación produce mucha animación.

ANOTAR NUESTRAS METAS, DEFINIR NUESTROS IDEALES

Hace poco hicieron una encuesta. De cada cien personas jóvenes deprimidas, 95 no tenían anotadas las metas que deseaban lograr en la vida, y no habían definido cuáles eran los ideales que anhelaban obtener. Eso es como echar un barco al mar y no ponerle rumbo fijo sino dejar que las olas lo lleven a donde quieran.

El barco de los viejos

En tiempos del paganismo, cuando el cristianismo aún no había llegado a Roma, los romanos cuando tenían bastantes ancianos sin quien los atendiera y ayudara, los echaban en un barco viejo y dejaban el tal buque sin piloto en pleno mar embravecido a que las olas jugaran con él. El hundimiento era más que seguro. Así hacen algunas personas con su existencia: la llevan por el mar embravecido de la vida sin un rumbo fijo, sin saber hacia dónde se dirigen. El hundimiento en la depresión será entonces inevitable.

Un día le pregunté a un pescador costeño: "¿Y cuál es el ideal, lo que usted desea conseguir para su futuro?, y con una sonrisa digna de mejor causa me respondió: "Pues... bailar y tomar ron". ¿A dónde puede llegar una persona con un ideal tan miope? Y si un día ya no puede bailar porque se quedó cojo o ya le hace daño el ron, ¿qué le queda entonces por conseguir? ¿Qué significado puede tener entonces una vida?

En cambio cuando al niño campesino y pobre llamado Juan Bosco le preguntaban sus compañeros: "¿Y tú qué quieres llegar a ser?" —levantaba la cabeza emocionado y con un brillo de entusiasmo en sus ojos respondía:— "Yo quiero ser un gran educador de niños pobres. Y quiero fundar una asociación para recoger niños abandonados de la calle y volverlos buenos cris-tianos y excelentes ciudadanos". Los demás se le reían y lo creían loco, pero todo esto lo logró llegar a ser y a hacer. Es que como decía el padre Escrivá: "Cuando se trate de cosas buenas y provechosas para el alma, podemos pensar y soñar lo más atrevidamente que seamos capaces, y Dios se pasará aun de esos límites y nos concederá más de lo que nos atrevamos a pensar o desear". Lo importante es no ponerle límites al poder de Dios y estar seguros de que si Dios nos da un buen deseo, probablemente nos dará también las oportunidades de realizarlo.

Un ideal de juventud

Un novicio jesuita le comunicó un día a su maestro de novicios que sentía fuertemente en su corazón el deseo de coleccionar datos para escribir un día una vida de Jesucristo. El superior le dijo que cuando Dios da un buen deseo se compromete a dar las ayudas suficientes para realizarlo. Que se dedicara en sus tiempos libres a coleccionar esos datos que le interesaban. Así lo hizo aquel muchacho. 25 años duró recogiendo cuanto dato interesante pudo conseguir acerca de Jesús y publicó luego un libro que se ha hecho famoso en todo el mundo: "La vida de Jesucristo, según Grandmaisson". Anotó su meta, definió su ideal, y logró conseguir lo que anhelaba.

Me pregunto: ¿qué metas me voy a proponer conseguir? ¿Cuáles son los ideales que más deseo alcanzar? ¿De veras hago algo serio cada día para poder obtener estos ideales? ¿Puedo decir que cada día doy algún paso para alcanzar las metas que me he propuesto? ¿Confío esas metas a nuestro Señor para que con su inmenso poder las acerque más y más hacia mí? ¿Pido al Espíritu Santo que me ilumine acerca de cuáles son los ideales que más me conviene buscar y conseguir? Podrán decir de mí el elogio que la Sagrada Biblia dice acerca del profeta Daniel: "¿Tú eres el creyente de los buenos deseos?".

En la vida de cada uno de nosotros tiende a cumplirse aquello que anuncia la Sagrada Biblia: "El Señor Dios cumplirá los buenos deseos de tu corazón y dará éxito a los planes tuyos que sean para mayor bien" (Sal 19, 9).

Mientras más concretamente vayamos definiendo qué es lo que deseamos conseguir y obtener, y más encomendemos todo esto en la oración a Dios, y más nos esforcemos por no dejar jamás de trabajar por conseguirlo, más se irá acercando hacia nosotros ese bien que anhelamos. Lo importante es no dejar ni de desear, ni de orar, ni de actuar.

Propósito: cuando me sea posible conseguiré y leeré el bello libro titulado: *"Cien fórmulas para llegar al éxito"*, de esta misma colección. Allí voy a encontrar datos y ejemplos sumamente provechosos para aprender a definir y amar mi ideal.

Hace poco alguien que leyó el libro de las Cien fórmulas escribía: "Antes había intentado vivir mi vida sin un ideal, sin metas fijas para alcanzar, y mi vida se me hacía lo más monótono y cansón que se pueda imaginar. Ahora me he propuesto alcanzar ideales elevados y llegar a ciertas metas, y le digo con emoción que parece como si a mi existencia la hubieran atado a un cohete de los que van al espacio. Siento en mí una fuerza y un entusiasmo y un gusto por vivir, que antes nunca había experimentado. Es que ahora sí ya tengo algo para conseguir en la vida y un fin determinado por el cual trabajar y esforzarme".

Adquirir la costumbre de pensar positivamente

Todo mundo sabe la gran influencia que una costumbre ejerce sobre nosotros. Todo lo que hacemos repetidamente se va volviendo cada vez más fácil de hacer y lo iremos haciendo aun sin darnos cuenta. Por eso si nos acostumbramos a pensar en forma positiva, por ejemplo: recordar los favores que Dios nos ha dado o las promesas que El ha hecho de ayudarnos en lo futuro, y su presencia activa en medio de nosotros, etc., esos pensamientos se van haciendo una costumbre en nuestro cerebro y llegaremos a ser gente sumamente sana mentalmente.

El pasado: la Sagrada Biblia insiste mucho en recordar hechos animados del pasado. En el Antiguo Testamento se van repitiendo diez y más veces los hechos portentosos que Dios ha obrado en el pasado en favor de los que le tienen fe. ¿Por qué tanta repetidera de los mismos hechos? Porque es necesario que la mente del creyente vaya pensando repetidamente en los maravillosos portentos de su Dios en favor de los que lo aman, hasta que esto se le convierta en una costumbre.

Si uno lee los sermones de san Pedro y de san Esteban en el Nuevo Testamento comprueba que estos israelitas gozaban de lo lindo recordando los favores prodigiosos que Dios ha hecho en favor de los que le siguen, y los andaban contando en todas partes, para que la mente de quien pertenece a la religión llegue a obtener el hábito de pensar positivamente y con esperanza y alegría. Un profeta dejó escrita esta bella frase: "Soy viejo y jamás he visto a uno que haya confiado en Dios y que esté abandonado por Él". Noticias como ésta, pasadas repetidamente por el cerebro, van formando la costumbre de pensar en positivo y con optimismo y no en negativo o con pesimismo.

El presente: el nombre de Dios en la Biblia: Yahvé, significa: "El que está presente" (Éx 3, 14). La seguridad de esta presencia activa de un ser tan poderoso y que tanto nos ama, nos debe llenar de ánimo y de entusiasmo en el momento presente. No vamos por la tierra solitarios y abandonados. Dios nos acompaña como la luz y el aire: siempre presente pero sin que notemos muchas veces su presencia, y sin molestarnos ni amargarnos la vida ni asustarnos. Como el aire y la luz: llenándonos de vida y de vigor, pero sin hacer molesta su presencia.

El futuro: si nuestro Señor ha dicho varias veces en la Sagrada Biblia: "Yo nunca te abandonaré", y si nos repite las palabras que el profeta Zacarías dijo al morir: "Dios no abandona al que no lo abandona a Él". Podemos repetir con el salmista: "Aunque mi padre y mi madre me abandonen, mi Dios nunca me abandonará" (Sal 27, 10). Entonces, ¿por qué no llenarse de pensamientos alegres y entusiastas acerca del futuro?

Estos pensamientos optimistas que acabamos de recordar acerca del pasado, del presente y del futuro irán reemplazando poco a poco los pensamientos pesimistas y tristes y llegaremos a adquirir el hábito o costumbre de pensar positivamente. Por eso es que la costumbre de leer cada semana (y ojalá cada día si fuera posible, pero si no, al menos cada semana) una página de la Sagrada Biblia, es enriquecer maravillosamente la mente e irse llenando de pensamientos e ideas que alejan la depresión y atraen la alegre esperanza y el entusiasmo. Hagamos el ensayo y veremos que sí es así. Otros lo han hecho y se sienten muy contentos de esta experiencia. ¿Por qué no hacerla también nosotros? ¡A la obra! ¡Desde hoy mismo!

El bellísimo salmo primero anuncia: *"Quien medita en la Ley del Señor cada día, será como un árbol plantado junto a una fuente de agua, el cual produce buenos frutos a su tiempo y sus hojas no se marchitan aunque lleguen los terribles calores, y lo que hace le resulta bien"*. Esta es una promesa infalible del mismo Dios que nunca jamás puede dejarse de cumplir, pues Jesucristo prometió que primero se acabarán los cielos y la tierra antes de que una promesa de nuestro Señor en su Libro Santo deje de cumplirse exactamente.

Qué tal que alguien que está leyendo este libro se propusiera conseguir el bello libro titulado: *"Los Salmos explicados"*, por Sálesman, y leyera siquiera un salmo cada día (la lectura de un salmo no gasta sino tres minutos. Y el día tiene 1.440 minutos. Nos quedan todavía 1.437 para dedicarnos a todo lo demás). Puede tener la más absoluta seguridad de que la lectura de los salmos le va a llenar su alma de tal cantidad de pensamientos esperanzadores y entusiasmantes acerca del futuro, y de tantos recuerdos animadores acerca del pasado y de tanta paz en el presente, que no podrá menos de repetir lo que han dicho millones de personas en 30 siglos: "¿Por qué será que la lectura de un salmo me llena de tanta paz? Estos salmos parecen redactados expresamente para mí y para mi situación". Sí, esa es la verdad y no otra: "Esos salmos de la Biblia los mandó redactar Dios pensando en usted, en sus situaciones y en sus angustias, y hasta en sus pecados y proyectos. En usted pensaba Él cuando los fue dictando a los profetas que los escribieron".

Pero y si usted nunca lee un salmo ¿Entonces para qué trabajó el Espíritu Santo haciéndolos redactar, si a usted no se le da la bendita gana de leerlos?

No deje de refrescar de vez en cuando la mente con estos mensajes tan consoladores venidos del mismo cielo. Es para su bien y su alegría.

Y no olvide nunca: su gran amigo Dios, no se ha muerto, ni siquiera está enfermo. Entonces, ¿para qué vivir con tantos afanes como si nadie le fuera a ayudar a usted?

> **DIOS NO HA MUERTO.**
> **NI SIQUIERA ESTÁ ENFERMO.**
> **SIGUE PENSANDO EN AYUDARLE**
> **A USTED 24 HORAS CADA DÍA.**

NO HAY QUE PRETENDER GANARLE LA CARRERA AL TIEMPO.

La precipitación y el afán
son señal de debilidad de carácter,
y producen mucha depresión.

En el Evangelio nos dejó
Jesús una frase muy provechosa
para evitar la depresión, dice así:

"NO OS AFANÉIS POR EL DÍA DE MAÑANA.
BÁSTALE A CADA DÍA SU PROPIO AFÁN" (MT 6, 34).

AUTOIMAGEN
Y
DEPRESIÓN

TOMA TIEMPO

Toma tiempo para pensar:
  éste es el origen del poder.

Toma tiempo para jugar:
  éste es el secreto de la eterna juventud.

Toma tiempo para leer:
  ésta es la fuente de la sabiduría.

Toma tiempo para orar:
  éste es el mayor poder de la tierra.

Toma tiempo para amar y ser amado:
  éste es el privilegio dado por Dios.

Toma tiempo para ser amistoso:
  éste es el camino de la felicidad.

Toma tiempo para reír:
  ésta es la música del alma.

Toma tiempo para dar:
  un día es demasiado corto para ser egoísta.

Toma tiempo para trabajar:
  éste es el precio del éxito.

Toma tiempo para hacer caridad:
  ésta es la llave del cielo.

Capítulo XI

LA AUTOIMAGEN Y LA DEPRESIÓN

Lo que influye la autoimagen en la depresión

La inmensa mayoría de las personas que llegan a consultar al psicólogo acerca de sus problemas de depresión, tienen problemas con su autoimagen y con su autoaprobación. En alguna época de nuestra vida, todos sin excepción, tenemos que luchar contra el autorrechazo. La mayoría de los individuos logran superar esas crisis, pero nadie se ve libre de ellas.

Cada persona piensa en sí misma antes del desayuno, después del desayuno, y así sucesivamente hasta las diez y más de la noche al acostarse. Le interesa más una jaqueca que está sufriendo que mil terremotos que sucedan en la Cochinchina. A los demás les interesa más su autoimagen que la muerte de usted o la mía. Y si hay alguien que se goza en la satisfacción feroz de andar pensando que nada vale y que para nada sirve, esa equivocada autoimagen le puede destrozar a base de depresión.

La psicología de la autoimagen dice que cada uno es gobernado y es dirigido hacia el fracaso o hacia el éxito según la autoimagen que se haya formado, según sea la figura mental que uno tiene de sí mismo.

La sabiduría popular redactó esta frase sapientísima desde hace siglos: "Somos lo que creemos ser", y esta otra a cual más sabia: "Lo que los demás piensen de mí no es nunca tan importante como lo que yo opino de mí mismo". El famoso Kempis escribió un libro que tiene ya más de 3.000 ediciones y se llama: "Imitación de Cristo" y allí dejó escrita esta frase memorable: "No eres más porque te alaben ni eres menos porque te critiquen. Eres lo que eres ante tu Dios y ante tu conciencia. Lo demás será siempre mera apariencia".

El Dr. Gordon, célebre psiquiatra, escribió: "El no aceptar ser lo que uno mismo es, se ha convertido en la causa de infinidad de neurosis. No conozco personas tan infelices como las que no aceptan tener que ser lo que son. Hay cosas y situaciones y modos de ser que se pueden cambiar y mejorar, y hacemos muy bien en luchar por superarlas y mejorarlas. Pero hay otras que ya no podemos cambiar ni quitar de nuestra vida, y quien se encapricha en no aceptarlas, cae irremediablemente en la depresión".

Todo el mundo tiene una imagen de sí mismo, buena o mala. Pero sea cual fuere la imagen que tenemos de nosotros mismos, esa imagen afectará para bien o para mal nuestro comportamiento, nuestras actitudes, nuestra productividad y en definitiva ella será sumamente responsable de nuestros éxitos y de nuestra felicidad o infelicidad.

Si necesariamente voy a tener siempre delante de mí una autoimagen que guiará mi vida hacia el éxito o hacia el fracaso, hacia la alegría o hacia la tristeza, pues lo mejor será formarme una autoimagen placentera, y no una "mascara de horror" que me atormente y me desanime.

Usted y yo tenemos cualidades únicas. Somos irrepetibles. Cuando Dios nos creó, "rompió el molde". Había 300 mil millones posibles de ser, y uno de esos modos fuimos cada uno de nosotros. Nadie más repetirá nuestro modo exacto de ser. ¿Por qué entonces no vivir alegre por este nuestro modo único de ser, en vez de andar lamentándonos de no haber sido hechos de otro modo distinto? Cuidado: no caigamos en una orgía de lamentaciones. A Jesucristo lo criticaban sin cesar y lo llegaron a llamar hasta "endemoniado". Pero Él se alegraba pensando que su valor dependía de lo que era ante Dios y ante su conciencia, y no de las apariencias que los demás juzgaban tan injustamente. Y jamás se dejó vencer por el pesimismo o la depresión. Su autoimagen era justa y no pesimista.

Los pensamientos producen sentimientos, y los sentimientos llevan a ejecutar acciones. Si el pensamiento que tenemos acerca de nuestra autoimagen es positivo, los sentimientos que nos llegarán serán también positivos, y ellos nos llevarán a ejecutar acciones verdaderamente valiosas. Pero si los pensamientos acerca de nuestra autoimagen son negativos y pesimistas, también nuestros sentimientos serán negativos y nuestras obras van a resultar muy enclenques y defectuosas.

El que tiene una imagen de confianza en sí mismo, rendirá al máximo de su capacidad, pero el que tiene una imagen insegura y falta de confianza en sí mismo, rendirá muchísimo menos. De ahí se explica el porqué muchos con menos cualidades y capacidades obtienen mayores triunfos que otros llenos de cualidades y de grandes capacidades para triunfar, pero pesimistas y sin imagen confiada de sí mismos. Es que los primeros tenían una autoimagen positiva y los otros no. Y para triunfar sirve mucho el creer que sí podemos triunfar.

La autoimagen no se forma de una sola experiencia o a causa de unos pocos acontecimientos. Ella es fruto de muchos datos amontonados en la mente al cabo de años y años. Si la persona es inclinada a recordar solamente sus fracasos y sus horas negras, y sus defectos y humillaciones, se irá formando una autoimagen desas-

**AUNQUE LA GENTE NOS RECHACE, SIN EMBARGO,
*PARA DIOS SIEMPRE SEREMOS IMPORTANTES.***

**EL SENTIR QUE NOS RECHAZAN Y QUE NO NOS APRECIAN LO
SUFICIENTE, PUEDE PRODUCIR MUCHA DEPRESIÓN.
NO HAY QUE AFANARSE TANTO. HAY UNO PARA EL CUAL SIEMPRE
SOMOS IMPORTANTES: ES DIOS. ÉL NUNCA NOS ABANDONA.**

trosa, un verdadero retrato macabro que le llevará infaliblemente a la depresión.

A Roosevelt, el semiparalítico que llegó a ser presidente de la nación más rica de la tierra, el *slogan* que lo llevó a no deprimirse y a llegar a grandes triunfos fue el siguiente: "Me formaré una imagen triunfante de mí mismo. Una imagen alegre y no triste. Una imagen simpática y no antipática. Me creeré triunfador y así llegaré a ser en verdad triunfador". Y en verdad que lo llegó a ser. Pero lo animaba su autoimagen totalmente positiva y animadora.

La autoimagen puede provenir de nuestro temperamento. Claro está que nuestra autoimagen dependerá en mucho de nuestro temperamento. Si tenemos un temperamento inclinado a la tristeza y a la depresión, tendremos también mucho mayor peligro de formarnos una autoimagen depresiva y desanimadora, que si nacimos en cambio con un temperamento despreocupado y con gran confianza en sí mismo.

Ojalá leyéramos el formidable librito titulado: *"Cómo conocer y sacar provecho del propio temperamento"*, por Sheldon y Sálesman. Es un folleto que produce verdadera influencia positiva y animadora en quien lo lee. Podemos preguntarlo donde conseguimos este libro que estamos leyendo.

Pero la influencia del temperamento en la autoimagen y en la depresión la vamos a estudiar en el próximo capítulo. Ahora veremos otros elementos muy influyentes también.

La autoimagen depende mucho de la educación recibida.

Si tuvimos la desdicha de ser educados por personas que nos vivían regañando a toda hora, gente demasiado críticas que encontraban más gozo en censurar que en felicitar y que veían en nosotros más capacidades para fracasar que para triunfar, esa influencia perniciosa puede haber hecho que nos hayamos formado una autoimagen derrotista y que hayamos adquirido una inclinación enfermiza a imaginarnos que para nosotros se hicieron en mayor proporción los fracasos que los triunfos, lo cual es una equivocación y una mentira tan garrafal que no puede haber sido inventada sino en el infierno, y por el diablo que según la Biblia es el padre de todas las mentiras. Esta horrible mentira daña la autoimagen hasta de los más optimistas. En cambio si tuvimos la dicha de ser educados por gente comprensiva y animadora que sabían que en la educación lo que más se necesita es el estímulo, y que un "tú puedes más" es muchísimo más constructivo que un "no sirves para nada", y si nos educaron personas que estaban convencidas de que la educación se forma de dos partes: cincuenta por ciento corrección y el otro cincuenta por ciento de animación y de felicitación y estímulos, y si fuimos educados por gente que no fueron tacañas en animarnos y elogiarnos, entonces sí, aunque nuestro temperamento sea más bien inclinado al pesimismo y a la tristeza, la buena educación recibida nos puede llevar a conseguir una autoimagen placentera y animadora que nos empuje hacia el éxito y hacia la constante alegría.

Afortunadamente, la autoimagen se puede ir corrigiendo y perfeccionando. Y eso es lo que pretendemos con este capítulo, que cada uno al convencerse de que su autoimagen gobierna su vida y de que "somos lo que creemos ser", se esmere por formarse una autoimagen positiva y alegre y no una mascarada horrenda que asuste y deprima.

Recordemos: si creemos que somos horribles e incapaces, eso es justamente lo que somos. No importa lo que los demás estén pensando, pues en nuestro modo de gobernarnos, dirigirnos y comportarnos, lo que influye es lo que vivimos pensando de nosotros mismos. Y eso es lo que afecta nuestra productividad y hace que la vida se nos haga alegre o triste, animadora o deprimida.

Un hombre mediocre con una autoimagen excelente. ¿Y otro...?

Desde hace 30 años gozo de la santa amistad de un amigo que no recibió de la naturaleza ninguna cualidad que lo lleve a ser demasiado brillante. Casi tartamudea al hablar, y su presencia no es un modelo de elegancia. De familia pobre, no hizo estudios especiales, ni ha ocupado ningún puesto de renombre y relumbrón. Pero este hombre ha llegado a los 77 años con una garbosidad en su porte y un modo de ser tan alegre y optimista que a ratos le siento una santa envidia. ¿Y cuál es el secreto de este joven de 77 años? Que se ha formado una autoimagen de hombre alegre, simpático, triunfador y realizador. Y tal como es su autoimagen, así es su vida y su realidad. Y yo me pongo a compararlo con otro amigo que conozco, el cual tiene apenas 45 años y ya parece un viejo de 80. Agachado más de lo debido a su edad. Lleno de más canas de las que se ven ordinariamente en un hombre de 50 años. Cara envejecida. Ojos apagados. ¿Y cuál podrá ser la causa de una vejez tan prematura? También su autoimagen. Se ha formado una imagen de sí mismo como de un hombre al cual nadie lo quiere y todos desprecian. Se imagina que sus cualidades no son las suficientes, y que no nació para nada importante, y tal cual es su autoimagen, así es su propia vida: achiquitada, triste e infeliz.

LA TÉCNICA DE LA AUTOAPROBACIÓN

El gran psicólogo Schwartz fundó una "Escuela de Superación", que ha logrado encaminar hacia el éxito y la alegría y hacia un modo de vivir optimista y triunfador a miles y miles de personas; y el método principal que este gran sabio emplea es el de *La Técnica de la Autoaprobación*. Que cada uno llegue a comprobar los inmensos valores que Dios le ha dado y no se dedique solamente a fijarse en sus limitaciones y defectos, sino que explote las incalculables "canteras de cualidades y bondades" que el Creador ha colocado en su ser. Y este descubrimiento cambia como por milagro unas vidas entristecidas y quejumbrosas en unas existencias rebosantes de optimismo y de vitalidad.

El principal paso que La Técnica de la Autoaprobación exige, consiste en que cada cual acepte ser uno mismo y no pretenda ser otro distinto. Que se convenza que así como es, puede valer tanto como los demás, y que no vale menos que nadie.

Una muchacha que no se atrevía a tratar con nadie, debía su depresión a que vivía "asqueada" de sí misma, sintiéndose repugnancia y desprecio por el modo de ser que ella tenía. Pero un día fue a visitar a la mamá de cinco jóvenes muy triunfantes y le oyó decir a aquella señora: "Yo creo que el éxito que he tenido en la educación de mi familia se debe en gran parte a que les he insistido siempre: 'Acepten ser ustedes mismos. Alégrense de ser como Dios y la naturaleza han permitido que ustedes sean. No vivan queriendo cambiarse por otros. Así como son ustedes están en condiciones de llegar al éxito en su vida'". A la muchacha le impresionó mucho aquella noticia y se propuso aceptarse tal como ella era, y se revaluó, y al sentirse autoaprobada empezó a tratar con más valor a los demás y ahora ocupa un excelente puesto en la sociedad. Lo que le hacía falta era: aceptarse a sí

CUIDADO CON "DESAPROBARSE"

**NO HAY QUE IMAGINARSE QUE UNO ES MENOS
DE LO QUE EN REALIDAD ES.**

misma y no pretender ser otra. (claro está que aquí no hablamos de los defectos que son corregibles o de las malas costumbres que hemos adquirido. Hablamos es de aceptarnos con la naturaleza que tenemos, y con nuestro temperamento y con nuestro cuerpo y nuestras situaciones irreparables).

Jaime García, un hombre introvertido que nunca emprendía nada importante, por temor a que todo le resultara mal, tuvo un día la feliz idea de ir a consultar su sacerdote psicólogo y éste le dijo: "Si usted se considera tan importante que en todo tiene que aparecer como un ser perfecto y que todo lo que hace le tiene que resultar perfectamente bien, está cayendo en la tentación de Adán, que consistió en querer ser igual a Dios. Y esto como a nuestro primer padre, no puede traer sino tristezas y desgracias. Acepte ser un ser imperfecto, como somos todos los demás (perfectibles sí, capaces de mayor perfección, pero siempre imperfectos y llenos de defectos, y acepte que lo que hace no será siempre perfecto ni mucho menos, porque si así fuera, usted sería el mismo Dios). Recuerde que lo óptimo es enemigo de lo bueno. Si pretendemos en todo ser sin defectos, no vamos a poder hacer nunca nada. Criaturas y pobres criaturas somos y así seremos siempre, pero Dios sabe de qué barro somos hechos y así nos acepta, débiles y miserables como somos". García dice que desde aquella conversación con el comprensivo sacerdote, dejó para siempre sus pretensiones de perfeccionismo y aceptó ser lo que puede ser, sin andar aspirando a lo que no es capaz de ser o de hacer, y ahora es un diplomático de los más brillantes y estimados de su nación. La autoaprobación le llevó a sanarse de su depresión.

Nadie nos pide ni nos acepta que nos demos "certificados de buena conducta" cuando nos estamos portando mal, pero lo que la prudencia nos aconseja es que no pretendamos ser semidioses sin defectos, cuando estamos formados por un cuerpo sacado del polvo de la tierra y por un alma herida por la mancha del pecado original heredado de nuestros primeros padres. No aceptaremos jamás de los jamases quedarnos sin progresar y sin tratar de ser mejores, pero tampoco vamos a desanimarnos porque no somos perfectos. Eso lo iremos consiguiendo poquito a poco en la eternidad.

LOS TRES PUNTOS DÉBILES
QUE HAY QUE AUTOAPROBAR

En nuestra vida hay tres puntos tan débiles que si no los aceptamos y no nos autoaprobamos en cada uno de ellos, nos va a llegar como un correo la depresión.

1er. punto: nuestro cuerpo

El rechazar nuestro cuerpo con los defectos que Dios ha permitido que tenga, se convierte en uno de los problemas espirituales más dolorosos y que a mayor cantidad de personas lleva a la depresión y a la autocompasión. Y lo grave es que los individuos que no aceptan el cuerpo que tienen, son muchísimos más numerosos de lo que podemos imaginar.

En Hollywood, la capital mundial del cine les preguntaron a las mujeres más bellas que aparecen en el cine, y a los hombres más apuestos de las películas, si cada uno estaba contento con el cuerpo que tenía, y caso raro, ninguno estaba totalmente satisfecho de su cuerpo y de su aspecto. Todos deseaban tener cualidades físicas que no poseían. Y uno se pregunta: si estas estrellas y estos astros que deslumbran a todos los sentimentaloides que ven sus películas, no están contentos con su propio cuerpo y con su propio aspecto, ¿qué seremos los demás que en cuanto a belleza y a esbeltez no somos ciertamente deslumbrantes, ni mucho menos?

Partamos de este principio: rechazar el cuerpo que tenemos es rechazar el plan de Dios nuestro Creador. Somos lo que Él permitió que fuésemos y nada más. Aquí tendríamos que repetir con san Pablo: "Acaso tiene el barro el derecho a decirle al artista: ¿por qué hiciste de mí una vasija así? Oh criatura humana: ¿quién eres tú para pedir cuentas a Dios?" (Rm 9, 21).

Hemos estudiado centenares de casos de personas deprimidas y en la inmensa mayoría hemos encontrado que no están de acuerdo con el cuerpo que tienen y que no aceptan ni mucho ni poco el aspecto que su cuerpo presenta. Unos se creen demasiado bajitos y otros demasiado altos. Hay quienes consideran demasiada su gordura y quienes consideran exagerada su flacura. A muchos hemos recomendado escuchar el casete *"Por el abandono a la paz"* de Ignacio Larrañaga, o leer el libro *"Secretos para triunfar en la vida"*. Y les hemos contado algunos de los siguientes ejemplos.

DATOS CURIOSOS

Milton, el gran poeta inglés, era ciego. Y el mismo defecto físico tenía *Homero*, el más famoso poeta de la antigüedad. Y esto no les impidió ser poetas sublimes, sino que más bien su falta de la vista les volvió más productivo su cerebro.

Cervantes, el más célebre escritor español, era manco y aprovechó que le faltaba la mano izquierda para hace escribir más a la derecha. Y un célebre dramaturgo de ese tiempo en España tenía una giba que le afeaba mucho. Y no por giboso fue un fracasado, sino todo lo contrario.

Lord Byron, el gran poeta lírico inglés, sufrió una cojera desde su niñez hasta su muerte. *Walter Scott,* el famoso autor de *Ivanhoe* y de otras populares novelas históricas, fue débil y enfermizo desde su niñez y sufrió una parálisis que lo dejó cojo desde muy joven. Y sin embargo ¡qué grandes triunfos literarios logró obtener!

Bolívar, el Libertador de cinco naciones en Suramérica. *Mozart,* el autor de melodías inmortales, y *santa Teresita,* la santa más popular del último siglo, sufrieron los tres por varios años la terrible enfermedad de la tuberculosis (que los llevó a edad temprana a la tumba), pero así y todo obtuvieron éxitos envidiables.

Lincoln, era tan feo que sus enemigos decían: "Lincoln le pegó un susto terrible al miedo el día en que lo encontró. Así de feo es". Y él mismo contaba que un día tuvo un verdadero consuelo porque llegó a su oficina un hombre supremamente feo y le dijo: "Lo voy a matar porque yo juré que el día en que encontrara a un hombre más feo que yo, lo mataría". Y Lincoln sonriente le respondió: "Bueno, si soy más feo que usted puede matarme, porque entonces sí que ya no ¡merezco vivir!". Y el otro se fue sin hacerle ningún daño. Por lo menos le quedaba un consuelo a nuestro héroe: no era todavía el más feo del mundo. Aunque no estaba muy lejos de conseguir el récord en fealdad...Y así, con su poca belleza, llegó a ser presidente de su nación y libertador de los esclavos.

A *Blass de Lesso,* el heroico capitán que supo defender a Cartagena contra los feroces ataques de los más temibles corsarios y piratas, le faltaba una pierna, un brazo y un ojo, pero reponía todo eso con un valor y una inteligencia admirables. Es que la naturaleza sabe reponer: cuando falta por un lado, ella fortalece por otro.

San Juan Bosco, sufrió por 47 años un dolor de cabeza continuo, y por 41 años un dolor agudo en un ojo, hasta que quedó ciego. Le daba una enfermedad que le hacía caer toda la piel y quedaba en carne viva y sólo en hojas tan suaves como las de plátano podía acostarse en ciertas épocas. Y en los últimos 20 años de su vida sus piernas vivían tan hinchadas y le pesaban tanto que para levantar el pie para caminar tenía que hacer una fuerza como para levantar cinco arrobas. Y así y todo fundó colegios para 200.000 niños pobres, construyó hermosos templos y dejó dos asociaciones mundiales para educar a la juventud pobre: los Padres Salesianos y las Hermanas Salesianas, que tienen en la actualidad más de dos mil colegios en 105 países. La salud deficiente no le fue impedimento para emprender grandes y maravillosas obras y llevarlas hasta el éxito.

Y HAY EJEMPLOS CONTRARIOS

Muchas personas por tener un cuerpo muy hermoso han descuidado el cultivar su espíritu, y por cuidar sus cuatro arrobas de carne, se han olvidado de hacer producir a su cerebro y se han quedado en el último plano en la producción de obras verdaderamente valiosas. ¡Su hermosura les hizo más mal que bien!

Animalitos y... ¿Nada más?

Cuántos y cuántas hay que, por tener una salud rebosante y un físico maravillosamente lleno de salud, se han dedicado a vivir como potros sueltos en un potrero o como cerdos gordos en una pocilga o como terneras brillantes en una feria de exposición, sin interesarles un tris el cultivar su alma y el hacer producir ideas nuevas a su cerebro. Su salud exuberante no les fue más provechosa para conseguir éxitos, que la enfermedad y la falta de salud a otros que sí triunfaron.

VUELVE A EMPEZAR...

aunque sientas el cansancio,
aunque el triunfo te abandone,
aunque un error te lastime,
aunque un negocio se quiebre,
aunque una traición te hiera,
aunque una ilusión se apague,
aunque el dolor queme tus ojos,
aunque ignoren tus esfuerzos,
aunque la ingratitud sea la paga,
aunque la incomprensión corte tu risa,
aunque todo parezca nada..., vuelve a empezar...

El Libro Santo enseña:

"La victoria será de quienes tengan fe
y de quienes perseveren hasta el final".

Lo que decía una triunfadora

Por eso muchas mujeres podrán repetir las simpáticas palabras que decía Golda Meir, la mujer que fue presidenta de la nación de Israel: "De joven me miré en un espejo y me dije: no soy bonita. Si es por mi hermosura no voy a conseguir muchos triunfos. Pero los podré conseguir con mi inteligencia y con mi actividad y esforzándome por conseguir simpatía en el trato". Y ahora considero que mi falta de hermosura me hizo más provecho que daño.

Feo pero..., simpático

Algo muy parecido le sucedió a Franklin, el cual narra en su autobiografía que al notar en el espejo que tenía mucha mayor fealdad que hermosura en su rostro, se propuso reponer esa falla adquiriendo una gran simpatía en el trato, y llegó a ser uno de los tres hombres más importantes de su gran nación.

Un caso para admirar. Hace poco vino a visitarme desde Venezuela el gran apóstol de la juventud. P. Eduardo Martínez, y me decía: "Me cortaron una pierna. Me sacaron un riñón. Perdí un ojo y por el otro sólo veo de muy cerca. El médico me prohibió comer carnes y grasas. Los alimentos tengo que comerlos sin sal y sin dulce... Sin embargo, me siento plenamente realizado. Dirijo varias asociaciones juveniles. Tengo excelentes conjuntos musicales que hacen pasar horas serenas y muy sanas a la juventud. La gente me quiere, y ahora ejerzo el doble de influencia benéfica sobre los demás que la que ejercía cuando estaba totalmente sano. Y me contento pensando: "Lo que me queda es todavía más que lo que me han quitado. Y Dios me ha concedido la gracia de aceptar plenamente mi cuerpo, así como ha quedado". Y sonreía gozoso al decir todo esto. ¿Admirable, no es cierto?

¿Y todavía nosotros nos vamos a deprimir por alguna falla en nuestra cuerpo? Dediquémonos desde ahora a la autoaprobación de nuestro cuerpo y de nuestro aspecto, aceptando todo así como el bondadoso Creador ha permitido que se encuentre en este momento. Y cumplamos lo que aconseja el gran san Pablo: "No os canséis de dar gracias a Dios por todo"... Pues, todo lo permite el Señor para nuestro mayor bien.

2º. PUNTO: NO TENGO CUALIDADES PARA BRILLAR

La mayoría de la gente siente depresión al pensar en sus deficientes cualidades, sobre todo porque se dedican a compararse con los que brillan y triunfan de manera especial. En la vida todo es competencia, y siempre encontraremos en toda actividad alguien que es mejor que nosotros, y esto nos puede traer autocompasión y depresión. Y nos dedicamos a hacer comparaciones injustas entre nosotros y los demás. Comparamos nuestros aspectos flacos y débiles con los aspectos fuertes de los otros. Cuando debería ser más bien lo contrario.

Doble campeonato, pero falso. Narramos al principio el caso de aquel que decía: "Logré vencer al campeón mundial de boxeo y al campeón mundial de billar". La gente le preguntaba: "¿Cómo logró vencerlos?"—y él respondía:—"Al campeón de billar lo vencí boxeando y al campeón de boxeo lo vencí jugando al billar"... Así sí es fácil vencer. Y eso es lo que hacemos contra nosotros mismos: comparamos un aspecto exitoso del otro con un aspecto defectuoso nuestro y empezamos a creer injustamente que somos gente sin cualidades.

Nos comparamos con el modo maravilloso con el que aquel hombre famoso juega al fútbol, y junto a él nos sentimos como un cero a la izquierda. Pero, ¿por qué no compararnos más bien con él en el aspecto religioso, en el trato con la familia, en el cumplimiento del deber diario? ¡Ya veremos que en esto ya no nos sentimos tan pequeños ante él!

Nos comparamos con aquel que tiene una capacidad asombrosa para adquirir y acumular dinero, y sentimos que somos nada ante él. ¿Pero por qué no comparar nuestra vida de paz en la familia con la vida agitada y angustiada que él vive? ¿Por qué no comparar la suave amistad y paz que tenemos con Dios, con el abandono de lo espiritual que quizá está sufriendo el otro? Cada uno es fuerte en algún aspecto de su vida y débil en otros. A ellos y a nosotros, a todos nos sucede lo mismo. Entonces, ¿por qué desanimarnos por nuestras fallas en vez de pensar en nuestras cualidades? No nacimos además para brillar sino para cumplir bien nuestros deberes diarios y ganarnos con ellos un alto puesto en el cielo. Y allá: "Muchos primeros serán los últimos, y muchos últimos serán primeros", decía Cristo (Lc 13, 30). Aquí podemos estar de últimos por unas docenas de años, pero si cumplimos seriamente y con alegría nuestros deberes diarios no nos queda otro destino que el de ser del grupo de los "primeros" en el Reino de los cielos para siempre, para siempre. Amén.

3°. PUNTO: MI FAMILIA ES DEMASIADO POBRE O TIENE MUCHOS DEFECTOS

El avergonzarse de los propios padres o de la familia es una causa muy común para sufrir serios problemas de autoaprobación.

¿Que son pobres? ¿Que han vivido en barrios de última clase social? ¿Que son campesinos sin instrucción? ¿Y eso qué tiene que ver con su futuro si usted está resuelto a triunfar, con la ayuda de Dios y de sus propios esfuerzos y cualidades? ¿O es que los grandes líderes mundiales no han salido muchas veces de familias de clases pobres? Veamos algunos casos:

El más grande líder mundial tuvo por padre adoptivo a un sencillo obrero y por madre a una mujer muy santa pero que apenas sabía quizá lavar, cocinar y coser. Y vivió en un pueblecito tan infeliz que ni siquiera lo colocaban en los mapas. Y ese líder es ahora alabado por gente de todas las naciones. Es Jesucristo, nuestro Salvador.

Don Bosco, el genial educador, era hijo de una mujer analfabeta, totalmente pobre. Fr. Luis de Granada, el gran orador de su siglo, y Fr. Juan de la Cruz el más famoso escritor místico español, fueron ambos de familias sumamente pobres y humildes, que ganaban su pan lavando ropa en los conventos. Y esto no les impidió a ellos llegar a alturas insospechadas.

Marco Fidel Suárez, el famoso sabio colombiano del siglo XX, era hijo natural de una pobre mujercita que se ganaba la vida lavando ropa en una quebrada.

Y le dejamos a la imaginación de usted añadir unos cuantos datos más de personas que nacieron en hogares muy pobres y muy humildes y llegaron a ser gente verdaderamente importante. Y esto para que no se vaya a quitar autoaprobación por provenir de una familia sencilla y pobre.

Pero es que mis padres me trataron demasiado mal. Cuidado con los recuerdos amargos de su vida pasada porque éstos le pueden llevar a envejecerse antes de tiempo e inútilmente. Aléjelos como moscas inoportunas.

Un consejo práctico: los psicólogos aconsejan que cuando nos llegue un recuerdo triste de la vida pasada (por ejemplo: un mal tratamiento que nos hicieron nuestros padres, etc.), nos imaginemos que vamos a un campo apartado y solitario y allá hacemos un hoyo y enterremos ese recuerdo amargo, para nunca más volver a pensar en él. O que nos imaginemos que colocamos el tal recuerdo desagradable en el último vagón de un tren que parte veloz y que lo vemos desaparecer en lontananza para nunca más volver hacia nosotros.

Algo que ayuda muchísimo. Hay que pensar que nuestros padres si cometieron alguna injusticia con nosotros lo hicieron más por ignorancia y debilidad que por maldad. Convenzámonos: la gente obra mal, más por debilidad e ignorancia que por maldad. Rarísimas veces encontraremos quien haya obrado en contra nuestra por pura maldad y por querer hacernos el mal. Casi siempre, (y sin casi) los que nos han hecho sufrir, lo han hecho por ignorancia o porque no se les ocurrió proceder de otra manera, o por nerviosismo y neurastenia, o por descuido, pero no por maldad o por querernos hacer el mal. Y entonces, ¿por qué vivir disgustados con esas personas? ¿Y más si son nuestros padres?

Y si comparamos los miles y miles de favores y actos de bondad que nos hicieron nuestros queridos padres, ¿qué son en su comparación los pocos disgustos o malos tratos que nos dieron? ¿Por qué andar echándoles más culpa de la que en realidad tuvieron?

Mamá, ¿por qué tienes la cara tan manchada? Cuántas veces habremos oído este ejemplo. El muchachito va por primera vez a la escuela. Y los demás niños le preguntan:

"¿Por que tu mamá tiene la cara tan manchada?". El niño, que por tanto amor que le tenía, no le había dado importancia a este defecto físico de su madre, al volver a casa le pregunta: "Mamá, ¿por qué tienes tú la cara tan manchada". La madre se seca las manos con el delantal y sentándole sobre sus rodillas le dice: "—Mira, te voy a contar por qué.— Un día al volver de comprar el mercado vi con horror que nuestro ranchito se estaba quemando. Y tú estabas allí dentro y eras muy pequeño todavía. Las vecinas me decían: 'Señora no entre a su casa, porque se quema'. —Pero yo les contestaba:— 'Tengo que entrar porque allá está mi hijito'. Y entré, y te envolví en un impermeable y te saqué y no sufriste ningún daño. Pero las vigas ardiendo caían sobre mí y quedé toda quemada en el lado derecho y tengo manchada no solo la cara sino todo el cuerpo. Y todo ello por salvarte a ti, porque te quiero mucho". El niño entusiasmado se colgó a su

EL *"DESAPROBAR"* A LOS PADRES,
EL NO ACEPTARLOS TAL COMO HAN SIDO,
PUEDE TRAER *DEPRESIÓN*.

DIFERENCIAS ENTRE
OPTIMISMO Y PESIMISMO

El optimista tiene alas y el pesimista carece de ellas. No anda de pies sino cabeza abajo.

Huye de los pesimistas como de la peste.

En la vida hay muchos estorbos, pero el pesimismo es uno de los más peligrosos.

El pesimista mira las cosas a través de cristales negros... Y sólo ve sombras, fantasmas y crespones de luto.

En cambio el optimista sólo usa cristales rosados, y ve la amable púrpura de las rosas por todas partes, hasta en las espinas de las zarzas y en las piedras del camino de la vida.

Dos viajeros sedientos encontraron una botella. El optimista gritó satisfecho: "Buena suerte, está medio llena"...

Mientras el pesimista decía muy apenado: "Lástima que está medio vacía"...

El optimista ve una oportunidad en cada calamidad. El pesimista ve una calamidad en cada oportunidad.

Dice una fábula que dos ranas cayeron en un caldero de leche. Una de ellas, pesimista, se desesperó y se dejó ahogar. La otra, valiente y optimista, siguió nadando tranquilamente. Con el movimiento, se cuajó la leche; y cuando ya no pudo nadar trepó sobre la nata.

El pesimista hace como el viajero, que al encontrarse con un río, se sienta a esperar que pase el río...

El optimista imita al río, que al encontrarse con una dificultad que lo detiene, almacena fuerzas y salta por encima, aunque el río sea arrogante y peligroso.

cuello y estampando un sonoro beso en su mejilla manchada le dijo: "Mamacita, ahora te quiero dos veces. Una porque eres mi madre, y otra porque estás manchada, ¡por salvar mi vida!". Algo parecido tendríamos que decir de nuestros padres: "¿Por qué tantas canas en la cabeza? ¿Por qué tantas arrugas en su cara? ¿Acaso no habrían estado mejor económicamente si no nos hubieran tenido a nosotros? Recordemos lo mucho que han sufrido por nuestro bien y no lo poco que nos han hecho sufrir con sus debilidades e ignorancias. Cumplamos lo que recomienda Salomón en los Proverbios: "No olvides nunca lo mucho que por ti ha sufrido quien te crió".

5. CONSECUENCIAS TRÁGICAS DEL AUTORRECHAZO

1a. *Depresión*. Cuando alguien siente tristeza y resentimiento por su presencia física, por su cuerpo, o su aspecto, o por la pobreza de su familia, o por malos tratos o deficiente formación recibida en el hogar, o por no poseer cualidades brillantes, o por enfermedades que le acompañan y no se acepta como es, y no aprueba el modo como le ha correspondido vivir, necesariamente le llega la autocompasión y con ella, inseparablemente, la depresión. Por eso es absolutamente necesario ir cambiando los esquemas mentales, dejando a un lado todo modo de pensar negativo y tratar de adquirir modos de pensar positivos y optimistas. Si no hay autoaprobación, habrá depresión.

Un libro escrito hace 18 siglos, y que se llama *"La Didajé"*, o sea la enseñanza llena de sabiduría, trae este bello consejo: "Es necesario alegrarse de lo que sucede, y aceptar lo que nos pasa, porque todo ello es permitido por un Dios que nos ama inmensamente, y si lo permite, debe ser que de ello vamos a obtener mucho bien". Y un autor moderno, muy famoso, Freud, recomienda: "Hay que practicar la 'catarsis', gran remedio que sirve para combatir la neurosis. La catarsis consiste en ir cambiando todos nuestros recuerdos tristes, pesimistas y negativos, por pensamientos y recuerdos alegres, optimistas y positivos". Si no se hace esto llegará irremediablemente la depresión.

2a. *La impaciencia.* Esta consiste en que, ante la presencia de un mal o de una contrariedad, nos dejamos vencer por la tristeza. La impaciencia proviene de que no aceptamos los planes que Dios ha hecho para nosotros. Queremos corregirle la plana a Él, que es tan infinitamente sabio y bondadoso. Nos portamos con el Omnipotente como un ignorante campesino que se va a la cabina de un jet, a decirle al experimentado aviador cómo debe manejar su complicado avión. Dios sabe que ciertos sufrimientos son una escalera para que subamos más alto a la perfección y a la santidad y consigamos llegar a un puesto más elevado en el cielo. Por eso los ha permitido en nuestra vida. Porque son para nuestro mayor bien. Lo que necesitamos es pedirle a nuestro Señor, todos los días de la vida la paciencia, que es la virtud que hace que ante la presencia del mal no nos dejemos dominar por la tristeza.

3a. *El descontento.* Es curioso que en nuestra sociedad que tiene tan enorme abundancia de todo, la gente no vive llena de alegría. ¿Por qué? Porque con nada se sienten satisfechas. Tienen la enfermedad del "descontento", el no contentarse con nada. Y quien no puede repetir con san Pablo: "He aprendido a contentarme con poco", tendrá tristeza y depresión toda la vida. ¿Acaso no sería mejor contentarse con la salud que se posee, y la presencia más o menos normal que tenemos, y con los medios económicos ordinarios que poseemos, y las cualidades aunque no muy extraordinarias, pero sí suficientes que hemos recibido en vez de andar suspirando por ideales irrealizables, que segura-

HAY QUE ACEPTARSE
UNO COMO ES EN REALIDAD:
MITAD BUENO Y MITAD MALO.

Si PRETENDEMOS SER COMO ÁNGELES:
SIN DEFECTOS NI FALTAS,
NOS VAMOS A LLENAR DE DEPRESIÓN
ANTE NUESTRAS CAÍDAS. **Pero** SI ACEPTAMOS SER MALOS,
COMO NOS LO ACONSEJAN LOS ENEMIGOS DEL ALMA,
VAMOS A SUFRIR HORRIBLES DEPRESIONES.

LAS MALAS INCLINACIONES
DE LOS GRANDES PERSONAJES

1. En tiempos del famoso y estimado sabio Sócrates, había un médico muy célebre también, el cual con sólo observar la forma de la cabeza y la expresión de la cara de un individuo, descubría qué inclinaciones tenía. Lo llevaron entonces a que examinara a Sócrates (a quien no conocía), y después de observarlo detenidamente dijo: "Este hombre tiene gran inclinación a la borrachera". Los discípulos del gran filósofo se indignaron grandemente diciendo que eso era una calumnia, pero Sócrates respondió: "El médico tiene razón. Yo tengo mucha inclinación a la embriaguez, pero no tomo bebidas embriagantes". Era todo un carácter.

2. A un grafólogo moderno, el cual con pasmosa precisión adivina el temperamento de una persona con sólo observar su letra, le llevaron una carta de una mujer (sin firma) para que dijera qué temperamento tenía dicha mujer. Y el sabio, después de detenido examen dijo: "Esa mujer tiene un temperamento vengativo, vanidoso, sensual y muy parecido al de una de las más grandes criminales que he conocido". Después preguntó por el nombre de la que había escrito la carta y le contestaron: "Esa es una carta escrita por *santa Teresa de Jesús*, la más grande santa de los últimos siglos". Y en verdad estudiando bien la vida de esta famosa mujer se ha venido a comprobar que su temperamento era muy rebelde y defectuoso, pero a base de dominarse llegó a ser un portento de mujer amable, admirada por millones de personas aun hoy en día.

mente si los alcanzáramos, tampoco nos harían felices, porque no nos sentimos contentos con nada? El libro de los Proverbios dice: *"Mucho más feliz será un pobre durmiendo en el suelo sobre dura estera pero contento de su suerte, que un rico pasando las noches en la cama más lujosa, pero descontento con lo que le sucede"*. Así que, la felicidad no depende tanto de lo mucho que recibamos o de lo poco que nos falte, sino de saber contentarse con lo que se es y se tiene, y no ser insaciable en pretensiones y deseos.

4a. *El ensimismamiento.* Cuando alguien se siente muy descontento con su aspecto o su salud o su origen o su situación económica o su falta de cualidades especiales, puede tender a alejarse del trato de los demás. Como se rechaza y se desprecia a sí mismo, se imagina que también los demás le sienten rechazo y desprecio. Se va volviendo exageradamente sensible a las demostraciones de desprecio o indiferencia de los otros.

Los que se burlaban sin querer. Uno de estos seres deprimidos que viven sintiendo desprecio a sí mismos, y que se imaginan que los demás también los rechazan y desprecian, entró un día a un bar a tomarse una limonada. Y en una mesa del otro extremo vio a tres hombres que miraban hacia donde él estaba y se reían. Y esto lo hicieron por dos o tres veces. Entonces, lleno de indignación, fue a donde ellos estaban y les dijo pálido de la ira: "Señores, ¿qué mal les he hecho a ustedes para que me miren de esa manera y se rían de mí?". Y los otros sorprendidos le respondieron: "Perdone señor, ni siquiera lo habíamos visto. No nos habíamos dado cuenta de que usted estaba allá. Mirábamos hacia ese lado, pero no nos estábamos fijando en usted". Analicemos lo que le sucedió a este pobre señor: estaba despreciándose interiormente a sí mismo, y se imaginó que los otros también lo estaban despreciando, y ellos ni siquiera se habían dado cuenta de su presencia por allí. Es que la falta de autoaprobación nos puede llevar a tener unas relaciones desastrosas con nuestros prójimos. Y ellos no están pensando ni en usted ni en mí... Ni en el presidente, ni en nadie más. Están pensando solamente en ellos mismos. Entonces, ¿para qué andar tristes creyendo que están juzgando mal de nosotros? Pero si cada uno piensa mal de sí mismo, se va a imaginar que los demás están pensando también mal de él y esa noticia mentirosa le puede llenar de amargura su existencia.

5a. *La fracasitis.* Para los negativistas el antiguo adagio que dice: "Conócete a ti mismo", solamente significa buscar y hacer resaltar lo negativo que cada uno tiene. Y esto lleva al autorrechazo. Se proponen desdichadamente esta meta: "Conocer el yo negativo". Si piensan en el pasado solamente recuerdan los malos tratos recibidos, los fracasos sufridos, las humillaciones y los malos ratos. Parece que a los ojos de la mente les colocaron unos lentes negros y horrendos para no recordar sino los hechos dolorosos que no han sido ni siquiera el diez por ciento de lo que en la vida les ha sucedido. Si analizan el presente no ven sino lo malo de su existencia, y no se fijan en el 90 por ciento de cosas positivas que tiene la existencia de cada día. Si piensan en el futuro lo ven como una colección de espantos asustadores como si el Dios bondadoso y Omnipotente no estuviera en ese futuro, dirigiéndolo. Y como el subconsciente se alimenta de las ideas que le proporcionamos, pues necesariamente nos va a formar una personalidad supremamente inclinada al fracaso. Y todo ello porque nos falta autoaprobación, para nuestro pasado, para nuestro presente y aun para el futuro que nos espera, que no va a ser ni lejanamente lo que la mentalidad pesimista se está imaginando que va a ser. Y lo grave es que el que vive pensando en el fracaso llega más fácilmente al fracaso.

6a. *La imitacionitis.* Los individuos que viven descontentos de lo que son, tienden fácilmente a dedicarse a imitar a otros, y se vuelven ridículos y no serán felices. Carnegie cuenta que cuando empezó a escribir se propuso: "Voy a escribir como el autor famoso NN", y que después se dijo:"Mi estilo será como el del célebre periodista X", y así tratando de imitar a los que tenían cualidades tan distintas de las que él poseía, sus escritos eran una fanfarronada que a nadie agradaba. Hasta que al fin un día se propuso: "Yo Carnegie, voy a escribir solamente como sabe escribir Carnegie". Y su éxito fue total. A veces nos pasa como a aquel cuervo que se vistió de plumas de pavo real y lo único que consiguió fueron burlas y picotazos de sus colegas. Lo importante no es ser como éste o aquel, sino ser yo mismo de la mejor manera que me sea posible serlo. Pero para ello necesito apreciar y valorar bien las cualidades que he recibido del Señor, las cuales no son ni muy poquitas ni de poco valor, aunque en mis momentos de pesimismo se me ocurra decir mentirosamente que valen poca cosa.

7a. *Rebelarse y no dejarse emplear por Dios.* Lo que el buen Dios busca para hacernos triunfar es que cada uno se deje emplear dócilmente para obtener las obras de progreso que Él viene planeando ejecutar por medio de nosotros. Lo único que se le pide al pincel del pintor es que se deje emplear dócilmente. La obra de arte la hace la sabiduría del artista, pero necesita un pincel que se preste de buena gana para pintar bien. Cuando Dios ve que nuestra voluntad acepta incondicionalmente lo que Él permite que suceda, y que estamos resueltos a sacarle a la vida el máximo provecho, aunque estemos rodeados de sufrimientos y dificultades, entonces su Omnipotencia inyecta en nuestra existencia un milagroso poder que obra maravillas. Esto lo han experimentado todos los santos y la gente que tuvo una suficiente dosis de fe y de amor a Dios. No eran personas excepcionales ni distintas a los demás en cualidades ni en salud, ni en oportunidades. Pero se dejaron emplear dócilmente por el poder divino, y los resultados fueron totalmente desproporcionados a sus pocas cualidades. Porque, como decía el P. Pardo Murcia: "Si Sansón con la quijada de un burro venció a mil filisteos, porque Dios estaba con él, ¿qué no lograremos nosotros si confiamos en Dios, aunque seamos unos completos burros?".

Es algo incalculable y fuera de todos los límites que podamos soñar, aquello a lo cual lograremos llegar si dócilmente dejamos que Dios nos emplee para los fines y éxitos que nos tiene señalados. "Porque Dios tiene poder y bondad para darnos mucho más de lo que nos atrevamos a pensar o a desear" (Ef 3, 20). Pero eso sí, con tal de que en vez de sentir autorrechazo por lo que somos o poseemos, nos dediquemos a tratar de sacar de todo ello el mayor fruto que nos sea posible.

¿POR QUÉ LA MAYORÍA DE LA GENTE TIENDE A RECHAZARSE?

1º. *Por no saber darle tiempo al tiempo.* El niño que va a ayudar a su padre a arreglar el automóvil, y después de tratar inútilmente de componer aquel daño, ve que su papá, que es un práctico mecánico, arregla en diez minutos lo que el pequeño no fue capaz de mejorar en una hora. Entonces podría sentir frustración si no tiene la paciencia de esperar a que con el tiempo, también él poseerá esa misma habilidad de su padre, pero después de haberse ejercitado mucho y por muchos días. Lo mismo podríamos decir de la jovencita que después de una hora en la cocina solamente logra hacer un amasijo indigesto y en cambio viene la mamá y en diez minutos fabrica una torta sabrosísima. ¿Qué hacer? ¿Frustrarse? No. Aguardar, que con el tiempo y la práctica también ella lo logrará.

Lo mismo podríamos decir del músico principiante que tiende a desanimarse al comparar su inhabilidad con la asombrosa facilidad del maestro de música. O del profesor novato que tiende a desanimarse al constatar que en su clase hay desorden y no logra hacerse entender muy bien, mientras el experimentado profesor de la clase siguiente obtiene una disciplina perfecta y se hace entender a las mil maravillas del alumnado. Todo puede ser cuestión de tiempo, de práctica y de ejercicio y de ir adquiriendo experiencia. Sería una idiotez que uno que está aprendiendo a manejar un auto se desanimara porque no logra hacer los cambios o dar las curvas con la maestría y habilidad con la que lo hace su experimentado profesor de conducción. Hay que darle tiempo al tiempo y no vivir autorrechazándonos como si fuéramos unos faltos de cualidades. Es que muchas veces lo que la gente llama talento no es más que el fruto y resultado de una constante repetición, hasta adquirir la habilidad. Pero hay que saber esperar sin desanimarse.

El orador que empezó fracasando

Se llamaba Demóstenes. Sus primeros discursos fueron un completo fracaso. La pronunciación era muy defectuosa. El tono de su voz sumamente desagradable. No ponía a sus discursos el grado de emoción que ellos necesitaban para ser atendidos debidamente. Y ¿qué hizo el joven Demóstenes? ¿Autorrechazarse? ¿Autocompadecerse? No. De ninguna manera. Lo que hizo fue ejercitarse. Empezó a subir lomas muy pendientes recitando poesías o cantando canciones muy sonoras, para ir adquiriendo fuerza en sus pulmones. Se colocaba piedrecitas debajo de la lengua y recitaba poemas enteros así, para darle soltura a su pronunciación. Cantaba largos ratos en falsete para irle dando agradabilidad a su voz. Pronunciaba muchas palabras con estas sílabas: "bra-bre-bri-bro-bru"... para reforzar su pronunciación, y repetía muchas veces ciertas consonantes, por ejemplo: lul, nin, mum... Para que su modo de hablar se fuera volviendo agradable al oído de los que lo iban a escuchar. Dondequiera que hablaba un orador famoso, allá estaba Demóstenes escuchándolo para aprender cómo se habla con éxito en público. Y cuando la gente discutía llena de ira y de emoción se fijaba bien con cuánto afecto y emoción defienden los seres humanos lo que no quieren perder de ninguna manera. Y así, con meses y años de práctica y estudio, *Demóstenes llegó a ser el más grande orador de la antigüedad* (año 333 aC.) hasta tal punto que según cuentan, cuando en plena plaza él gritaba: "¡Conciudadanos, la patria está en peligro!" el pueblo levantaba el pie derecho y exclamaba: "¡Al frente mar!" y salían a batallar como leones enfurecidos.

¿Cuál fue el secreto de Demóstenes? Que en vez de autorrechazarse y de autocompadecerse, se dedicó a "capacitarse" y supo darle tiempo al tiempo y aguardar a que con la práctica y el ejercicio, las cualidades propias le llevaran al éxito.

2°. *Nos autorrechazamos porque le tenemos demasiado miedo al ridículo.* Llamamos ridículo a todo aquello que por su rareza provoca risa o atrae las burlas de los demás. Y es curioso que la gente, aunque sea tan valiente y sepa enfrentarse ante un escuadrón enemigo, sin embargo, le tiene un pavor inmenso al ridículo. Y es que nos tomamos demasiado en serio y los que se toman demasiado en serio se vuelven supersensibles a la burla de los otros y enfermizamente temerosos de caer en ridículo.

Pero es que nosotros no valemos por lo que los demás piensen de nosotros sino por lo que somos.

3º. *Por qué le damos más importancia a nuestros defectos que a nuestras cualidades.* Los que se autorrechazan lo hacen porque los domina una obsesión: la de vivir pensando y recordando sus defectos y sus fracasos. Es un modo de pensar apabullante y paralizador y la mayor parte de las veces totalmente inútil. Es como si un cuervo en vez de apreciar lo poderosas que son sus alas para volar por las alturas, se pusiera a entristecerse por el feo color que tienen sus plumas, o como si una paloma en vez de apreciar su mansedumbre y su sencillez y su pureza, se dedicara a autorrechazarse porque no canta tan lindo como un ruiseñor. O como si un triunfador, en vez de recordar sus éxitos maravillosos, viviera recordando sólo sus derrotas.

4º. *Por el trato con personas demasiado criticonas, exigentes e insatisfechas.* Si algo hay que lo lleve a uno a sentirse autorrechazado constantemente, es el tratar con gentes a las cuales nada les satisface de lo que hacemos o decimos. Con esos eternos criticones que hasta cuando lleguen al cielo todavía estarán suspirando por no haber podido ir de turismo al infierno. Por esos "tíos quejitas"que quisieran que nosotros fuéramos semidioses sin imperfecciones. Estas personas las hay, y en mayor cantidad de la que fuera de desear, pero el remedio para tratarlas puede estar en esta fórmula que le dio Jaime Balmes a uno que le pedía consejo para no desanimarse ante las críticas y murmuraciones: "Lo importante no es que no llueva. Lo importante es que no se le entre a usted el agua por el cuello. Use el paraguas de 'la indiferencia'. ¿Qué importa lo que digan ellos? Usted no es menos porque lo critiquen, ni más porque lo alaben. Usted es lo que es ante Dios y nada más y nada menos. No nacimos para buscar agradar a la gente sino para tratar de tener contento a Dios. Y Él sí sabe contentarse con lo que podemos hacer y ser, aunque sea poco y sin relumbrón".

SEÑALES EN LAS CUALES SE CONOCE
LA PERSONA QUE SE TIENE AUTOAPROBACIÓN

Cuando alguien siente autoaprobación lo da a conocer por las siguientes señales:

1a. *Acepta sin amarguras lo que no puede cambiar y se dedica con valor a tratar de transformar aquello en lo cual sí puede mejorar.* Este es un lema que los cristianos han tenido ya desde hace más de 18 siglos, pues en una oración del siglo II ya se encuentra (y como ya lo sabemos, los Alcohólicos Anónimos han popularizado por todo el mundo esa bella oración: "Señor: enséñame a aceptar sin amarguras las cosas que no puedo cambiar, y concédeme valor para transformar aquello que en mí debe mejorar").

El que se tiene autoaprobación no se felicita por sus debilidades sino que se traza programas de acción para compensar esas fallas con una mayor actividad en otros aspectos, así como el ciego agudiza sus demás sentidos para suplir con una mayor productividad del resto de sus capacidades lo que le falta por la debilidad de sus ojos. A sus debilidades y falta de cualidades en unos aspectos no responderemos con una resignación fatalista ni con una rebelión airada, sino con una mayor actividad en otros campos con la cual podemos compensar lo que nos falta en esos puntos más débiles de nuestra personalidad.

Hovard fue enviado por su padre a estudiar abogacía. Pero los estudios de derecho le costaban muchísimo y casi no se le quedaba nada en la memoria. En cambio, el desbaratar motores y el armar máquinas que movieran piezas especiales le agradaba mucho y lo hacía con enorme facilidad. Su padre le dijo comprensivamente: "Ya has descubierto algo para lo cual no sirves, pero también lograste descubrir algo para lo cual sí tienes cualidades e inclinación. Dedícate a ello". Y Hovard llegó a inventar lavadoras eléctricas y con esa industria se hizo rico y famoso. No se desanimó por aquello en lo cual era débil y defectuoso sino que se dedicó a averiguar en que sí lograba producir buenos resultados. Y por allí triunfó.

2a. *No vive envidiando a los demás, y acepta a los otros como son.* Desde el momento en el que se tiene autoaprobación, empieza ya a disminuir notablemente la envidia que sentía hacia los que tienen más cualidades o mayores bienes de fortuna. La autoaprobación lo va llevando a uno invariablemente a contentarse con lo suficiente sin estar aspirando a lo que no es de primera necesidad. Y esta autoaprobación lo lleva a sentir también aprobación por lo que los demás son y tienen.

Cuando se autorrechazaba pensaba al ver pasar al vecino en un lujoso auto: "Y, ¿por qué yo no puedo viajar en un auto propio así como él?", y se ponía a rabiar. Pero ahora al ver pasar a su vecino en su flamante último modelo se pone a pensar: "¿Y si a mí se me hubiera muerto la mamá, como a él ayer? ¡Mejor será que no trate de cambiar mi suerte con la de ningún otro!".

3a. *Se ama y se estima a sí mismo.* La señal más negra de quien se tiene autorrechazo es que ni se ama ni se estima a sí mismo. Y qué horrible tener que viajar y vivir las 24 horas del día con alguien a quien uno no ama ni estima. ¿Y si ese alguien es uno mismo? ¡Qué vida tan insoportable! Nadie ama lo que no estima, decía Santo Tomás. ¿Si uno no se estima, cómo se puede amar a sí mismo?

En cambio, el que se tiene autoaprobación empieza a estimarse cada día más. Y cuanto mayor sea la estimación que se tenga a sí mismo, mayor será el amor que le va a tener a su propio ser.

Alguno dirá: ¿pero no es malo amarse uno mucho a sí mismo? Pues no. Ya que el mismo Dios en la Biblia nos ordenó que cada uno tiene que amar a los demás como se ama a sí mismo. ¿Y cuánto quiere Dios que amemos al prójimo? ¿Poquito o mucho? ¿No es verdad que el querer divino es que nuestro amor al prójimo debe ser muy grande? Pero si cada cual debe amar al prójimo como se ama a sí mismo y al prójimo hay que amarlo muchísimo, ello es señal de que a nosotros mismos también debemos amarnos enormemente.

Y no lo olvidemos: para amarnos más, necesitamos estimarnos más. Si vivo diciéndome: "¡Yo no sirvo para nada!". "¡Yo no tengo cualidades!". "¡Yo soy un monstruo!". "¡Soy un idiota!". "¡Soy un ser de segunda clase!", etc., ¿qué amor me voy a poder tener? ¿Acaso es que el corazón se siente inclinado a amar lo monstruoso y lo degenerado? Pero si por el contrario, me autopruebo y me digo: "Dios me ha dado cualidades para esto y para lo otro... soy una obra maravillosa hecha por las manos del Divino Creador... Dios me hizo a su imagen y semejanza en mi espíritu, y por tanto, tengo en mi personalidad muchos rasgos muy semejantes a los del Creador... mi cuerpo es una obra maestra de las manos de Dios y si lo fuéramos a mandar hacer no nos lo harían por mil millones etc.". ¡Ah!, entonces sí me amaré a mí mismo, porque primeramente me autoaprobé, y después de la estimación viene necesariamente el amarse verdaderamente.

4a. *Tiene un modo de ser alegre, expresivo, agradable.* Porque el que se autoestima no vive dándose continuamente palizas mentales, sino más bien imitando a aquel hombre del Evangelio del cual dice Jesús que "descubrió un tesoro y se puso muy contento" (Mt 13, 44). En su personalidad, en su salud, en su pasado y en su presente vive hallando y descubriendo cada día nuevos tesoros que Dios le ha concedido, y eso le lleva a pasar su vida no entre lamentaciones y quejas, sino cumpliendo lo que aconseja san Pablo: "Llenad vuestra vida de cantos de acción de gracias, de himnos de agradecimiento, y de oraciones continuas de gratitud por todo a Dios" (Ef 5, 19-20).

No hace mucho, los alumnos de un colegio dirigieron un *"pliego de peticiones a los superiores"*, y allí les decían: "Nos entristece verlos encerrados, agresivos, mal geniados, porque eso nos hace creer que ustedes viven en las mismas crisis de adolescencia que nosotros padecemos. En cambio, quisiéramos verlos comunicativos, alegres, optimistas, con rostro no de decepcionados, sino de gente realizada. Nos hace sufrir el verlos aparecer con cara de entristecidos o decepcionados en la vida. Ya son demasiados los que por la calle vemos pasar con rostro de insatisfacción, y desearíamos que ustedes, nuestros formadores, aparecieran ante nosotros con una presencia que demuestre que están contentos de ustedes mismos y de sus realizaciones" (Bogotá, 1991). Esa presencia agradable que estos jóvenes deseaban de sus profesores, es la que adquiere quien siente autoaprobación y se ha logrado convencer de que lo bueno y positivo que hay en su modo de ser y en su vida es inmensamente más numeroso y de alto valor, que sus defectos y faltas de cualidades y de bienes materiales.

5a. *Acepta los reproches, las críticas y hasta los regaños.* Pocas personas hay tan sensibles a los reproches y regaños y críticas como las que se sienten autorrechazo y desaprobación. Les pasa como a un gato manso al cual encerramos en un rincón y fingimos que lo vamos a atacar: lanza feroces arañazos, porque se siente acorralado y sin salida. Así es el que se autorrechaza y se desprecia: a cada crítica o regaño y observación que recibe exclama que le persiguen, que no lo comprenden, que lo humillan, y que todo eso es porque él no vale nada; ni sirve para nada, y que por eso todos le desprecian.

En cambio, quien siente autoaprobación y reconoce los valores que tiene en su personalidad y en su vida, y en su pasado y en su presente, en vez de desanimarse por las críticas, repetirá la frase de aquel famoso rector de universidad a quien le criticaban tanto sin misericordia: *"Nadie le lanza pedradas a un perro muerto. Si me critican es porque les intereso"*; o aquellas palabras de santa Micaela: "Me critican quizá más de la cuenta hasta por cosas que no he hecho, pero menos mal que por muchos errores que sí he cometido, no me critican porque no los conocen y así no me pueden criticar ni desacreditar más de la cuenta".

Shakespeare decía: "Que si a cada uno nos tuvieran que hacer llegar el castigo justo que merecemos por nuestros errores y pecados, al mejor de nosotros le tendrían que aplicar una buena paliza". Porque no somos tan buenos como deberíamos ser. Afortunadamente los criticones nos azotan con sus lenguas, pero no logran despellejarnos a palo como quizá lo mereceríamos. Pero hay uno que califica y que sí paga bien: es el Dios del cielo. Y Él sí ve todo lo bueno que hemos obrado y Él no deja nada bueno sin recompensa. Así que aunque la gente hable contra nosotros, hay arriba uno que está anotando todos los detalles de nuestra vida y a su tiempo nos pagará según nuestras obras. Este pensamiento produce mucha satisfacción y llena el alma de esperanza. ¿Por qué deprimirnos cuando la gente ignorante anda criticándonos y regañándonos y llenándonos de reproches, si el verdadero pagador, Dios Omnipotente, sí nos sabe comprender muy bien y no va dejar ninguna buena ocasión sin su correspondiente premio inmensamente generoso?

MÉTODOS PARA MEJORAR
NUESTRA AUTOIMAGEN

Hay muchas personas paralíticas mentalmente porque tienen una idea muy pequeña de lo que son y de lo que pueden. Sin ser inmodestos, cada uno de nosotros tenemos que tener una alta idea de lo que somos y de lo que valemos. Dicen que la alegría es la tristeza superada. Y para superar la tristeza que nos trae el autorrechazo tenemos que aprender unos métodos que nos van a conseguir mejorar nuestra autoimagen. Y son los siguientes:

1º. Considerarse socio de Dios, amigo de Dios

Jesús nos dice: "Ya no os llamo siervos o empleados, sino mis amigos" (Jn 15, 15). Y san Pablo nos recuerda: "Somos colaboradores de Dios" (1Co 3, 9). Y esto es lo que ha hecho de los santos los seres más audaces en emprender grandes obras: el sentirse aliados de uno que jamás pierde ni fracasa y que siempre obtiene lo que se propone: nuestro Dios.

Santa Teresa que emprendía obras magníficas con medios humanos miserables e insignificantes, exclamaba: "Mis bienes y Teresa, igual: cero y nada. Mis bienes, más Teresa, más Dios... ¿Quién nos ataja? Nadie".

Recordemos la actuación de los hombres más emprendedores en el Antiguo Testamento: por ejemplo: *Noé,* se atreve a enfrentársele a un desastroso diluvio porque se sabe muy amigo de Dios y totalmente protegido por Él. Y todo le resulta a las mil maravillas.

Abraham, se arriesga a dejar su país y su familia para irse a un país desconocido, porque está seguro de que Dios es su amigo y su constante protector. Y el buen Dios no le falla ni una vez y lo va guiando y protegiendo de manera prodigiosa.

Jacob y *José,* son dos hombres para los cuales la vida no fue nada fácil y las dificultades que se les presentaron fueron espantosamente grandes (ojalá leyéramos su historia bellísima en los últimos capítulos del Génesis, primer libro de la Biblia). Pero ambos se libraron de la depresión y del desánimo con estas ideas: "Dios me ama. Dios cuida de mí. Dios es mi protector.

Estoy trabajando en compañía con Dios". Y estas convicciones hicieron que nunca se dijeran a sí mismos: "Hasta allí no más puedo llegar. De ahí no podré pasar". No, eso nunca lo creyeron ellos, sino que más bien se decían: ¿y por qué no intentar algo más? ¿Es que acaso el poder de mi Dios tiene límites?". Y creyeron que tenían a su disposición el poder sin límites del Dios Creador y no se convirtieron en víctimas de su pesimismo. Pero para obtener esa enorme confianza en Dios se necesita algo especial que le vamos a decir ahora.

EL MEJOR CONSEJO PARA TODO ESTE AÑO

Amable creyente, el consejo que le damos enseguida es sin duda el mejor de todos los consejos que usted puede recibir en todo este año: "No deje pasar una semana de su vida sin leer una página de la Sagrada Biblia". Este consejo puede transformarle a usted de pesimista en optimista, de deprimido en entusiasta, de persona llena de autorrechazo, en gente que se va a brindar siempre una calurosa autoaprobación. Le repetimos esto: no le pedimos que nos crea. Sólo le pedimos que haga la prueba. Son millones los que la han hecho y lo único que sienten es haber dejado para tan tarde en su vida el haber empezado a practicar este remedio que obtiene tan admirables cambios en la personalidad.

Y CUIDADO CON LAS TRAMPAS

El enemigo del alma le va a hacer exclamar: "No leo la Biblia porque no entiendo". ¿De veras? ¿Entonces es usted más idiota que miles de viejitas que no hicieron sino tercero de primaria, y sin embargo, leen una página de la Biblia cada día y sí entienden algo cada vez? ¿O va a ser usted más ignorante que tantos campesinos y sencillos obreros que apenas aprendieron a leer y nada más, y cada semana leen una página del Libro Santo y sí entienden y captan algún mensaje en cada ocasión que leen? ¿Que no se entiende el libro que Dios mandó escribir? ¿Entonces Dios es más mal redactor que esos novelistas de pacotilla que todo mundo anda leyendo sin ningún provecho para el alma? ¿De veras? No hermano, no se deje engañar.

**NO DEJES PASAR ES TE AÑO SIN CONSEGUIR Y LEER
LA SAGRADA BIBLIA:
SERÁ EL MEJOR CONSEJO
DE TODA TU VIDA.**

Usted sí entiende. ¿Que no entiende todo a la vez? Eso es normal. Tampoco el libro de álgebra o de inglés lo entendimos todo la primera semana, pero poco a poco fuimos entendiendo. Así nos pasará con la Biblia. La iremos entendiendo poco a poco, pero cada vez entenderemos y captaremos algún mensaje que nos aprovechará inmensamente para el alma.

¡Una blasfemia! Que jamás salgan de los labios de usted estas mentirosas palabras: "No tengo tiempo para leer la Biblia". Eso es una verdadera blasfemia, una frase en contra del santísimo Dios. Cada uno tiene tiempo para lo que quiere. Pero para lo que no quiere, jamás encuentra tiempo. Si usted no tiene tiempo para leer el Libro de Dios, no diga que ama a Dios. Eso sería una mascarada: andar diciendo con la lengua que sí lo ama y mientras tanto decirle con su pereza que no se digna concederle a Él ni siquiera cinco minutos cada semana, para leer el libro que su sabiduría infinita mandó redactar.

Pero, ¿cuántos minutos se gastan en leer una página de la Biblia? Si usted quiere haga este ensayo. Abra ahora mismo su Biblia. Mire su reloj y empiece a leer una página, fijándose bien en el minuto que está marcando el reloj. Lea la página en voz alta..., y cuente cuando termine de leerla, ¿cuántos minutos empleó en su lectura: tres? o quizá hasta 4 minutos. Pero no más. ¿Y cuántos minutos tiene un día? 1.440. ¿Y cuántos minutos hay en una semana? 10.080. Quítele al día esos 4 minutos: le quedan para usted todavía 1.436 minutos. Quítele los 4 minutos a una semana: le quedan para su libre uso 10.076 minutos... ¿Y todavía se atreverá a decir que no le queda tiempo para leer una página de la Biblia cada semana? Nos atrevemos a decirle que usted tiene tiempo hasta para leer una página de la Biblia cada día, si usted quiere. Porque si no quiere, no tendrá tiempo para ello ni siquiera en toda su vida. En esto no hay gente que no puede. Lo que sí existe es gente que no quiere. Y el primero que no quiere que usted lea es su eterno enemigo Satanás porque él sabe muy bien por experiencia que quienes leen frecuentemente la Sagrada Biblia se le van de sus manos y se le independizan y ya no le marchan como recua de burros viejos, por el camino de la perdición y del desastre eterno. Ojalá empiece usted hoy mismo a independizársele, leyendo su paginita. Verá ¡qué buenos resultados le van a llegar!

Reciba un consejo práctico: le recomendamos que donde consiguió este libro que está leyendo pregunte por el hermoso libro titulado: *"70 preguntas acerca de la Sagrada Biblia"*. Allí encontrará los métodos más fáciles para leer con gusto y gran provecho el Libro Santo.

Y como resultado de su lectura frecuente de la Sagrada Biblia vamos a conseguir echar muy lejos el autorrechazo e iremos adquiriendo una saludable autoaprobación, porque ya no nos sentiremos solos ni desamparados, ni incapaces de triunfar, sino que oiremos frecuentemente en esas preciosas páginas las palabras de un Dios poderosísimo que nos repite: "No te asustes. No te afanes. ¡Yo nunca te abandonaré! Confía en mí y vencerás", etc.

2°. Considerarnos hijos del Altísimo:

Dice san Juan: a los que lo reciben, Jesús les da el poder de llamarse y ser hijos de Dios (Jn 1, 12). Somos hijos de Dios (1Jn 3, 2). Y san Pablo añade: "El Espíritu Santo da testimonio de que somos hijos de Dios, y si somos hijos somos también herederos de Él, con Cristo" (Rm 8, 16). ¿Posible que alguien que pertenece a la mejor familia del mundo, la familia del mismo Dios, ande imaginándose que nada vale, y que nada bueno podrá hacer? ¿Acaso va el Señor a abandonar a un hijo suyo que le pide protección? ¿Podría el Creador de cielo y tierra destinar al fracaso a un hijo que lo ama y que confía en Él?

La respuesta de una campesina

La hija de un presidente de la República era muy orgullosa y le gustaba humillar a las niñas pobres. Y un fin de semana se fue a pasar unos días en una finca y vio venir por un camino a una campesinita pobre y descalza. La niña venía de una escuela donde la estaban preparando para la Primera Comunión y allí le habían enseñado que ella desde el día de su Bautismo es hija de Dios.

La hija del presidente le preguntó a la campesina: "¿Sabes quién es mi padre?" —No, respondió la niña pobre— "Pues mi padre es el presidente de la República. ¿Oyó?, ¡para que no se le olvide!", le añadió la joven orgullosa.

Y la humilde campesina le preguntó a su vez: —¿Y usted sabe quién es mi padre? —No, no lo sé, le dijo la otra—. "Pues mi padre es Dios. Y el presidente comparado con Dios, es como una garrapata muerta. ¿Oyó? No lo olvide", le dijo la inteligente aldeana.

Si mi Padre es Dios, si mi hermano es Jesucristo, si mi huésped en el alma es el Espíritu Santo y si mi herencia es el Reino de los cielos, acaso no tengo derecho a tener una autoimagen positiva, optimista y no de pesimismo y autorrechazo. ¿Por qué andar con la cabeza baja si fuéramos de la peor familia del mundo, si somos de la mejor familia que existe? ¿Por qué no andar con la frente en alto como Hijos de Dios y herederos del cielo? Hoy mismo, podemos estrechar la mano del presidente de la nación o de miss universo o del campeón mundial y decirle: "Lo felicito, usted vale mucho, pero yo también, ¿usted es Hijo de Dios? Yo también; ¿usted es hermano de Jesucristo? Yo también; ¿usted es heredero del cielo? Yo también". Somos de una familia de primerísima clase, la familia de Dios; y la familia del dueño del mundo no se hizo para fracasar y no ser nada, sino para triunfar y ser y hacer mucho. Estas ideas mejoran mucho la autoimagen.

3°. No dejarse apachurrar por los sentimientos de culpabilidad

Respecto a los pecados que hemos cometido podemos tener *dos clases de actuaciones: la contrición y el remordimiento*.

La contrición es un pesar o tristeza de haber ofendido a un Dios extraordinariamente bueno que ha sido tan amable y tan generoso con nosotros. Este dolor de los pecados es pacífico, y no desesperante. Es como el que sintió el hijo pródigo cuando volvió donde su padre y de rodillas le dijo: *"Padre, he pecado contra el cielo y contra ti"*, o como el de aquel publicano del cual dice Jesús que se iba al templo y arrodillado decía: "Misericordia Señor que soy un pecador" (Lc 18, 13). Es como el arrepentimiento de Magdalena que lavó con sus lágrimas los pies de Jesús, o como el de san Pedro que después de sus tres negaciones en la noche del Jueves Santo, al sentir la mirada de Jesús empezó a llorar de arrepentimiento, y logró ser perdonado y volver a la amistad con el Señor. Esta clase de sentimiento de culpabilidad no trae depresión, sino más bien una gran paz en el alma, porque sabemos que Dios ha prometido solemnemente que "un corazón arrepentido nunca lo desprecia" (Sal 50, 19). Todo el que es culpable debe sentirse culpable. Y si no se siente tal o es un mentiroso o ha perdido la memoria o no tiene conciencia. Pero el que cree en la bondad y en la misericordia de Dios, recuerda que Él sabe de qué barro somos hechos y comprende nuestra debilidad y está dispuesto a perdonarnos si estamos resueltos a mejorar nuestro modo de comportarnos. Y le pide perdón y obtiene ser perdonado.

Pero hay otro modo de sentir la propia culpabilidad: *el remordimiento*. Y éste sí es catastrófico. Remordimiento viene de "re-morder": morder dos veces. Es el sentimiento de rabia, de desánimo, de asco y de fracaso, no tanto por haber ofendido a Dios, sino por haber hecho lo que nos humilla y nos derrota.

Es el caso de Caín, que después de matar a su hermano Abel, pasa errante el resto de su vida, con el remordimiento amargo de su pecado y sin creer que Dios le va a perdonar; o el caso aún más terrible de Judas que después de vender a Jesús por treinta monedas, en vez de ir a colgarse del cuello del Redentor y pedirle perdón y ser perdonado, lo que hizo fue ir a colgarse de un árbol y ahorcarse desesperado.

Los cristianos sabemos que Jesús vino al mundo fue expresamente a salvar a los pecadores (1Tm 1, 15) y que siente mayor alegría por un pecador que se convierte que por 99 santos que no necesitan conversión (Lc 15, 7) y que como médico de las almas que es, lo que busca son enfermos del espíritu para curarlos. San Juan nos recuerda que "la sangre de Jesucristo nos purifica de todos nuestros pecados" (1Jn 1, 7).

Ojalá leyéramos un precioso folleto que se titula: *"Cómo hacer una buena confesión"*; su lectura nos puede traer una gran paz.

Y después de arrepentirnos y de pedir perdón al Señor y de confesar nuestros pecados graves a un sacerdote, entonces, desde ahora en adelante en vez de andar cultivando pensamientos de complejo de culpa, lo que tenemos que hacer es darle gracias muchas veces por habernos enviado a su Hijo para perdonar nuestros pecados; y no cansarnos nunca de agradecerle el habernos perdonado tantas veces. Con rabiar y desanimarnos por haber pecado no ganamos nada y sí deterioramos nuestra autoimagen. Pero con pedir perdón al Dios bondadoso y ofrecerle muchas obras buenas en desagravio por nuestras culpas y confiar totalmente en su buenísima voluntad para perdonarnos, con eso sí que adquirimos una gran tranquilidad en el alma y una envidiable paz.

Cuidado con el perfeccionismo. Los perfeccionistas tienen que luchar contra una gigantesca y esclavizante conciencia que les quiere exigir no cometer nunca ni la más mínima falta. Eso es pretender ser como Dios: el perfecto, el impecable, el que jamás falla en nada. En cambio los que tienen una conciencia normal se dicen: "Humano soy y errar y equivocarse es algo totalmente humano. Lo que mi Dios me pide no es que nunca cometa falta alguna, porque entonces yo sería un ángel del cielo viviendo en esta tierra. Probablemente lo que me pide mi Creador es que yo no ame mis pecados, que no acepte mis modos equivocados de comportarme, y que después de cada caída le pida perdón y me proponga firmemente evitar esas faltas en el porvenir". Por lo demás, muchas veces el perfeccionista se entristece, no porque el pecado ofende a Dios sino porque no logra ser tan perfecto como su orgullo lo desea.

4°. Hacer la lista de nuestros éxitos y agradecerlos a Dios

Og-Mandino, en su bellísimo libro *"El Vendedor más grande del mundo"*, coloca como un medio admirable de vivir feliz el hacer la lista de los éxitos que Dios nos ha permitido conseguir y darle gracias frecuentemente por ellos. Y esto es de una eficacia casi milagrosa, para adquirir una agradable autoimagen.

No es conveniente ni mucho ni poco el permitir a la mente que ande recordando nuestros fracasos ni los momentos tristes de la vida. Esto sería tan infeccioso para el alma como lo sería para el cuerpo el revolcarnos en un hoyo lleno de podredumbre, y lleva irremediablemente a la autoconmiseración, al autorrechazo y a la depresión. En cambio el pensar frecuentemente en los triunfos que la bondad Divina nos ha permitido conseguir, va llevando automáticamente a una buena autoimagen, y trae muchas alegrías y aleja la depresión.

Lo que se obtuvo con hacer una lista

Cuando era joven profesional fui enviado a las selvas del Opón a dirigir una obra social. Tenía la responsabilidad de 300 internos y además tenía que atender a ocho mil personas diseminadas por entre todos aquellos espesos montes. El poblado más cercano estaba a cuatro horas de camino por entre barrizales impasables, y había que atravesar ríos tormentosos en simples balsas amarradas con bejucos. La alimentación en tierras calientes es espantablemente monótona: por la mañana arroz y plátano; a mediodía plátano y arroz y por la tarde, para variar: arroz y plátano. El clima horrendamente húmedo (llovía 300 noches cada año). El agua infectada hasta el infinito de amebas. Sin radio (ni en ese tiempo había TV) y no llegaba el periódico sino un día por semana. Los viajes en mula para atender a la gente eran miedosos (varios de mis antecesores habían tenido caídas mortales por esos precipicios). La guerrilla hacía matanzas que no se pueden ni narrar. Y yo tan recién graduado... Y empecé a perder por completo el apetito. Veía los alimentos e inmediatamente me quedaba sin apetito. Unicamente deseaba comer algunas frutas como manzanas o duraznos pero en esas lejanas selvas no había nada de eso. Y me fui enflaqueciendo de tal manera que la gente decía que estaba *tan flaco que una gallina me podía comer sin sacudirme*, y que estaba tan débil que me derribaban con un estornudo.

Y no se lograba adivinar cuál era mi enfermedad: ni parásitos, ni hígado, ni anemia... Los remedios para esos males no me hacían ningún efecto.

La solución: después de varios meses de sufrimiento y agotamiento, fui invitado a la capital de toda aquella región a dictar una conferencia. Y allá en esa ciudad después de haber pedido mucho a nuestro Señor por intercesión de la Virgen María, que me solucionara aquel grave problema de salud, leí en el libro del Eclesiástico, de la Biblia, esta bella frase: "Tienes que rezar a Dios por tu médico, para que el Señor le ilumine lo que debe aconsejar". Me dediqué entonces a pedirle al Espíritu Santo que le dijera a un médico cuál era la causa de mis males. Y me fui en busca de un facultativo. Me habían recomendado un doctor de gran fama. Al llegar a su despacho encontré una gran multitud de pacientes aguardando turno para su consulta. Y allí en la pared de la sala vi escrita con grandes letras aquella frase bíblica: "Lo primero que hay que hacer para obtener la verdadera sabiduría es tener temor de ofender a Dios" (Pr 1, 7). Ya con esto me animé más a confiar en que por allí había alguien que me iba a solucionar mi penosa situación.

Cuando me presenté a donde el médico (después de haber rezado mucho para que Dios me concediera la solución a mis males por medio de ese hombre), el doctor ni siquiera me tomó el pulso ni me puso ningún aparato sobre el corazón para medir mis pulsaciones. Solamente me preguntó qué era lo que sentía y enseguida sin más ni más me dijo: *"La causa de todo esto es que hay en su vida algo que usted no acepta.* Y la naturaleza está demostrando su disgusto por medio de la falta de apetito. Por favor, dígame: ¿qué es lo que actualmente no acepta usted de lo que está sucediendo en su vida?". Yo le dije que no aceptaba tener que estar viviendo allá en esas selvas, con esos climas y esas incomodidades y tanta falta de todo, y tan solo para con tanta gente a mis cuidados.

Entonces el buen doctor me dio un remedio maravilloso: "Cada día escriba en un papel diez cosas buenas que le están sucediendo a usted y por las cuales le quiere dar gracias a Dios. Y esto por diez días".

El remedio me pareció demasiado sencillo pero me propuse cumplirlo. Y el primer día escribí: "Doy gracias a Dios: 1°. Porque veo. 2°. Porque tengo buen oído. 3°. Porque duermo bien. 4°. Porque la gente me quiere. 5°. Porque tengo buenas capacidades para estudiar. 6°. Porque tengo un techo para vivir. 7°. Porque tengo un empleo para ganarme la vida. 8°. Porque tengo una familia buena, que aunque está lejana por ahora, sin embargo, me quiere mucho. 9°. Porque pertenezco a la mejor religión del mundo. 10°. Porque hay un cielo donde nuestro Señor me tiene un premio por todo lo que sufro".

Al segundo día escribí: "Doy gracias a Dios: 1°. Porque no estoy paralizado sino que ando y trabajo expeditamente. 2°. Porque no soy leproso ni llaguiento sino que mi piel es completamente normal. 3°. Porque no soy tísico ni canceroso, y respiro muy saludablemente. 4°. Porque no soy borracho ni mujeriego, ni me gustan los juegos de azar. 5°. Porque ni yo, ni ninguno de mi familiares hemos tenido que ir jamás a una cárcel. 6°. Porque no tengo deudas que no pueda pagar. 7°. Porque no tengo enemigos que me odian o que me busquen para hacerme mal. 8°. Porque no tengo la desgracia de ser incrédulo o de ser indiferente para con Dios, sino que lo amo y creo y espero en Él. 9°. Porque me siento amado por el Dios omnipotente y sé que sus santos y sus ángeles me ayudan y ruegan por mí. 10°. Porque Dios no me ha castigado como merecen mis pecados sino que me ha perdonado siempre y me perdonará todas las veces que le pida perdón".

¿Y el tercer día?... Bueno ya el lector podrá imaginar las otras diez cosas que escribí dando gracias al Señor.

Lo cierto es que al quinto día ya había recuperado por completo mi apetito y hasta le dije a la viejita que me cocinaba los alimentos: "Estoy tan de buen apetito que soy capaz de digerir ¡tres libras de puntillas!".

278

¿Qué me había pasado? Pues que antes, cuando no pensaba sino en lo triste de la vida, yo le mandaba continuos mensajes negativos al cerebro y éste los transmitía a la glándula pituitaria (que está en el centro de la cabeza) y ella hacía vibrar los nervios de mi estómago, los cuales producían ácidos que paralizaban mi digestión y me quitaban todo apetito y excitaban mis amebas. Pero ahora cuando me dediqué a pensar en lo bueno que tiene mi vida (que es cien veces más numeroso que lo malo que me sucede) entonces el cerebro le pasó estas buenas noticias a la pituitaria y ella las comunicó a los nervios de mi estómago y éstos soltaron todos los elementos digestivos necesarios y apareció de nuevo mi fugitiva digestión. Y las hormonas saludables se regaron por todo mi cuerpo y hasta las feroces amebas se volvieron más calmadas y menos agresivas.

Y bendigo la bondad de Dios que me hizo pasar por esta situación tan dolorosa, porque desde entonces aprendí a comprender a las gentes que tienen la horrible costumbre de andar pensando y recordando lo malo y desagradable que les sucede en la vida y no lo bueno y agradable. Y puedo decir con gratitud eterna al Creador, que desde entonces, por docenas de años, he logrado que numerosas personas que llevaban una vida triste y desanimada, se hayan dedicado a hacer la lista de los favores que el Señor les ha concedido y hayan recuperado la salud de su cuerpo, la paz, la alegría de su espíritu.

5°. Proponerse hermosos ideales para el futuro

Jesús dijo una frase que tenemos que repetirla muchas veces porque aunque parezca exagerada se cumplía exactamente como todo lo que Él ha prometido: "Os he destinado para que produzcáis muchos frutos. El que crea en mí, hará obras semejantes a las que yo he hecho y las hará aún mayores" (Jn 14, 12). ¿Posible? ¿Hacer obras maravillosas como las que hizo Jesús? ¿Y hacerlas aún mayores? Sí, señor. Podemos estar seguros de que Cristo no dice para no cumplir. Si así, lo ha prometido, así lo hará. Por tanto, si tenemos fe en Él, podremos realizar obras maravillosas en lo futuro. Esto no es cuento ni es un sueño, es una promesa infalible que no puede dejar de cumplirse.

Los que saben dirigir gente hacia el éxito insisten que es *absolutamente necesario tener un ideal.* Que quien no tiene un ideal fuerte que lo atraiga, sea quien fuere, no es una personalidad completa.

El ser humano se hizo para progresar y no quedarse estático obrando y siendo siempre lo mismo. Las abejitas y las hormigas y las mirlas construyen sus nidos lo mismo hoy que desde hace un millón de años. La criatura humana en cambio tiene hoy unas habitaciones muchísimo más cómodas y mejores que las de hace sólo un siglo. Porque para el ser humano lo normal es que viva progresando día a día.

¿Qué es tener un ideal? Es dirigir todas las fuerzas y deseos hacia un fin que se desea conseguir. El ideal es un valor presentado a la inteligencia como algo capaz de apasionar la voluntad y de impulsar a todo nuestro ser a la conquista de un objetivo en el que ciframos nuestra felicidad y nuestra realización.

Lo principal del ideal es que es un bien, un valor que atrae a la inteligencia y mueve a la voluntad a obrar y enfoca hacia él nuestras aspiraciones y preferencias.

El ideal transforma la vida: le da una finalidad a lo que hacemos. Hace que el trabajo ilusione. A Edison se le pasaban las horas y los días como si fueran minutos trabajando en su laboratorio, tratando de conseguir sus inventos portentosos. A san Francisco Javier se le hacían pocos todos los miles de kilómetros que recorría tratando de hacer cristianos a los paganos de la

India. A san Juan Bosco no le interesaba nada que lo humillaran y lo persiguieran, con tal de conseguir ayudas para librar a los niños pobres de la corrupción y hacerlos buenos cristianos y honestos ciudadanos. Cuando un ideal nos emociona, nuestro trabajo se nos vuelve más fácil, y más entusiasmante.

El famoso filósofo Balmes aconsejaba: "Tened siempre ante vuestros ojos un ideal: contempladlo, estudiadlo, pensad en él, dejaos entusiasmar por él, dejaos hipnotizar por vuestro ideal, amadlo con pasión, con verdadera emoción. Entonces sí, desplegadas las velas de vuestro entusiasmo, emprended la navegación hacia los triunfos que os esperan en la vida".

El presidente Roosevelt repetía: "Una persona que no se propone ideales importantes para alcanzar y conseguir, seguramente que no va a lograr triunfos que valgan la pena".

Un antiguo refrán alemán decía: "Lo que no conozco no me afecta el corazón". Y san Agustín y santo Tomás afirman: "No es posible amar lo que no se conoce". No es posible entusiasmarse por un ideal que no se tiene bien claro y bien preciso. Es necesario mostrarle a la voluntad cuál es el ideal que ella tiene que proponerse conseguir. Cuando la voluntad conoce el ideal y se entusiasma por el, trabaja incansablemente por alcanzarlo.

Un gran sabio afirmaba: "Tener un ideal es tener razón suficiente para vivir". ¿Por qué tanta gente vive una vida insulsa sin entusiasmo y sin alegría? Es que no se han propuesto ningún ideal importante para conseguir.

Nuestras fuerzas son pocas y bastante limitadas. Si las dispersamos en un montón de actividades inútiles, la perdemos, pero si las encauzamos hacia la consecución de un ideal, hacemos como las empresas de energía: represan un río aunque sea pequeño y lo convierten en fuente de luz para muchas casas y en riego para muchos campos. No dejaron al río dispersarse por la llanura y convertirse en pantanos inútiles, sino que lo supieron dirigir hacia un fin determinado y lo hicieron producir mucho fruto.

¿Y cuál habrá de ser nuestro ideal? No puede haber mejor ideal que éste: amar a Dios, tratar de tenerlo contento y de vivir en su amistad y de hacerlo conocer y amar. *Y amar con verdadero amor de caridad al prójimo* y esmerarse por hacerle el mayor bien posible. *Y tratar de perfeccionarse uno a sí mismo*, viviendo de la manera más santa y menos pecaminosa que le sea posible. Estos tres fines se convierten en el mejor ideal que una persona pueda conseguir en esta tierra, y su consecución proporciona trabajo suficiente para toda una vida. Y este ideal es tan elevado y tan santo que logra que nuestro corazón se enamore de él y no permite que nos dejemos seducir por el espejismo de las ambiciones materialistas.

Me pregunto: "¿Cuál es mi ideal principal? ¿Qué ideales deseo conseguir? Para saber cuáles son nuestros ideales basta averiguar hacia dónde emprenden vuelo nuestros tiempos libres, nuestros pensamientos y deseos, nuestro dinero, nuestras aspiraciones. Jesús decía: "Donde están vuestros tesoros, allá estará vuestro corazón" (Lc 12, 34).

¿Hacia dónde y hacia qué se dirigen más frecuentemente mis deseos y mis aspiraciones? Solamente me contento con ideales imperfectos, fugaces y caduco que no son capaces de satisfacer plenamente la sed de perfección del ser humano. Los ideales que solamente se refieren a esta vida terrena son muy pasajeros y muy perecederos, no llenan de satisfacción plena, y no logran colmar los deseos de nuestra alma inmortal.

Propósito: me voy a proponer ideales elevados. Hasta ideales atrevidos, porque si Dios está con nosotros nada será imposible para nosotros. Pero mis ideales no serán sólo para el cuerpo: salud, belleza, deportes, placeres, etc.; ni sólo para el orgullo: honores, gloria, celebridad, prestigio; ni sólo para esta vida terrena: riquezas, artes, comodidades, fama. Quiero también proponerme alcanzar ideales que me sirvan para esta vida y la vida eterna, como la ciencia, la santidad, el lograr extender más mi religión, el poder hacer mucho bien a los necesitados, el ir depositando cada día una gota de dulzura en la vida de alguien y nunca una gota de amargura en la vida de nadie; el poder enseñar con mi buen ejemplo; el aprender más para poder ser más y hacer mayor bien; el irme formando un modo de ser amable, humilde, lleno de simpatía; el compartir lo más que me sea posible mis bienes con los demás y así irme ganando un puesto en el cielo donde *"a cada uno se le pagará según hayan sido sus obras"* (Rm 2, 6).

Y recordaré lo que decía aquel triunfador: "Mientras viajé por la vida sin proponerme ideales definidos por conseguir, fui un triste fracasado. Pero apenas empecé a proponerme ideales altos por alcanzar y a entusiasmarme por mis ideales y a trabajar por conseguirlos, entonces sí comencé a sentir que mi vida no era inútil ni aburrida, y los triunfos me fueron llegando seguiditos, uno tras otro".

Remedio para alejar la depresión: tener buenos ideales y trabajar por conseguirlos. Es un remedio que produce excelentes resultados. Lo ha demostrado la experiencia de muchos en todos los países del mundo.

Capítulo XII

EL TEMPERAMENTO

LA ALEGRÍA DE SERVIR

"No he venido a ser servido sino a servir" (Jesús).
Todo en la naturaleza es un anhelo de servir. Sirve la
nube; sirve el viento; sirve la tierra.

Donde haya un árbol que plantar,
plántalo tú.
Donde haya un error que enmendar,
enmiéndalo tú.
Donde haya un esfuerzo que todos esquivan, realíza-
lo tú.
Donde haya un favor que se puede hacer,
hazlo tú.
Donde se puede brindar una sonrisa de bondad,
bríndala tú.

* * *

No caigas en el error de creer que sólo se ganan
méritos con trabajos grandes.

Hay pequeños servicios que son muy provechosos:
señalar una dirección; reemplazar a quien tiene que
ausentarse; visitar a quien está de luto; felicitar a
quien está alegre; saludar con cariño y saber dar una
respuesta amable.

Cuando las pequeñas gotas del mar de la amargura se juntan para invadirnos, juntemos los pequeñitos
granos de arena de alegría que son las demostraciones
de aprecio y cariño y con ella haremos una muralla
que detendrá las olas de la tristeza.

Gabriela Mistral

"Es mejor y produce más alegría
el dar que el recibir".

(Jesucristo)

EL HOMBRE QUE HIZO
DE UN TEMPERAMENTO INCLINADO
A LA CÓLERA Y A LA VIOLENCIA,
UNA PERSONALIDAD AMABLE Y SIMPÁTICA.

NO HAY TEMPERAMENTOS TAN NEGATIVOS Y REBELDES
QUE CON LA ORACIÓN, EL ESTUDIO Y EL ESFUERZO
NO SE LOGREN CONVERTIR EN POSITIVOS Y AMABLES.

(SAN FRANCISCO DE SALES)

Y LA DEPRESIÓN

LA INFLUENCIA DEL TEMPERAMENTO EN LA DEPRESIÓN

Los que mejor han estudiado al ser humano están de acuerdo en que uno de los elementos que más influyen en la depresión es el temperamento que hemos heredado. Cada uno de nosotros nacimos con un modo de ser totalmente especial, el cual nos acompañará durante toda nuestra vida, y de él dependerá muchísimo nuestro comportamiento.

Hace 25 siglos el médico Hipócrates definió los temperamentos que existen: el *sanguíneo:* extrovertido, apto para negocios y reuniones sociales. El *colérico:* muy activo, de fuerte voluntad, hecho especialmente para mandar. El *melancólico:* perfeccionista, muy apto para las labores espirituales y para el arte. Cada persona tiene un 60 ó 70 por ciento de un temperamento, y el resto de los otros.

Nota: Sheldon los llama El Tipo Social, El Tipo de Acción y El Tipo del Deber. Y si deseamos conocer muy interesantes detalles acerca del comportamiento y de los defectos y cualidades de cada uno de estos temperamentos nos resultará de gran provecho la lectura del precioso folleto titulado *"Cómo conocer y sacar provecho del propio temperamento"* por Sheldon y Sálesman. Preguntémoslo donde nos vendieron el libro que estamos leyendo.

EL SANGUÍNEO (O TIPO SOCIAL)
Y LA DEPRESIÓN

La gente que tienen predominio del temperamento sanguíneo es cálida, amigable, espontánea y atrae a los demás como un imán. Excelentes charlistas. Optimistas, sin demasiadas preocupaciones. Son el alma de las fiestas sociales. Generosos, sensibles a lo que les rodea, compasivos con los que sufren, y colaboradores, saben compartir el buen humor de los demás.

Pero el sanguíneo tiene también sus debilidades. La dificultad más grave para que logre progresar es su falta de suficiente energía, su falta de fuerza de voluntad, el no dedicarse a hacer lo que le cuesta, su falta de constancia, y su oposición a lo que sea sacrificio. Por eso, aunque en su juventud lo califican de "seguro triunfador", casi nunca en la edad madura logra los éxitos que se esperaban de él, pues le faltó carácter, o no le dio importancia a los detalles, por su tendencia a la comodidad y por su exagerado gusto en conseguir su propio bienestar personal. Y esta falta de éxitos le puede traer depresión.

Por ser tan bondadoso y tan extrovertido es muy inseguro para guardar secretos, y los secretos que él divulga le pueden traer serias contrariedades. En cuanto a la vida espiritual su peligro es contentarse con sentir amor hacia Dios y hacia las almas, pero hacer nada o casi nada por extender el Reino de Dios y conseguir la salvación de las almas. "Fe sin obras", llama a eso el apóstol Santiago. El sociable o sanguíneo es poco inclinado a las obras que cuesten esfuerzo.

Puede quedarse sin conseguir muchos éxitos que le estaban destinados, y esto por su pereza, por su poco esmero en cumplir bien su deber, por su antipatía a lo que exige sacrifico y esfuerzo, por su poca estabilidad en los propósitos que hace, y por no ser capaz de oponerse a tiempo a lo malo que sucede a su alrededor. Puede conseguir también antipatías y enemistades por su inclinación a la murmuración y a andar quejándose de lo que no le agrada. Y estas enemistades le pueden traer también un poco de depresión.

Otra causa que le puede producir depresión es ésta: que bajo un exterior de intrepidez y de valor, esconde en su personalidad bastante inseguridad y no poco temor, y además, inclinación al desánimo y a la mediocridad. Parece a ratos que su lema fuera: "Dejar al mundo que siga andando como lo está haciendo. Vivir y dejar vivir". Y la mediocridad en sus aspiraciones le puede traer como consecuencia que se quede en realizaciones muy pequeñas por no haber cultivado ideales atrevidos y elevados.

Pero el temperamento sanguíneo o social es de los que menos depresión sufren. Y si le llega la depresión, ésta viene cuando está solo. Por eso necesita en caso de dificultades apoyarse en la amistad de otros, y buscar la simpatía y la comprensión de los demás. En la depresión necesita la compañía de personas comprensivas. La sociabilidad es para él una auténtica necesidad. Si se siente solo, le puede llegar la depresión.

Al sanguíneo lo que le importa es el presente, pasar bien y tranquilamente el momento actual. El pasado le angustia y le remuerde muy poco. El futuro casi no lo afana ni lo asusta. Pero esto que es beneficioso en gran parte, trae también sus peligros, pues un pasado que no se recuerda con cierto dolor, puede ser que no produzca enseñanzas para evitar el mal en el presente, y si no pensamos en el futuro con cierta intranquilidad nos podrán dar el nombre que le dieron al muñeco Peter Pan: "El que no quiere crecer", y esto es muy dañoso para conseguir verdaderos triunfos. He aquí, pues, una causa que produce depresión: llegar a la edad madura sin haber obtenido verdaderas realizaciones en la vida, porque la falta de disciplina y la debilidad de carácter hicieron del individuo un improductivo, y esto trae desilusión y lo hace a uno sentirse mortificado.

Llegado a la edad de la jubilación puede darse cuenta, aunque ya muy tarde, de que hubiera podido conseguir muchísimos triunfos más si se hubiera sabido sacrificar y si se hubiera exigido un poco más a sí mismo. Y se cumple en él lo que narra Tagore: "Mirando hacia la vida pasada suspira de tristeza al contemplar el triunfador que él debiera haber sido, pero que por su pereza no lo fue, y en la vejez desearía colocarse a la orilla del camino de la vida y decirles a los jóvenes despreocupados que se pasan la vida sin hacer nada que les cueste sacrificio: 'Por favor: les pido que me regalen esos minutos que van a perder en no hacer nada, para emplearlos yo en hacer algo que en verdad valga la pena'". Pero ya es demasiado tarde, y este recuerdo de lo que pudo hacer y no hizo, y de lo que pudo conseguir y no consiguió, puede traer depresión en los últimos años de la vida.

Si el sanguíneo llega a convencerse de que en la vida actuó *"como un niño grande"*, y con la irresponsabilidad de un marinero borracho, aumenta entonces su inseguridad y le puede llegar la autocompasión. Entonces se pone a la defensiva y se vuelve sumamente sensible a las humillaciones y a las críticas, hasta el punto que puede obsesionarse por la opinión negativa que los demás tienen de él. Y esta autoimagen negativa lleva a la depresión.

Cuando el sanguíneo llega a la edad mayor puede ser que se dedique a culpar a otros por su falta de éxitos y de personalidad. Dirá que la culpa la tuvieron sus padres que nunca le exigieron nada en serio y que lo consintieron en demasía. Que la culpa la tienen sus educadores o sus superiores que no le supieron formar la voluntad, etc. Este echarle la culpa a otros, hace daño y no trae ningún provecho. Cada uno tiene que juzgarse a sí mismo sin ponerse a culpar a los demás. Y en vez de vivir pensando en la culpabilidad que otros tuvieron respecto a nuestros fracasos, lo que sí nos aprovecha mucho es pedirle muchas veces perdón a Dios por nuestros descuidos, y suplicarle al Espíritu Santo que nos conceda el *don* de la *fortaleza* que es el que nos va a volver fuertes de voluntad. Mientras vivamos en esta tierra, nunca es tarde para pedir perdón al Señor y para suplicar al Espíritu Santo que venga a fortalecer nuestra débil voluntad. No olvidemos la noticia del profeta: *"La oración traspasa las nubes y llega hasta el Trono de Dios y se vuelve trayéndonos regalos del cielo"*.

El sanguíneo tiene que aprender a no tomar la vida de modo infantil, a no enfrentar las situaciones como en broma y a no contentarse con obtener de la existencia humana menos de lo que de ella se puede conseguir. Tiene que alejar de sí mismo la autoconmiseración y no andar echándole a otros la culpa de su falta de éxitos. La autocompasión no hace bien sino mucho daño. En cambio el implorar al Divino Espíritu que llene nuestra alma de valor y de entusiasmo para luchar y conseguir en la vida todos los éxitos que la bondad de Dios nos tiene destinados, eso sí hace un gran bien. Si nacimos para conseguir el 40 ó el 60 por ciento por uno de lo que hacemos, ¿por qué contentarnos con un miserable diez por ciento? Para mayores cosas hemos nacido.

Y no olvidemos que todos los seres humanos tenemos algún tanto por ciento de sanguíneos. Unos tienen el 60 ó el 70 por ciento. Son los sanguíneos como tales. En otros la proporción de temperamento sanguíneo es del 30 ó del 20 ó del 10 por ciento. Pero todos tenemos buena parte de este temperamento. Por eso volvamos a leer estos datos anteriores, que pueden servirnos mucho para mejorar nuestro comportamiento.

Nota: las características físicas del sanguíneo son: vísceras abundantes y muy desarrolladas y extremidades relativamente menos desarrolladas. Por lo general son gordos, pero no siempre. Se mueven lentamente y tienen un aspecto relajado. El individuo desea estar confortablemente a su gusto. Sus respuestas son lentas y sus reacciones emocionales también. Experimenta una gran alegría en comer. Una de sus satisfacciones sociales más intensas es tomar parte de una comida bien servida y en compañía de amigos con los cuales charlar. Le resulta también muy placentero el poder hacer la digestión cómodamente estirado. Tiene un deseo profundo de estar acompañado y de ser aprobado y animado por los demás. Nada le molesta el sueño. Duerme con la placidez de un niño. Tiene el corazón en la mano y da rienda suelta a sus afectos de un modo natural y fácil. Siempre encuentra motivos para no imponerse a nadie con el rigor y ser benigno y tolerante. Su equilibrio emocional le puede conseguir una tranquilidad de espíritu tan grande que le lleve hasta la santidad. *Su mayor peligro no consiste en lo poco malo que hace sino en lo mucho y bueno que por su falta de espíritu de sacrificio puede dejar de hacer.*

EL TEMPERAMENTO COLÉRICO
(O DE ACCIÓN) Y LA DEPRESIÓN

El temperamento colérico es un activista práctico. En su cuerpo lo que predominan son los huesos y los músculos. Posee un físico robusto, compacto. Tiene gestos vigorosos, y decisivos. Es un líder nato, optimista y de gran fuerza de voluntad. En su mente bullen ideas, proyectos y planes de acción y casi siempre los lleva a cabo. Su principal característica es su disponibilidad para la acción. Busca la aventura física, las empresas arriesgadas. Es un extrovertido pero no tanto como el regordete sanguíneo. Necesita estar haciendo ejercicio muscular. Su consigna es "dicho y hecho". Puede sostener un ejercicio muscular sin comer ni dormir durante largo tiempo.

Desea profundamente hacer un papel importante en el mundo, ejercer su influencia sobre los demás. Tiene la tendencia natural a los puestos de mando, y no puede soportar que otros lo hagan mejor.

Sus debilidades son: es autosuficiente, impetuoso y de carácter rebelde. Tiene tendencias a la dureza y a la crueldad. A veces sus reacciones son demasiado directas, duras y atrevidas. Su conciencia no le atormenta mayor cosa y por eso puede llegar a obrar mal sin escrúpulos de conciencia y sin remordimientos de ninguna clase. En el trato con los demás debe estar atento porque por su falta de afectividad puede llegar a ser duro y poco delicado hasta poder decir de él: "Sus caricias parecen patadas, y sus sonrisas parecen muecas".

Otro peligro que tiene es el de la "herejía de la acción", o sea el de dedicarse solamente a actividades exteriores, sin darle importancia a su santidad interior, y a su relación de amistad con Dios (le aprovecharía inmensamente leer el libro titulado: *"El Pequeño Secreto"*).

Puede llegar a ser demasiado agudo en la crítica a los demás y sarcástico y humillantemente burlón hacia lo que hacen otros. Este temperamento hace buenos supervisores, buenos políticos y organizadores. Pero no le da importancia a los detalles.

El temperamento colérico o de acción no tiene tendencia a la depresión, porque está continuamente dedicado a su actividad y a su eterna búsqueda de metas y de ideales por conseguir. Puede estar atento a la vez a 14 metas que desea conseguir, y si una le falla, su depresión le dura poco tiempo porque se va enseguida en busca de otros planes por realizar. Como siempre está ocupado, y como se siente feliz cuando está actuando, por eso le queda muy poco tiempo para sentirse deprimido. Su principal frustración consiste en que no le alcanza las horas del día para realizar los planes que se ha trazado.

Un gran peligro que tiene es el de buscar con su actividad su propio engrandecimiento y no la gloria de Dios, y vivir adorando su autoimagen. Porque entonces cuando la gente no le demuestre aprecio por lo que hace, va a caer en depresión, pues buscaba que todos adoraran su autoimagen y le rindieran culto y admiración, y como no lo hacen, se siente deprimido. Es absolutamente necesario que de vez en cuando sublime sus actuaciones y se proponga buscar ante todo el Reino de Dios y su santidad, y entonces ya podrá estar seguro de que todo lo demás le vendrá por añadidura.

Tiene la ventaja de que cuando se siente deprimido busca nuevas actividades, pero tiene también la desventaja de que sus estallidos de cólera son fuertes y puede faltar a la caridad con los demás con palabras humillantes y hasta injustas que le consiguen antipatías y enemistades que más tarde le traerán disgustos y depresiones.

Como creyente, el colérico debe tener cuidado para no imaginarse que las soluciones de la vida las va a conseguir él solo por su cuenta, sin una intervención amorosa de Dios. Tiene el peligro de *"no darle a Dios lo que es de Dios"*, y de no dedicar el tiempo suficiente a la oración y a la meditación y hacerse así bastante inútil, estéril e improductivo en la vida espiritual. También tiene el peligro que Jesús reprochaba a los fariseos: el buscar aparecer bien ante los demás. Esto hace que se quede sin recibir recompensa de Dios por lo que hace, pues ya ha ido consiguiendo de los hombres, cuya alabanza admiración era lo que buscaba. Es lo que san Pablo llama: proceder según la carne y no según el espíritu. Tiene el peligro de la disipación: andar buscando sólo lo exterior sin importarle lo interior.

El colérico necesita recordar que los éxitos vienen de Dios y no sólo de nuestro propio esfuerzo. O como dice el libro de los Proverbios: *"Lo que consigue éxitos es la bendición de Dios. Nuestro afán no añade nada".*

Entre las personas espirituales el colérico se siente bastante insatisfecho. *"Tanto que yo obro, y no me eligen para puestos importantes",* afirma. Pero es que sus obras son exterioridades, pero en lo espiritual se necesitan otras clases de actividades y de cualidades para poder ejercer cargos de importancia. Y un puro activismo exterior y un dinamismo externo sin fines sobrenaturales, no son condiciones para poder ejercer bien estos cargos. El colérico se deprime cuando no se le elige para puestos de importancia. Por eso entre gentes muy espirituales no se siente demasiado bien, pues raramente logrará ser elegido para tales cargos, si junto a su activismo exterior no tiene una fuerte vida interior.

Para el colérico *la época de su depresión puede ser cuando le llega su jubilación.* Pues como tiene una inclinación tan grande a la actividad, al sentirse improductivo puede deprimirse. Por eso es muy necesario que entonces se busque alguna actividad para estar siempre ocupado. Un hombre de 65 años vivía continuamente de mal genio. El párroco se dio cuenta de que ello se debía a que desde que había quedado jubilado se sentía sin oficio alguno por hacer. Entonces le pidió que le dirigiera la economía de la parroquia, por un sueldo que era sólo un símbolo:

$100.00 al año. Aquel activista se dedicó por completo a organizar la economía parroquial y a la vez que recobró su buen genio al sentirse útil y ocupado, también la economía de la parroquia notó un admirable progreso.

Un tipo de temperamento colérico o de acción es san Pablo. Y en él logró el Espíritu Santo una serie maravillosa de triunfos espirituales, haciendo que toda esa incansable actividad se dirigiera, no a conseguir honores para su propia vanagloria, sino a conseguir amigos para Dios y seguidores para Jesucristo. Ojalá podamos leer en los Hechos de los apóstoles (hacia el final de la Biblia) los datos tan interesantes de este colérico que encauzó todas sus indomables energías a extender el Reino de Dios y a salvar las almas. Y ojalá lográramos también imitarlo un poco en su modo de dirigir un fogoso temperamento hacia el bien y no hacia el mal.

Nota: lo anterior sirve especialmente para los que tienen un 50, 60 ó 70 por ciento de temperamento colérico. Pero no olvidemos que todos somos un revoltijo de temperamentos y que cada uno de nosotros tiene al menos un 10 por ciento de temperamento colérico. Por eso conviene que volvamos a leer lo que se acaba de decir acerca de este interesante temperamento. Un libro que transforma a los de temperamento colérico es: *"La imitación de Cristo"*.

EL TEMPERAMENTO MELANCÓLICO (O DEL DEBER) Y LA DEPRESIÓN

El melancólico es quizá el más espiritual de los temperamentos, pero es también quizá el más propenso a la depresión y a las debilidades emocionales.

Es débil tanto en su musculatura como en sus vísceras. Es un sujeto aparentemente frágil en su físico. Lineal, delicado en todo el cuerpo. Las extremidades son largas, delgadas, poco musculosas. La expresión del rostro atenta y sus ojos muy vivaces y rápidos.

Algunos de los más grandes genios y artistas que ha tenido el mundo han sido de temperamento melancólico. Pero también muchos de los que han consumido su vida en el alcoholismo y la frustración y la tristeza han sido de este temperamento.

Su rostro refleja una tensión llena de nerviosismo. Sus reacciones son tan rápidas que él mismo se turba y se asusta, y esto le dificulta mucho sus relaciones sociales.

El melancólico es casi siempre más intelectual y más talentoso que los otros temperamentos. Es perfeccionista por naturaleza. Sensible a las bellas artes y autosacrificado. No gusta de sobresalir, y raramente se impone a los demás.

Tiene necesidad profunda de aislamiento. Se aconseja consigo mismo y se basta espiritualmente. Lo interior es lo que más le interesa. La realidad externa le interesa menos. Es buen amigo; fiel amigo, pero de pocas personas y no exterioriza mucho sus afectos. Como observa con profundidad los defectos de la sociedad, esto le impide adaptarse al ambiente donde vive. Evita las reuniones mundanas y se encuentra incómodo en las reuniones donde hay bochinche y superficialidad. Tiene fuerte capacidad de sufrimiento y es capaz de soportar sus padecimientos interiores y físicos sin comunicarlos a los demás y sin dejar que otros se den cuenta de sus sentimientos de dolor o de gozo.

En el estudio triunfa más por su intuición que por ser muy metódico en estudiar. Grandes artistas, grandes santos y místicos, filósofos, inventores y compositores han tenido temperamento melancólico.

Ama los lugares recogidos, cerrados, que le preserven de las miradas de otros. Tiene pudor físico excesivo. Tiene miedo de la burla. No le gusta que perturben su silencio y tampoco le gusta perturbar a los demás. Su sueño es débil y liviano. Su descanso en la noche es incompleto y por eso el melancólico es "un fatigado crónico". Pero su aspecto es vivo, juvenil. Su presencia, su andar, su voz, su ardor intenso denotan una edad más juvenil de la que en realidad tiene.

Su gran deseo es llegar a una edad madura en la cual se pueda liberar de su nerviosismo, de su miedo al futuro, de su inseguridad emocional, que lo deprimen.

Lo más poderoso en el melancólico es su imaginación. Y es a la vez su tormento. Ella tiene la especialidad de sugerirle imágenes en la pantalla de su cerebro con una fuerza de luces que parecen hechas en tecnicolor y sonido estereofónico. Y como la inclinación del individuo es hacia el pesimismo, el malhumor y la tristeza por el pasado y el temor por el porvenir, el melancólico tiene el peligro de que su imaginación tan viva lo lleve a la autocompasión, a la ira, al resentimiento, a formar una autoimagen negativa y a llenarse de temores infundados acerca del futuro y esto le traerá depresión.

El melancólico necesita recordar el gran influjo que el subconsciente ejerce sobre nuestro comportamiento y no llenarse de recuerdos tristes del pasado o de temores angustiosos por el futuro o de pensamientos pesimistas acerca del presente, porque todo esto le puede llevar a un modo de ser entristecido y apocado, lo cual perjudica enormemente su personalidad. Lo que tiene que hacer es pedir al Espíritu Santo que le conceda esos regalos que, según san Pablo, obsequia el Divino Espíritu a los que lo invocan y tratan de tenerlo en su corazón: *"Los frutos del Espíritu son: amor, alegría, paz, paciencia, afabilidad, bondad"* (Ga 5, 22). ¡Y qué necesidad tiene el melancólico de recibir estos preciosos regalos! Afortunadamente existe una promesa de Jesucristo que no puede dejar de cumplirse: *"Todo lo que pidáis al Padre en mi nombre, os será concedido"* (Jn 15, 16). Así que si pedimos a Dios en nombre de Jesucristo que nos envíe al Espíritu Santo con sus dones de amor, alegría, paz, paciencia, bondad, afabilidad, etc., lo vamos a conseguir. A pedirlo pues, desde hoy mismo, muchas veces sin cansarnos.

Otro detalle del melancólico es que tiende a pensar más en Dios como un Juez inexorable, que como un Padre bondadoso y muy comprensivo. Es necesario que se convenza de que Dios no es un policía al acecho ni juez que busca más condenar que absolver. Dios no es un vengativo que está aguardando la ocasión para castigar faltas, sino un Padre compasivo y misericordioso que desea manifestarnos cada día lo mucho que nos ama. ¡Cuidado con el complejo de culpa! El salmo 102 dice que Dios no nos castiga como merecen nuestras culpas, y que así como está lejos el oriente del occidente, así aleja de nosotros nuestros pecados si le pedimos perdón y nos proponemos la enmienda. La Biblia afirma que Dios no quiere la muerte del pecador sino que se convierta y viva. Y Jesús repetía: "No he venido a buscar santos sino pecadores, porque el médico no es enviado a los sanos sino a los enfermos". A una persona le puede llegar la depresión si piensa más en Dios como castigador que como Padre amable.

Al melancólico la depresión lo acompaña durante toda su vida. Debido a su hipersensibilidad, nerviosismo y a su egocentrismo, tiende a imaginar las cosas peor de lo que son en realidad. A veces cree que lo desprecian o que se burlan de él, cuando nadie se ha dado cuenta de que él anda por allí. Muchas veces es incomprendido por los demás porque no es comunicativo. Lo juzgan mal porque no conocen la realidad de su vida, pues se cierra a la comunicación con los otros. Hay que aceptar esta incomprensión como fruto no de la maldad de los otros, sino de la poca comunicación que se tiene con ellos.

El melancólico es perfeccionista. Toda persona necesita una buena dosis de perfeccionismo, pero al melancólico se le va la mano y exagera la dosis y se propone unas metas de perfección imposibles de conseguir, y esto lo puede deprimir. Es necesario ser realista: somos criaturas de carne y hueso, con demonio, mundo y carne que nos atacan, y con herencias muy debilitadoras que nos dejó nuestro pecador padre Adán. El melancólico tiene el culto al deber y por eso corre peligro de vivir angustiosamente el cumplimiento de sus propios deberes y de ser demasiado riguroso consigo mismo y con los demás y de andar siempre disgustado de su propio comportamiento y del de los otros, y esto le llevará irremisiblemente a vivir deprimido y triste. Pero la vida no se puede tomar demasiado en serio porque se nos vuelve aburrida y cansona. Dios sabe de qué barro somos hechos y no va a pedir comportamiento de ángeles a quienes hizo del barro de la tierra. "Él modeló cada corazón y comprende todas sus acciones" (Sal 32, 11).

Dijimos que el gran peligro del sanguíneo es llegar a aceptar sus defectos sin combatirlos. *Pero el peligro del melancólico es llegar a no aceptarse a sí mismo* y vivir siempre descontento de lo que es y de lo que ha logrado conseguir. Esto inevitablemente lleva a la depresión. Ningún criticón es feliz. Si vive criticándose a sí mismo y criticando a los demás es que no está contento ni consigo mismo ni con los otros. Y eso es como vivir sentado sobre un hormiguero. Esto muchas veces se debe a que el melancólico se siente demasiado seguro de sus afirmaciones y de sus conclusiones y desprecia el modo de pensar y de obrar de los demás. Arrogancia se llama esta figura. Sería bueno repetir con el salmo 18: "Líbrame Señor de la arrogancia y de despreciar a los demás, y así quedaré libre de un gran pecado".

El melancólico tiende a ser pusilánime (falto de ánimo o de valor para perseverar en la lucha) y cuando se le presentan situaciones difíciles tiende a desanimarse y a no seguir luchando por conseguir lo que se proponía. Si se deja llevar de estos sentimientos llegará al "derrotismo", el cual es causa frecuente de depresión. Es necesario repetirse con san Pablo: *"Todo lo puedo en Cristo que me fortalece"* (Flp 4, 13), o con san Francisco de Sales: *"Cuando Dios cierra una puerta, deja abierta una ventana"*, o con Don Bosco: *"Cuando me encuentro un obstáculo trato de pasar por encima o doy un gran rodeo para pasar por otro lado, pero lo único que no hago nunca es sentarme y dejar de luchar por vencer esa dificultad"*. La perseverancia todo lo alcanza, decían los antiguos.

Un arma de dos filos

El melancólico posee un arma que le puede traer inmensos favores o lo puede arruinar. Es su imaginación. En este temperamento la imaginación es sumamente viva y creadora de imágenes impactantes. Si el individuo se deja llevar por su inclinación al pesimismo, su imaginación le presentará con vivísimas imágenes los fracasos de la vida pasada, las humillaciones recibidas, las faltas cometidas, etc. Y respecto a la vida actual le presentará todos los aspectos negativos y defectuosos que tienen las gentes, el ambiente, el oficio que ejerce, el clima, etc. Y en cuanto al futuro le presentará las más tétricas imágenes acerca de lo que será su vejez, y de los males que le pueden llegar a él o a la humanidad. Y además de todo esto le presentará su imaginación una auto-imagen negativa, como de un ser a quien nadie quiere ni estima y que no ha hecho en la vida lo que debería haber hecho, etc.

La salvación para el melancólico está en dirigir todas las fuerzas de su imaginación hacia los aspectos positivos de su vida y de su personalidad. Ser prudente y acostumbrarse a recordar de lo pasado solamente lo alegre y entusiasmante, echando a un lado como podredumbres contagiadoras todos los recuerdos tristes o desanimadores. Ponerlos en el tren del olvido y hacer que se vayan en el último vagón para no volver ya nunca más a su imaginación. Y cada vez que traten de aparecer por ahí espantarlos como a moscas inoportunas. Y en cuanto al presente ver lo bueno que tiene la vida (que siempre es lo más) y no darle tanta importancia a lo malo que tiene nuestra existencia (que siempre es lo menos).

Y respecto al futuro *recordar que Dios está en el futuro*. Y que con cada pena que nos venga recibiremos una fuerza del cielo para poder soportarla. Y además, el futuro nunca va a ser tan problemático como la imaginación negativista quisiera presentarlo. Ya veremos que no va a ser así.

Recordemos pues: el medio para librarse de la depresión está en no permitir que en la pantalla de nuestra imaginación se proyecten el negativismo, el pesimismo, la autoconmiseración o la desesperanza y hacer uso de nuestra imaginación creativa y hacer que ella se dedique a crear imágenes de alegría y de optimismo respecto a nuestro futuro y a recordar hechos positivos de nuestro pasado y a fijarse en lo bello y alegre que existe en nuestro presente. Tales pensamientos ayudan a levantar el espíritu, a evitar sustos y tristezas, a mantenerse de buen genio y a librarse de la depresión. Y sobre todo esos pensamientos positivos agradan a Dios porque son como un agradecimiento por lo generoso que ha sido con nosotros hasta ahora y por lo bien que se va a portar con estos sus hijos en lo porvenir. Y a Dios le agrada que seamos muy agradecidos.

Nota: ¿que usted no tiene temperamento melancólico? Bueno, pero recuerde que cada uno de nosotros somos una mezcla de temperamentos, con uno de ellos que predomina sobre los demás. Y lo menos que usted tiene en un temperamento es un 10 por ciento de temperamento melancólico. Entonces sí le conviene repasar lo que acabamos de decir acerca de tal temperamento. ¡Por si acaso!

El libro apropiado para transformar al melancólico es: *"Secretos para triunfar en la vida"*.

ALEGRAOS Y REGOCIJAOS, PORQUE VUESTRA RECOMPENSA SERÁ GRANDE EN LOS CIELOS.
(MT 5, 12)

Capítulo XIII

ESPIRITISMO, BRUJERÍA Y DEPRESIÓN

Lo que puede un espiritista: una señora llevaba una vida tranquila; más o menos en paz en su casa, en medio de los problemas de cada día. Pero de pronto empezó a sentirse angustiada; llena de sustos, y amargada con muchas antipatías hacia vecinos y conocidos, y aun hacia algunos familiares. Su tristeza y su miedo fueron aumentando, hasta que al fin tuvieron que llevarla a una clínica de enfermos mentales. ¿Qué le había sucedido? Que en mala hora se le ocurrió ir a consultar a un brujo espiritista acerca de algunos problemitas de la familia, y éste, para poder sacarle todo el dinero posible, empezó a decirle que a ella le habían hecho maleficios y que él se los iba a sacar. Y la convenció de que esos maleficios se los habían hecho algunos vecinos y hasta familiares. Y con esto la llenó de odios gratuitos hacia los que no merecían tales resentimientos.

Y un indio amazónico

Y como los remedios falsos del tal espíritu explotador no la curaban sino que la enfermaban cada día más y más, la señora cometió otro error todavía más grande: irse a consultar a una bruja que lee el humo del cigarrillo, y ésta la envió donde un "indio amazónico" el cual más astuto que los otros dos estafadores se dedicó a engañarla de tal manera que ella empezó a ver espantos debajo de la cama y a oír ruidos imaginarios, y después de darle al tal indio embaucador el dinero que le quedaba en casa, no hubo otro remedio que llevarla a un hospital psiquiátrico a curarse de la espantosa depresión que le habían producido sus fatales consultas con espiritistas, brujas e indios amazónicos.

Este caso me convenció de que en un libro que previene contra la depresión es necesario avisar a la gente acerca de los peligros del espiritismo y de la brujería.

Casos concretos. Alguien va mal en los negocios. Se va donde un espiritista o un hermano de Gregorio Hernández, o un indio amazónico o una bruja o leedora de naipes o de humo de cigarrillo y la respuesta que le dan puede ser ésta: "La causa de su mala suerte en los negocios es que su suegra le echó sal, lo saló". Y aquella persona empieza a odiar terrible y gratuitamente a la pobre suegra que ni siquiera sabe qué es eso de salar a otro. Y la depresión se apodera del alma de quien se ha dejado engañar por el espiritista engañador o la bruja ladrona.

Otra va y consulta: "¿Por qué será que no consigo novio?", y el espiritista o la bruja o el mentalista le dice: "Es que su compañero de oficina le hizo un maleficio"; y desde aquel día empezará a odiar a ese hombre y hablar mal de él. Y al otro jamás se le ha ocurrido hacerle un maleficio a nadie. Y ni siquiera sabe qué es eso de hacer un maleficio. Pero el espiritista o la bruja ya consiguieron sacarle el dinero a la imprudente y lo peor de todo, consiguieron llenarla de odios y de dañosa depresión.

Que no consigo empleo. ¿Cuál será la razón? Y el espiritista o la bruja le dicen: "Es que le echaron tierra de cementerio". Y le logran vender a precios altísimos cruces magnéticas, riegos, talismanes, jabones y así mientras le roban miserablemente su dinero, le llenan el alma de sustos que le van llevando a la depresión.

Qué bueno fuera que estos espiritistas y brujas y mentalistas recordaran aquellas palabras de Jesús: *"Toda mentira viene del demonio".* Y *"De toda palabra que le haga daño a los demás tendréis que darle cuenta a Dios el día del Juicio"* (Mt 12, 36).

¿Y QUÉ DICE LA SAGRADA BIBLIA ACERCA DEL ESPIRITISMO?

La Sagrada Biblia condena el espiritismo con estas palabras: *"Que nadie se dedique a invocar espíritus ni a evocar muertos, porque todo esto es sumamente repugnante para Dios".* Y por hacer eso fueron castigados los pueblos de Canaán (Dt 18, 10-12). Esta es una prohibición absoluta, total rigurosa, que nunca ha sido revocada por Dios. Por eso el espiritismo es un acto de desobediencia a nuestro Señor y el ir a consultar mentalistas y brujas es ir contra una Ley de Dios, y ya Jesucristo advirtió muy claramente*: "Quien desprecie una de las leyes de Dios será inferior a todos en el Reino de los Cielos"* (Mt 5, 19).

Y la santa Iglesia católica lo ha dicho muy claramente: "El invocar espíritus es algo totalmente prohibido, y es malo el hacerlo. No es permitido y no está bien el pedir respuestas a los espíritus, ni asistir a reuniones de espiritistas" (León XIII).

EL DEMONIO ENTRISTECE Y PRODUCE DEPRESIÓN

Probablemente no hay otro ser más triste que Satanás. El Apocalipsis afirma de él: *"Fue echado del cielo y ha bajado a la tierra y ataca con gran furor, sabiendo que le queda poco tiempo"* (Ap 12, 12). Así como "Dios es amor" (1 Jn 4, 8) y es alegre y siempre feliz todas las horas y todos los minutos y llena de amor y de alegría y de paz a los que lo aman y le obedecen, así, por el contrario, el diablo es tristeza, odio, amargura y llena de depresión y de desesperación a los que siguen sus consejos. Y si esto es así,

¿para qué ir a consultar a espiritistas y brujas que hablan en nombre de Satanás?

El sabio Klopemburg ha reunido las conclusiones que han sacado muchos médicos acerca de las consecuencias psíquicas que se derivan de consultar a brujas, mentalistas, espiritistas y demás engañadores, y el resultado ha sido *que el consultar espíritus lleva al desequilibrio mental, perjudica el sistema nervioso y puede llevar hasta a la locura.*

Estadísticas recientes comprueban que gran número de enfermos recluidos hoy en clínicas de reposo *deben el agravamiento de su enfermedad psíquica a haber consultado con espiritistas, mentalistas o brujas.* Y muchos locos que ahora habitan en los manicomios deben en gran parte su locura a las mentiras que les hicieron creer estos engañadores y embaucadores, que afirman consultar espíritus.

¿Cómo librarse de la depresión producida por Satanás? El Evangelio narra el hecho de una mujer que tenía una hija poseída por un espíritu infernal. Y aquella madre angustiada se fue en busca de Jesús y lo seguía gritándole: "Misericordia de mí, Señor, que mi hija tiene un espíritu malo que la atormenta". Jesús se hacía el sordo pero la mujer no se cansaba de rogarle. Al fin, cuando nuestro Señor llegó a la casa, la mujer se arrodilló ante Él y le volvió a suplicar: "Señor, apiádate de mí". Y Jesús para probar la fe de aquella extranjera le dijo: "¡No hay que echar a los perros el pan de los hijos!". —Pero ella le respondió humildemente: –"Sí, Señor, pero también cuando los hijos han comido se les echa una migaja a los perros". Y Jesús emocionado exclamó: "Mujer, qué grande es tu fe. Que te suceda como lo deseas" y al volver la mujer a su casa encontró a su hija totalmente calmada y el demonio se había ido (Mt 15, 21-28).

En este bello ejemplo se nota cómo cuando alguien no se cansa de suplicar a Jesucristo, logra obtener que el poder divino venga en su favor y aleje la presencia de Satanás que produce tristeza y depresión. Pero con unas condiciones: 1a. que no nos cansemos de pedir la ayuda de Jesús, y 2a. que tengamos fe en que por su gran poder y por su inmensa bondad va a venir a ayudarnos y a alejar de nosotros el espíritu de tristeza y de depresión.

La hormiga de Tamerlán

Recordemos el conocido ejemplo del guerrero Tamerlán el cual había perdido muchas batallas y estaba desanimado. Un día vio a una hormiga que subía por una pared arriba y él la derribó con su espada. La hormiga dio una vuelta y volvió a subir. Tamerlán la volvió a derribar y la hormiga volvió a subir pared arriba y así por quince veces. Entonces el desanimado guerrero se dijo a sí mismo: "¿Cómo es que me voy a dejar desanimar por una pequeña hormiga?". Y mandó dar el toque de batalla y ganó la guerra. Lo que lo salvó fue el no cansarse de insistir. Y esto mismo nos puede suceder a nosotros: aunque el espíritu malo de la tristeza y de la depresión nos haya derrotado mil y mil veces, si no nos cansamos de suplicar a Cristo que venga en nuestra ayuda, al fin lograremos vencer y alejar al terrible enemigo de nuestra alegría y de nuestra paz.

**NO HAY PAZ
PARA
LOS QUE VIVEN
EN PECADO.**

(Is 57, 21)

Capítulo XIV

LA MÚSICA Y LA DEPRESIÓN

La música tiene un efecto sobre los sentimientos humanos mucho mayor de lo que la gente cree. La música puede vigorizar, levantar y alegrar los ánimos, pero puede también deprimir y llenar de tristeza y agravar la depresión.

Eliseo, la música y el mal genio

La Sagrada Biblia cuenta que el profeta Eliseo cuando se sentía disgustado y de mal genio y falto de inspiración mandaba que entonaran músicas animadoras, y que mientras escuchaba las suaves melodías recobraba su buen ánimo y se llenaba de inspiración (2R 3, 15). Esto mismo suele suceder también hoy a muchas personas deprimidas: que una música suave y agradable les aleje parte de sus tristezas y les consiga un aumento de su paz para su espíritu.

El caso del rey Saúl

A este rey de Israel le llegaban frecuentemente muy fuertes ataques de tristeza y de depresión. Y cuenta el Libro Santo que el remedio para que estas depresiones dejaran de atormentarlo era llamar al joven músico David a que entonara bellas melodías con sus instrumentos musicales (1S 16, 23). Es lo que hacen hoy millares de individuos en el mundo entero: cuando se sienten deprimidos sintonizan una emisora que transmita músicas suaves y agradables o colocan en su grabadora un casete con música de autores inmortales como Beethoven, Mozart, Schubert, Haydn, Strauss, Vivaldi, Haendel, etc., o melodías de autores de su nación que sepan elevar el espíritu, y poco después de estar escuchando esta música, el espíritu siente un alivio muy agradable y va recobrando la paz.

Un famoso cirujano me decía un día: "Cuando tengo que hacer una operación quirúrgica muy grave en la cual hay un altísimo peligro de muerte del paciente, y empiezo a estar nervioso y deprimido, me siento en un cómodo sillón y coloco en mi equipo de sonido un casete con música de algún autor clásico, por ejemplo: la Novena sinfonía de Beethoven, y a los pocos minutos siento que mi alma va recobrando su paz y que la alegría empieza, otra vez a inundar mi corazón.

Lo grave de la música actual. Pero lo malo es que la mayor parte de la música actual no tiende a llenarnos de alegría y de paz sino de tristeza y de frustración. Y esto sobre todo en las canciones amorosas. Hoy parece que los autores de canciones *no tienen sino un solo tema para componerle músicas: el amor desengañado.*

En otros tiempos los autores le cantaban al sol y a la luna, a las flores y a los campos, a la madre y a los hijos, al heroísmo y a los recuerdos alegres de la juventud o de las edades pasadas. Pero ahora el único tema de las canciones parece que tiene que ser el aullido desesperado de un animal humano masculino despreciado por otro animal femenino, o lo contrario. Y no parece sino que todas las canciones de la actualidad están en la obligación de tener como lema el de aquella canción colombiana: *"Amor se escribe con llanto en el diario amargo de mi desencanto".*

Según las letras de las canciones modernas, lo más decepcionante y entristecedor que existe en la vida humana es el amor sensual y a lo único importante que hay que dedicarse es al amor sensiblero. Así que según las canciones actuales, la vida no puede

311

menos de llegar a ser la más sofocante cadena de depresiones y de desilusiones. Uno conecta su radio y oye una voz que grita en una emisora: "Y sus labios se abrieron y fue pa' decirme: ya no te quiero..., ay, ay, ay".

¿Y esto por qué será? Porque los autores de las canciones están deprimidos y porque los oyentes equivocadamente se imaginan que sus tristezas se van a curar oyendo canciones llenas de tristezas. Eso es como tratar de remediar una inundación echándole más y más agua, o tratar de calmar un incendio arrojando gasolina sobre las llamas. Una canción triste no aleja tristezas sino que las aumenta. En cambio una música suave y alegre calma las tensiones y aleja depresiones. Cuánto bien le haríamos a nuestra juventud si en vez de dejarle que oiga desaforadamente toda clase de música dañosa para su espíritu, la fuéramos educando poco a poco y la fuéramos llevando al amor y estima por la música clásica y por las melodías y canciones que elevan el espíritu. El gusto se puede ir educando y el oído también. Y no tenemos derecho a dejar perpetuamente que los oídos traguen aguamasas de cerdos, pudiéndoles ofrecer alimentos de personas nobles.

¿Qué clase de música se escucha en nuestro hogar? Si Dios pasa hoy por nuestra casa calificando los casetes y discos que tenemos para escuchar, ¿qué calificaciones nos va a poner? (esa calificación la está dando cada día, para nuestro bien o para nuestro mal). ¿Tenemos alguna música religiosa? ¿La oímos de vez en cuando? ¿Tratamos de que otros aprecien las piezas musicales que mejoran la actitud mental? Dime qué música oyes y te diré que elevación mental posees.

LEE CHISTES SANOS
EL REÍR SANAMENTE
PUEDE DISMINUIR LA DEPRESIÓN
Tomados del hermoso libro:
"Mil chistes elegantes".

EL BOBO A LA MAMÁ:
MAMÁ ESTA NOCHE NO ME
ESPERE. LA MAMÁ:
—¿Y ES QUE NO VA A VENIR?
EL BOBO: NO. ES QUE YA VINE.

DOS PULGAS, AL SALIR DE UNA
FUNCIÓN DE TEATRO,
SE PREGUNTARON UNA A OTRA:
—¿QUÉ? ¿VAMOS A PIE O
TOMAMOS UN PERRO?

GRAVE NOTICIA: TENDREMOS
QUE CERRAR EL INFIERNO
POR FALTA DE COMBUSTIBLE.

LADRÓN APROVECHADO:
POR FAVOR,
NO LEVANTE LAS MANOS.

Capítulo XV

REMEDIOS PRÁCTICOS PARA COMBATIR LA DEPRESIÓN

Es necesario convencerse de que la depresión no es algo inevitable o algo que necesariamente tiene que acompañarnos en todas las épocas. Todo lo contrario: hay que convencerse de que la depresión puede ser evitada y combatida y alejada de nuestra vida. Y para ello hay unos medios sencillos, prácticos y efectivos.

Una mujer consultaba al psiquiatra y su depresión no se le iba, pero el gasto de dinero sí era espantable, pues esas consultas son muy costosas. Una vez le dijo a su especialista que pensaba tratar de curar su depresión con métodos religiosos, y el otro, bastante descreído, le dijo que la religión no era sino una muleta que la dejaría cojeando toda la vida. Ella, sin embargo, dispuso ensayar nuestros métodos para combatir la depresión y ahora después de dos años exclama gozosa: "La religión no es una muleta que nos deja cojeando. La religión es el más potente motor para sacarnos del charco de la depresión y elevarnos a una vida de paz y de alegría". Y los métodos que enseñamos a aquella mujer fueron los siguientes:

1º. CONFIAR EN EL PODER Y EN EL AMOR DE JESUCRISTO

Nunca nos cansaremos de repetir la bellísima frase de san Pablo: *"Nuestro Señor tiene poder y bondad para darnos*

314

mucho más de lo que nos atrevamos a pedir y a desear" (Ef 3, 20). Es necesario creer que para Jesucristo somos sumamente importantes. Que Jesús se interesa por nosotros. Que piensa en cada uno de nosotros 24 horas cada día y 365 días cada año. Que El "siente más gozo y más felicidad dando que recibiendo" (Hch 20, 35). El ha dicho: *"Sin mí nada podéis hacer"* (Jn 15, 5), pero también: *"Todo lo que pidáis al Padre en mi nombre, os lo concederá"* (Jn 15, 16).

Algunos dicen: *"Yo no recurro a Cristo, porque soy demasiado pecador"*. Es que se les olvida con qué clase de gente se codeaba Jesús: la samaritana, que había tenido cinco maridos; Zaqueo, el tramposo y estafador; la Magdalena, de la cual tuvo que echar siete demonios; Santiago, el malgeniado que pedía que lloviera fuego contra los que no lo recibían bien (Lc 9, 54). Juan, que se la pasaba soñando orgullosamente con ser primer ministro (Mc 10, 37). Pedro, el que lo negó tres veces, y Pablo, el que persiguió a su religión. Pero es que a Jesús *no le interesa lo malo que hemos sido sino lo buenos que queremos ser.* De todas estas personas nada santas que hemos citado, hizo personajes llenos de virtud y se los llevó al cielo. Y si ellos fueron ayudados tan prodigiosamente por Cristo, ¿por qué no lo vamos a poder conseguir nosotros también?

Otros afirman: *"Yo no confío mis asuntos a Cristo porque mis problemas son demasiado grandes e imposibles de resolver"*. ¿De veras? ¿Acaso es que puede haber algo imposible para uno que es Dios? Cuando Jesús les habló a los apóstoles de la vida de algunos que por estar demasiado apegados al dinero *les es más difícil entrar al Reino de los cielos, que a un camello pasar por el ojo de una aguja,* los apóstoles se asustaron y exclamaron: "Entonces para esos pobres ya está todo perdido". Pero Jesucristo les respondió: *"Eso es imposible para los seres humanos pero no es imposible para Dios. Para Dios todo es posible"* (Mt 19, 23-26). Es la frase que nuestro Señor nos quiere seguir repitiendo a todos los desanimados que nos imaginamos que nuestros problemas ya no tienen arreglo ni solución: "Para los humanos eso podrá ser imposible, pero para Dios nada es imposible. Para Dios todo es posible". Todo, todo, hasta la solución de esas situaciones tan dolorosas que tienden a desanimarnos y deprimirnos.

Hay algunos que exclaman: *"Yo no recurro más a nuestro Señor, porque llevo años pidiéndole y se ha hecho el sordo".* Es que Dios no es automático, y cuando le rezamos no le estamos dando órdenes ni aconsejándolo cuándo, dónde y cómo debe resolver nuestros problemas. Él es el mayor y nosotros los menores. No es el niño de siete años el que debe decirle a su padre, afamado mecánico y conductor, cómo debe conducir su automóvil. Pero Jesús ha dicho con juramento: *"Todo el que pide recibe"* (Lc 11, 10). No dijo cuándo recibe, pero sí que seguramente recibirá. A Dios hay que dejarle que determine Él, sabiduría infinita, cuándo es que va a concedernos la solución para nuestros problemas. Y estar seguro de que va a intervenir y de manera muy efectiva.

¿Podrá uno deprimirse si tiene la plena seguridad de que el buen Dios escucha siempre sus plegarias y se preocupa por ayudar y proporcionar soluciones? Ah, si le dijéramos muchas veces: "¡Señor, en tus manos confío mis penas y mis planes!".

Jesús nos dijo: *"En el mundo tendrán problemas y dificultades. Pero no se preocupen: yo he vencido al mundo".* A veces al oír las promesas de Jesús nos parecen "demasiado hermosas para ser ciertas". Pero Él pensó bien cada palabra que iba a decir y no dejará de cumplir ni una sola. Y se cumplirá en cada uno de nosotros lo que dice el libro Primero de los Reyes: *"El Señor no ha dejado sin cumplimiento ni una sola de sus promesas".* Si creyéramos más en las promesas de Jesús, tendríamos menos preocupaciones y menos depresión.

2º. CONFIAR EN EL ESPÍRITU SANTO

Hay un libro verdaderamente precioso, que si lo leemos nos va a llenar el cerebro de buenísimas ideas, y el corazón de las más santas alegrías. Su título es *"Maravillas del Espíritu Santo"*. Ojalá lo lográramos conseguir y leer. Su lectura ocupa muy poco tiempo pero el efecto saludable en nuestro espíritu perdurará por larga temporada.

San Pablo dijo que uno de los principales efectos o frutos que el Divino Espíritu trae al alma de quien lo recibe *es una gran alegría y mucha paz* (Ga 5, 22). Y esto lo comprueban los que lo invocan y tratan de no entristecerlo cuando mora en su alma. El Espíritu Santo llena el alma de un santo gozo, y una sana alegría, no un gozo egoísta y orgulloso por haber obtenido triunfos humanos y materialistas, sino una íntima alegría por sentirnos amados y protegidos por Dios, y destinados por Él a los más atrayentes y gloriosos destinos eternos. Y una admirable paz. Pero la paz no significa ausencia de dificultades sino una tranquila serenidad del corazón, proveniente de una gran confianza en Dios a quien el Espíritu Santo nos hace considerar como nuestro Padre y como nuestro más cariñoso amigo y defensor.

Y hay otra cualidad que según san Pablo, el Espíritu Santo regala a los que lo reciben: *la paciencia* (Ga 5, 22). Es esa virtud que no permite que nos dejemos dominar por la tristeza a causa de lo desagradable que nos sucede. Es un no dejarse llevar por la ira, un saber soportar los defectos de los demás y las incomodidades de la vida diaria, y un saber soportarse también a sí mismo con todas sus limitaciones y fallas involuntarias.

Es un aceptar lo desagradable que Dios permite que nos suceda cada día. Es un saber aguardar a que las cosas se solucionen pero poco a poco y no con la velocidad que pide nuestra impaciencia. *La virtud de la paciencia es irreconciliable con la depresión, y cuando la una llega, la otra se va.* Así que si el Espíritu Santo nos regala una gran paciencia, automáticamente nuestra depresión tendrá que poner pies en polvorosa e irse a buscar alojamiento en alguien que no posea el Divino Espíritu.

Tenemos que estar siempre muy agradecidos con el Espíritu Santo a causa de los enormes regalos que nos vive obsequiando, y sobre todo porque está siempre dispuesto a llenarnos de alegría, de paz y de paciencia. Esto lo afirma la Sagrada Biblia, y por tanto, no puede jamás dejar de cumplirse. Ahora lo importante es que nos esforcemos por no entristecer al Espíritu Divino con nuestros pecados, porque dice el Libro Sagrado que lo podemos entristecer (1Ts 5, 19).

¿Pido al Espíritu Santo con cierta frecuencia que me conceda la virtud de la paciencia y una gran alegría? ¿De veras pido alegría? ¿Cuántas veces? ¿Cada cuánto? ¿En esta semana cuántas veces he pedido a Dios que me conceda paciencia y buen genio?

3°. PERDONAR A TODOS Y SIEMPRE

Cuenta el Evangelio que san Pedro le preguntó a Jesús si a una persona se le podían perdonar sus ofensas hasta siete veces y Jesús le respondió que no hay que contentarse con perdonar siete veces sino que hay que perdonar setenta veces siete a quien nos trate mal. O sea, siempre y a todos. Y añadió Jesús la parábola del empleado aquel que le debía al jefe del Estado sesenta millones de denarios (diez mil talentos, y un talento eran 6.000 denarios), y cuando iba a ser vendido como esclavo pidió perdón al jefe y obtuvo ser perdonado de toda aquella inmensa deuda, pero al salir del palacio se encontró con un hombrecito que le debía cien denarios y agarrándolo por el cuello le gritó: "Págame lo que me debes", y el otro le suplicaba diciéndole: "Ten paciencia por unos días más y cuando me paguen quincena te pagaré", pero el otro no le quiso dar más plazo y lo mandó echar a la cárcel. Entonces los otros empleados le contaron aterrados al jefe del Estado lo que había hecho este hombre, y el jefe lo mandó llamar y le dijo: "Hombre malo, ¿con que yo le perdoné a usted sesenta millones de denarios y usted no quiso perdonar al otro ni siquiera cien denarios? Pues usted mismo se decretó su condena. Ya no le perdono nada". Y mandó que le decretaran cadena perpetua... Y Jesús termina la parábola diciendo: "Así hará Dios con ustedes si cada uno no perdona de corazón a los demás". Así que si deseamos ser perdonados por Dios, tenemos que perdonar a los que no han ofendido. Y una manera muy práctica de demostrar que sí los hemos perdonado es rezar para que el Señor los bendiga, los ayude y los proteja. Recordemos que es casi imposible odiar a la persona por la cual rezamos y pedimos bendiciones de Dios. Perdonar es dar un gran paso para recobrar la paz del alma y la alegría del espíritu.

4°. EMPLEAR EL MEJOR REMEDIO: LA FE

Jesús decía: "Según sea tu fe, así te suceda". Esto se sigue cumpliendo siempre y en todas partes. No olvidemos que nuestros éxitos no dependen de nuestras oportunidades ni de nuestra capacidad, sino de nuestra fe. Ya lo dijo el libro de los Proverbios: *"Lo que nos consigue éxitos es la bendición de Dios. Nuestro afán no añade nada"*.

Si nuestra fe es débil repitámosle muchas veces a Jesús lo que le decían los apóstoles: "Señor: auméntanos la fe". Ya veremos que sí nos concede este gran don.

5º. PIDAMOS PERDÓN Y DEMOS GRACIAS POR HABER SIDO PERDONADOS

Todos somos pecadores. No hay alguien en la tierra que no lo sea. Pero el Libro Santo dice: *"Un corazón arrepentido y humillado, Dios no lo desprecia"* (Sal 50, 19). Mas no nos contentemos con pedir cada día al buen Dios que nos perdone. Démosle gracias cada vez que podamos, por habernos perdonado tan generosamente.

Cuando Jesús perdonó a la pecadora arrepentida dijo esta impresionante frase: *"Al que poco se le perdona, poco ama"* (Lc 7, 47). Nosotros podemos repetir en cambio: *"A los que se nos ha perdonado mucho, nos obliga amar mucho al buen Dios"*. Cuanto más reconozcamos lo mucho que hemos sido perdonados por la misericordia divina, más y más amaremos a nuestro Señor.

No gastemos el tiempo en deprimirnos por haber pecado. Empleémoslo más bien en dar gracias alegremente a Dios por habernos perdonado tantas veces.

6º. DEDIQUÉMONOS A TRABAJOS ESPIRITUALES EN FAVOR DE OTROS

Una señora me decía que pasaba los días deprimida y sin ganas de seguir viviendo. Le pregunté qué obras de apostolado hacía y me dijo que ninguna. Que sus ratos libres los dedicaba a descansar y a... No hacer nada. Le insistí en que pocas cosas hay que lleven tanto a la depresión como el pasar el tiempo sin hacer nada. Y la invité a que viniera a ayudarnos en nuestra obra social, a darles charlas de religión y de Biblia y de relaciones humanas a los varios centenares de señoras pobres que vienen a llevar los mercados que repartimos cada semana. Aceptó y viene una hora cada tercer día a darles charlas a las sencillas y pobres señoras de nuestro vecindario. Dios le ha concedido que sus palabras sean bien aceptadas por las oyentes y ya ha conseguido arreglar varios matrimonios desunidos, aumentar la paz en muchos hogares y llevar al fervor religioso a gente que antes era muy fría en religión. Hace poco, después de una de las charlas que les da gratuitamente a esta gente tan necesitada, le pregunté: "¿Sigue sufriendo ataques de depresión?" y me respondió con una alegre sonrisa: *Ya no tengo tiempo para dedicarme a deprimirme y a autocompadecerme*.

Pocas labores hay que alejen tanto la depresión como dedicarse a algún trabajo en favor del bien espiritual de los demás. Esto trae muchas bendiciones de Dios, y una de esas bendiciones es aquella que san Pablo anunció: "El Espíritu del Señor viene al alma y trae alegría, paz, bondad y amor" (Ga 5, 22). Hagamos el ensayo. Busquemos en nuestra parroquia alguna asociación que ayude a los necesitados. Colaboremos allí y la depresión saldrá corriendo con pasos agigantados, y se alejará.

7º. DEMOS GRACIAS POR COSAS CONCRETAS

Las personas deprimidas son por lo general muy desagradecidas con nuestro Señor y, por tanto, son muy infelices. Ellas cumplen casi siempre lo que hace quince siglos decía san Juan Crisóstomo: "Dicen que en la vida suceden más cosas tristes que alegres lo cual es una mentira y que en su existencia ha habido más tristezas y males que bienes y alegrías, lo cual es una solemne ingratitud. Y este modo de pensar vuelve la vida muy desdichada".

Muchos psicólogos piden a la gente deprimida que haga una lista concreta de hechos y sucesos por los cuales quieren dar gracias a Dios. Esto produce unos resultados asombrosos. La víctima que venía siendo atacada por la depresión llega a darse cuenta de que en la vida, por cada nueve cosas agradables le sucede una desagradable y que está llorando por esa décima parte de amarguras, en vez de alegrarse por las otras nueve partes de buena fortuna. Es que somos bastante desagradecidos, aunque nos cueste creerlo y aceptarlo. Y mientras más deprimidos vivamos es señal de que somos más desagradecidos con el Creador y que no recordamos debidamente sus inmensos y continuos favores y beneficios.

Muchas veces el individuo que sufre depresión se niega a hacer la lista de las cosas buenas que le suceden y entonces necesita una persona amiga que le vaya haciendo la tal lista. Y cuando se les presenta encuentran muchas más razones para darle gracias a Dios, de las que se imaginaban que tenían. Y entonces su oración se va volviendo cada vez más y más una oración de acción de gracias y de gratitud. Y la gratitud hacia Dios aleja muy eficazmente la depresión.

Hemos hecho este ensayo con algunos deprimidos: obtener que durante una semana su oración sea buscar temas de gratitud hacia Dios, cosas y causas por las cuales le quieren dar gracias a nuestro Señor. Y sucede entonces como si les hubieran quitado una tela negra que les cubría los ojos: vienen a darse cuenta de que en su vida hay muchísimas más bendiciones del Señor que cosas desagradables y dolorosas, y esto les eleva el ánimo vigorosamente.

Hagamos de la gratitud una costumbre. San Juan Bosco decía que cuando se encontraba con una persona muy agradecida con Dios, se convencía de que aquella tenía un corazón muy noble y que de ella se podía esperar mucho bien. Pero que cuando se encontraba con alguien que en la vida no recordaba sino las penas sufridas y no los favores divinos recibidos le daba la sensación de que el fin de aquella persona podía ser muy lastimero.

Santo Tomás de Aquino afirma que la gratitud forma parte de la justicia porque consiste en recordar con cariño los favores recibidos. Y santo Tomás Moro decía jocosamente: *"Los seres humanos tenemos la mala costumbre de que los favores que recibimos de Dios los escribimos en letras de arena que enseguida se borran y se olvidan, pero en cambio las penas que Él permite que nos suceda las escribimos en lápidas de mármol para que no se nos vayan a olvidar. Y eso es ser muy desagradecidos".*

Los alumnos y el tigre

Dicen que en África se fueron a paseo un profesor y sus alumnos. El profesor les había hecho muchos favores y los amaba mucho, pero era exigente y los formaba seriamente y eso no les agradaba mucho a aquellos negritos. Y sucedió que por el camino salió un tigre y devoró al profesor. Y los alumnos en señal de gratitud le hicieron un monumento a... ¡El tigre! Eso se llama no recordar los muchos favores de una persona sino solamente los pocos sufrimientos, que ella, para que se nos forme la personalidad, ha permitido que nos sucedan. Es la actitud de la persona deprimida: en vez de dedicarse a agradecer los millones de favores recibidos del cielo, se dedica a lamentarse de las pocas penas que el Señor permite que le sucedan para su mayor bien.

¿Somos quejumbrosos o alabadores? A san Dositeo lo llamaban el *"Gracias a Dios"* porque siempre tenía en sus labios una bendición a nuestro Señor por todos "los pequeños detalles maternales" que nuestro Creador tiene para con nosotros cada día y cada hora. Y cada uno de nosotros debiera preguntarse: *"Tengo una actitud de alabanza a Dios en mi vida de cada día. O mi actitud es de un pobre ser quejumbroso que no sabe ver sino lo feo que tiene la vida".*

Think and thank

En una iglesia muy antigua hay este lema en la portada: "Think and thank": "Recuerde y agradezca"; recuerde por ejemplo los diez más grandes millonarios de la actualidad. Sume si puede los millones que ellos tienen. ¿Cambiaría usted todos esos millones por uno de sus ojos o por una de sus manos o por uno de sus pulmones? Recuerde y agradezca. Que lo que ha recibido de Dios no son chucherías ni artículos de pacotilla ni baratijas, sino verdaderos tesoros. ¡Recuerde, sume y agradezca!

Schopenhauer (1860), uno de los sabios más tristes y entristecedores que ha tenido la humanidad exclamaba: *"Nuestro defecto es pensar demasiado poco en lo que tenemos, y demasiado frecuentemente en lo que nos falta"*. Y esta es la mayor tragedia de los pesimistas y desagradecidos y es la que los lleva irremediablemente a la depresión.

La lección de un inválido

Después de la guerra un inválido optimista y alegre decía a un sano deprimido y pesimista: "Tienes muchas cosas por las cuales estar agradecido y por las cuales podrías bendecir al Señor y te la pasas todo el día gruñendo y renegando como un desagradecido. A mí me falta un brazo. Tengo una cicatriz que me atraviesa toda la cara y río y canto y doy gracias. Y tú lleno de salud pasas la vida en medio de lamentaciones. ¿No te parece que eso es ser demasiado ingrato con Dios?". Y aquel joven decía después: *"Mi vida cambió el día en que me propuse hacer la lista de las cosas por las cuales debía estar agradecido y desde que adquirí la costumbre de recordar las cosas buenas por las cuales debo dar gracias a Dios"*.

CREO, EN TI AMIGO:

Creo en ti, amigo:

> si tu sonrisa es como un rayo de luz que alegra mi existencia.

Creo en ti, amigo:

> si tus ojos brillan de alegría al encontrarnos.

Creo en ti, amigo:

> si compartes mis lágrimas y sabes llorar con los que lloran.

Creo en ti, amigo:

> si tu mano está abierta para dar y tu voluntad es generosa para ayudar.

Creo en ti, amigo:

> si tus palabras son sinceras y expresan lo que siente tu corazón.

Creo en ti, amigo:

> si sabes comprender bondadosamente mis debilidades y me defiendes cuando me calumnian.

Creo en ti, amigo:

> si tienes valor para corregirme amablemente.

Creo en ti, amigo:

> si sabes orar por mí, y brindarme buen ejemplo.

Creo en ti, amigo:

> si tu amistad me lleva más a Dios y a tratar mejor a los demás.

Creo en ti, amigo:

> si no te avergüenzas de ser mi amigo en las horas tristes y amargas.

Capítulo XVI

CÓMO ENSEÑAR A LOS JÓVENES A EVITAR LA DEPRESIÓN

La tendencia a deprimirse puede empezar desde muy temprana edad si los mayores no se esfuerzan por evitar a la gente joven este tan desastroso mal comportamiento. Y el autorrechazo y la autocompasión y el formarse una indebida autoimagen, pueden llegarle a una persona desde su infancia si los mayores no cuidan para evitar lo que a todo ello puede llevar. Pero si se les demuestra amor, aceptación y aprobación, pueden conseguir verse libres de la espantable enfermedad de la depresión.

Para que una persona joven pueda crecer sin inclinación a la depresión hay que ofrecerle los siguientes medios:

1º. *Amor y afecto.* La principal causa de depresión en un niño puede ser el carecer de afecto. Por eso en los asilos se forman tantos futuros criminales y tantas personas deprimidas: porque crecieron sin el afecto de unos papás que les demostraran un verdadero amor.

La experiencia de los judíos

En Estados Unidos unos judíos muy ricos fundaron un asilo para niños abandonados. Le pusieron al asilo todas las comodidades, la mejor alimentación, todas las ayudas médicas, enfermeras doctoradas y muy bien pagadas, etc. Los niños crecían tristes y se enfermaban mucho. En cambio en México unas religiosas tenían un asilo pobre, con pocas condiciones de salubridad, y allí los niños crecían alegres y casi no se enfermaban. Y los gringos administradores del asilo judío se fueron al asilo mexicano para averiguar por qué en el asilo rico se morían más los niños que en el asilo pobre donde las enfermeras no eran ni siquiera graduadas. Y supieron cuál era la causa: allí las hermanas les insistían mucho a las enfermeras que debían demostrar mucho amor a los niños y querer a cada uno como si fuera su hijito más amado.

Y los huerfanitos crecían sintiéndose amados y se enfermaban menos y el número de muertos era tres veces menos que en el asilo costeado por los millonarios.

Es que Dios formó de tal manera al ser humano que éste necesita sentirse amado, para poder crecer normal y alegre. El niño para crecer sano y optimista tiene tanta necesidad de sentirse amado, como de comer y dormir. Si no se siente amado, crece resentido e inclinado a la tristeza y a la depresión.

2º. *Aceptación: que el niño se sienta aceptado y apreciado.* Pocas cosas hay que necesite más un ser humano para ser feliz que sentirse aceptado y apreciado. Es una necesidad que si no es satisfecha lleva a la depresión. Cuando sea mayor necesitará aceptarse a sí mismo y apreciarse, y si no lo consigue será infeliz. Pero para ello es absolutamente necesario que de niño haya recibido frecuentes demostraciones de que se le acepta y se le aprecia. Un "tú vales, tú eres capaz, tú podrás obtener muchos éxitos, etc.", sirve mucho más para la futura feliz personalidad que un "no sirves para nada", "eres un inútil o un idiota". Esto último lleva irremediablemente a la depresión.

La educación se compone de un 50 por ciento de corrección y un 50 por ciento de animación. Hay que corregir pero hay también que felicitar y animar. Esto evita que crezcan con inclinación a la depresión.

La tarjeta curativa

En una clínica de los seguros había un médico que cuando veía que un niño estaba muy inquieto y como lleno de miedo, de tristeza o de inseguridad, dejaba junto a su camita una tarjetica que decía: "Este niño necesita diez minutos de cariño". Cuando la enfermera veía aquella tarjetica se dedicaba a demostrar de manera especial a aquel niño que lo amaba y que lo estimaba. Le sonreía cariñosamente, le pasaba sus manos afectuosamente sobre su frente y por sus cabellos, le tomaba la mano y se la acariciaba suavemente y si era necesario lo estrechaba contra su corazón como la mamá a un hijo muy querido. Cuando el médico volvía encontraba al niñito tranquilo y sin tristeza ni depresión.

En cuántos hogares habría que dejarles a los papás esta misma tarjeta: para que su hijo no crezca inclinado a la depresión y a la tristeza le aconsejamos lo siguiente: *"Su niño necesita cada día al menos diez minutos de cariño"*.

Dicen que "amar es determinar". En esta sociedad en la que nadie determina a nadie, el niño necesita darse cuenta de que los mayores lo determinan, lo aprecian y le guardan especial cariño y estimación.

Hay tres clases de amor, y se llaman según su nombre en griego: *amor eros;* se ama porque se siente pasión sensual hacia esa persona. Es un instinto. *Amor filein;* es el amor de padres a hijos y de hijos a padres: amor natural, que la misma naturaleza lo produce. Hay que cultivarlo y tratar de aumentarlo porque puede languidecer y disminuirse y, hasta extinguirse. Y *amor ága-*

pe; amor de benevolencia, que hace que amemos no porque el otro es bueno sino porque nosotros somos buenos. Que nos hace amar no porque los otros se lo merecen o nos van a pagar, sino porque nuestro corazón es amable, bondadoso y generoso. Este amor deberíamos pedirlo todos los días a Dios. Es el amor que Jesús, la Virgen María y todos los santos han tenido hacia los demás. ¿Quién podrá vivir deprimido si siente que le aman con un amor de benevolencia, con un amor que goza haciendo el bien y haciendo felices a los demás?

Amor de benevolencia es tratar a los demás como amigos, como a buenos hermanos. Es sentir que la principal deuda que tenemos hacia los demás es demostrarles que en verdad los amamos y estimamos. Amor de benevolencia es sentirse inclinado a valorar a los demás, es respetar a los otros y nunca demostrar desprecio hacia ninguno. Es sentir la felicidad de saber que las demostraciones de verdadero cariño que ofrecemos a los demás, esas demostraciones de caridad, las pagará Jesucristo como hechas a Él mismo, pues así lo ha prometido solemnemente (Mt 25, 40). Pero no olvidemos que el verdadero amor es una planta que hay que importarla del cielo. Y se consigue pidiendo mucho a Dios que nos conceda la gracia de amar a los demás como nos amamos a nosotros mismos. El amor verdadero es una gracia u obsequio de Dios y esa gracia se consigue pidiéndola muchas veces y con mucha fe.

3°. *Evitar la ira en el hogar.* Para el niño no hay personas más importantes en el mundo que el papá y la mamá. Pero si ve que los dos seres que más quiere y más estima se pelean y se insultan, necesariamente su corazón queda invadido por la tristeza e inclinado a la depresión.

La movilidad exagerada del niño impacienta muchas veces a sus papás, y existe el peligro de reprenderlo con palabras hirientes y humillantes. La ira lleva a formar personas deprimidas. En cambio la corrección amable puede formar gentes alegres.

Hay hombres mayores que exclaman emocionados: "Mi padre era de carácter fuerte e inclinado al mal genio. Pero jamás escuché de sus labios una palabra grosera e hiriente. Creo que bastantes veces discutió con mi madre, pero jamás discutieron delante de los hijos". ¡Qué hermoso ejemplo! Este ver que sus padres no se dejan dominar por la ira, lleva a los jóvenes a ser más inclinados al optimismo y a la alegría que a la depresión.

4°. *Sentir que los papás se aman.* Cuando niños sentíamos una verdadera alegría cuando papá al llegar a casa saludaba con tan gran cariño a nuestra mamá.

Santa Teresita, la santa alegre y simpática, decía: "De niña yo no veía en mi casa sino demostraciones de amor y de simpatía y esto contribuía grandemente a hacerme alegre mi infancia". Y san Francisco de Sales, el santo más amable y más optimista, recordaba que su infancia transcurrió en un clima de afecto y de santa estimación entre todos sus familiares. Esto necesariamente lleva a formar personas muy inmunes a la depresión y muy inclinadas a la amabilidad y a la alegría.

50. *Contarles a los niños cuánto es el amor que Dios nos tiene.* El santo de la alegría y del optimismo, san Juan Bosco, narra en su autobiografía que su santa madre los llevaba a ellos de pequeños a contemplar los campos floridos y les decía: "Si Dios cuida de estas florecitas, ¿cuánto más cuidará de nosotros?". Y les señalaba las mirlas y los copetones y golondrinas y les decía: "Si el buen Dios cuida de estas avecitas, ¿cuánto más cuidará de nosotros que valemos mucho más que muchas golondrinas y co-

petones? Y cuando caía un fuerte aguacero los hacía asomar a la ventana y les decía: "Así como caen tantas gotas de agua a fertilizar la tierra, así caen sobre nosotros las ayudas y bendiciones de Dios cuando rezamos y nos encomendamos a Él". Y en las noches estrelladas les hacía mirar al cielo y les decía: "Si el cielo es tan bonito por este lado, ¿cómo será por el otro lado, donde están Dios y sus ángeles y santos? Allí iremos un día si nos portamos bien". Y este modo de hacer que los niños se sintieran amados por Dios los hizo crecer tan alegres y optimistas, que san Juan Bosco fue después el hombre admirable que jamás ni siquiera ante las dificultades más espantosas se dejó dominar por la tristeza, el desaliento o por la depresión.

¿Cómo podrá vivir deprimido quien desde pequeño, aprendió a creer que un Dios amabilísimo le acompaña las 24 horas del día y los 60 minutos de cada hora? ¿Acaso puede uno vivir entristecido si cree firmemente que Jesucristo murió por cada uno de nosotros y ruega noche y día por cada uno, nombrándonos por nuestro propio nombre? Puede uno vivir lleno de depresión si sabe que el Espíritu Santo está siempre ayudándonos y que un cielo eterno nos espera para ser felices para siempre. Enseñemos esto a los niños y los haremos crecer más felices.

CUANDO TU PRÓJIMO...

Cuando tu prójimo *necesita un favor,*
  no se lo niegues si puedes hacerlo.

Cuando tu prójimo *te quiera hablar,*
  escúchalo.

Cuando tu prójimo *esté enfermo,*
  visítalo.

Cuando tu prójimo *esté en peligro,*
  protégelo y defiéndelo.

Cuando tu prójimo *se encuentre triste,*
  consuélalo.

Cuando tu prójimo *se esfuerza por ser mejor,*
  anímalo.

Cuando tu prójimo *se equivoca,*
  corrígelo con cariño.

Cuando tu prójimo *te pide algo prestado:*
  ayúdale si puedes.

Cuando tu prójimo es *calumniado,*
  defiéndelo.

Cuando tu prójimo *te ofende,*
  perdónalo.

Cuando tu prójimo *te quiere discutir,*
  no le discutas.

Cuando tu prójimo *se muera,*
  reza por su eterno descanso.

* * *

"Todo lo bueno que quieres que los demás
te hagan tienes que hacerlo tú a ellos".

(Jesucristo)

Capítulo XVII

CÓMO AYUDAR A UN AMIGO QUE SUFRE DEPRESIÓN

El que sufre depresión necesita ayuda. A veces se encierra en un triste silencio, se ensimisma, se aísla y parece que necesita estar solo. No lo creamos así. En este tiempo es cuando más necesita la compañía de gentes amigas y bien comprensivas. Aunque parezca que rechaza nuestra presencia, sin embargo la está necesitando.

Desdichadamente los familiares muchas veces reaccionan negativamente ante el deprimido, y ante su comportamiento desagradable en vez de tratar de comprenderlo y animarlo, lo que hacen es tratarlo con palabras duras de desaprobación y hasta lo dejan solo. Y al deprimido le puede hacer mucho daño la soledad.

No debemos esperar que quien sufre depresión busque la compañía de otras personas. Este mal lleva a aislarse. Pero es entonces cuando nuestra caridad nos debe llevar a hacerle compañía. San Pablo en la Biblia *dice: "La caridad es servicial, todo lo excusa, todo lo soporta"* (1Co 13, 7). Si en verdad amamos a una persona trataremos de estar a su lado para ayudarle, no sólo en los momentos en que está alegre y todo le resulta bien, sino sobre todo en las ocasiones en las que por haberle resultado algo de la manera contraria a lo que esperaba, se entristece y se deprime. El Espíritu Santo nos iluminará varios medios de ayudar a la persona deprimida, pero aquí aconsejamos algunos que han demostrado ser bastante útiles:

1°. Hacernos presentes

Es lo mejor que podemos hacer por un deprimido: estar a su lado ahora que es cuando más nos necesita. No importa que demuestre que no le agrada nuestra presencia. Ella le es necesaria ahora que sus emociones negativas lo dominan. No hace falta que le estemos hablando, o que le preguntemos o que le estemos dando consejos. Nuestra presencia es una señal de amor y aprobación que sentimos hacia él y esto contrarresta los sentimientos de desaprobación y de rechazo que lo han llevado a la depresión.

2°. No lo compadezcamos

Precisamente por andar autocompadeciéndose fue por lo que llegó a la depresión. La autocompasión ha sido causa de haberse hundido en el pantano de la depresión y de la tristeza. No justifiquemos su actitud de autorrechazo pero tampoco lo condenemos. El deprimido necesita al máximo comprensión y no condenación.

3°. Proyectemos esperanzas en la pantalla de su imaginación

El deprimido proyecta desesperanza y desaliento y tristeza en su imaginación y al hundirse los proyectos que tenía y al destruirse las metas que deseaba conseguir, empieza a mirar la vida desde una perspectiva negativista y le parece que ya no habrá solución ninguna para su gran mal. Como sus pensamientos están concentrados en lo malo que le ha sucedido, las circunstancias le parecen más negras de lo que son. Por eso necesita que alguien le "pinte" la vida y el futuro de una manera diferente, más optimista y esperanzadora de lo que la está pintando su imaginación entristecida.

El caso de Elías: cuando el profeta Elías llegó a tal grado de depresión que pidió a Dios que le enviara la muerte, porque le parecía que se había quedado como único creyente en Israel, y que su futuro como profeta ya no tenía ninguna esperanza, entonces el bondadoso Dios le hace saber que además de él hay otros siete mil creyentes en su país y que para el futuro le tiene reservadas todavía varias actividades importantes. Este presentarle una visión optimista del presente y del futuro lo libró de su depresión y lo hizo volver a su antigua actividad apostólica (1R 19).

"La vida espera mucho todavía de ti", podemos decir al deprimido. ¿Que una persona le traicionó? Pero quedan todavía miles de millones que le pueden ayudar con fidelidad. ¿Que alguien le negó su amor? ¿Y es que no hay millones más que sí pueden ser fieles en el amor? ¿Que este negocio fracasó? ¿Y cuántos hay que al principio perdieron todos los ahorros de una vida en un mal negocio, volvieron luego a empezar y ahora ya están otra vez económicamente bien? ¿Qué hablan mal? Pero es que hay que recordar lo que dice *la Imitación de Cristo*: "No somos más porque nos alaban ni menos, porque nos critican. Somos lo que somos ante Dios, y nada más ni nada menos, aunque los demás digan en contra nuestra todo lo que se les antoje".

4°. animar pero no discutir

La persona deprimida no está para discutir. Tiene su sistema nervioso demasiado alterado para poder discutir en paz. Por eso no le discutimos. Tratamos de animarlo lo más que podamos, pero no discutiremos, porque eso agravaría su desánimo.

5°. Tratar de hacerle pensar en otra cosa

El peligro para la depresión es la cavilación. Cavilar es concentrar el pensamiento en un tema depresivo. Es necesario distraer el pensamiento. Cuando asesinaron al presidente Kennedy, su hermano Bob, que era ministro de justicia, empezó a deprimirse horriblemente y no era capaz de quitar de su imaginación la muerte de tan estimado hermano. Entonces lo enviaron a China a dar un paseo, y allá ante semejantes maravillas tan antiguas e impresionantes, logró sacarse de la mente el pensamiento triste que lo dominaba.

Una señora contaba que ella estaba muy deprimida pero que en un viaje un vecino empezó a contarle las historias trágicas de su propia existencia y que ella ante la narración tan emocionante del otro logró distraer su atención hacia aquello otro y descansó enormemente dejando de pensar en sus propios males y angustias.

Cuántas viudas, después de la muerte del marido que tanto amaban, sienten un verdadero alivio al irse a vivir a otro sitio donde nada les recuerde al difunto cuya muerte les ha hecho sufrir tanto, y así logran distraer su atención hacia otros temas distintos al de su amarga pena.

6°. Tratar de comprometerlo en una actividad

La actividad física es un remedio formidable para alejar la tristeza y la depresión. El hacer ejercicio físico lleva más sangre al cerebro y éste al sentirse mejor irrigado trabaja mucho mejor. Muchas veces produce más descanso y más tranquilidad en el alma una hora de trote que una hora de sueño. El cansancio emocional llena los nervios de toxinas, pero una fuerte actividad física echa fuera esas toxinas. Hay que aconsejarle hacer algún deporte o dedicarse a alguna actividad o labor física. Porque es necesario cansarle físicamente, que esto le descansa espiritualmente.

7°. No demostrarse demasiado joviales

Le ha sucedido a uno un fracaso en un negocio y llega el otro y porque es muy optimista lo saluda sonriendo y le dice: "¡Lo felicito, todo resultará maravilloso!" Eso puede producir disgusto. Es un no ponerse en el sitio del otro.

Cuando murió mi madre, un santo sacerdote se me acercó y me dijo: "No se me vaya a escandalizar. Pero le voy a decir la frase que un anciano sacerdote me dijo a mí cuando murió mi madre: *"Lo felicito, porque desde ahora tiene en la eternidad una intercesora que le va a conseguir maravillosas ayudas de Dios. Pues la mamá aunque en esta vida ayuda mucho, desde la eternidad ayuda muchísimo más"*. Esta frase no me disgustó, sino que me animó, porque me la supo decir muy seria y amablemente (y en verdad que desde aquel día pude constatar que lo que el sacerdote me había dicho acerca de la madre que parte para la eternidad, era una verdad total y muy agradable).

8°. Brindémosle ayudas con la Palabra de Dios

La Sagrada Biblia tiene frases inmensamente consoladoras. Cuando recordamos la frase de san Pablo: *"Todo sucede para bien de los que aman a Dios"* (Rm 8, 28) recibimos un gran descanso al pensar que esto que nos sucede no es para nuestro mal.

Quién no se alegra y no se anima cuando se le recuerda la promesa que Dios repite tres veces en la Sagrada Biblia: *"No te angusties que yo nunca te abandonaré"* (Hb 13, 5).

Qué gran bien le haremos a un deprimido si le aconsejamos leer libros tan agradables como el que se titula: *"Cómo vencer las preocupaciones"* de Carnegie. O *"Secretos para triunfar en la Vida"* o *"Cien fórmulas para llegar al éxito"* de Sálesman.

9°. Enseñémosle a ser agradecido

Pocas cosas alejan tanto la depresión como el recordar los favores que Dios nos ha concedido. A veces ocurre que nos suceden diez cosas buenas y una mala, y nos deprimimos por ese hecho desagradable y nos olvidamos de los otros diez hechos agradables. Y qué gran bien puede hacerse al deprimido quien le recuerda los muchos bienes que el Señor le ha concedido, los triunfos que Dios le ha permitido conseguir. Las personas que le han querido bien y las horas felices de su vida que sin duda han sido muchísimo más numerosas que sus horas tristes. Dar gracias al Señor ayuda a alejar tristezas.

Y no olvidemos jamás: el deprimido necesita compañerismo y comprensión. Lo peor que le puede suceder en esos momentos es quedarse solo. Así como en un luto todos los amigos corremos a hacernos presentes y esta presencia nuestra aminora muchísimo la enorme pena de los dolientes, así en los momentos de depresión, nuestra presencia amable y comprensiva puede disminuir mucho la tristeza y ser una ayuda incomparable. Pero para esto se necesita amor, mucho amor y verdadero amor.

SI SUPIÉRAMOS TODO LO QUE DIOS SABE, ACEPTARÍAMOS TODO LO QUE ÉL PERMITE.

PORQUE ES PARA NUESTRO BIEN.

Apéndice I

DISTINCIONES ENTRE UN BUEN CARÁCTER Y UN MAL CARÁCTER

1. *El buen carácter calla cuando debe callar* (y eso no es ser débil). Calla y espera, cuando una imprudencia podrá echarlo todo a perder. El contemporizador llega a ser dueño del mundo. No gasta sus energías luchando contra la tempestad sin necesidad, sino que aguarda un poco a que haya calma.

El mal carácter dice abiertamente todo lo que le disgusta: expone con aspereza sus opiniones y hace enojosa la vida a los demás. Se olvida de que la prudencia debe regir la vida de los demás y que "el que dice todo lo que quiere, oirá también lo que no quiere".

2. *El mal carácter es desabrido.* Molesto para oírle contestar. Sombrío, retraído. Corta las sanas distracciones. Inexorable en la crítica. Destaca las menores faltas con reproches amargos. Se irrita a la menor contrariedad. Tiene una ironía mordaz. "Cada palabra suya es como una puñalada" (es frase de la Sagrada Biblia, en el libro de los Proverbios). Desconoce el placer de darle la razón al contrario y ser complaciente. Es brusco, rencoroso, susceptible. Su mal viene de adentro y produce una doble des-

dicha; para él y para los demás. Y se va quedando solo y abandonado. Una general oposición es la sanción a un mal carácter.

El buen carácter es alegre: suelta una serie de observaciones placenteras aunque la situación actual no sea la más agradable. Gusta del humor, del chiste oportuno. Sabe que lo que no se puede cambiar es mejor aceptarlo y seguir viviendo de la manera más feliz. No se dedica a pensar y pensar en un problema o disgusto que han llegado. Trata de solucionarlos, pero sin amargarse la vida por ello. *Mantiene su pensamiento y su actitud lo más tranquilos y joviales posibles.*

De la persona de buen carácter nunca se podrá decir lo que de su cónyuge dicen algunas personas: "Nunca jamás pronuncia una frase alegre".

Cuando una persona conoce que no es necesaria, ni importante, ni deseable, pierde la alegría de vivir. Por eso quien posee su buen carácter llena su conversación de expresiones que demuestren a los que viven con él, que si se les aprecia y se les considera importantes.

3. *El mal carácter es pesimista.* Reduce de tal manera su personalidad que la conduce a la mayor esterilidad. El apostolado y la influencia de muchas personas se quedaron en la mediocridad a causa de la imagen tremendamente pequeña que se hicieron acerca de su propio yo.

Por su pesimismo, el mal carácter *carece de ideales* y no tiene poderosos deseos de triunfo. El pesimismo los priva de los estímulos que los podrán impulsar al efectuar grandes acciones, y los vuelve perezosos, tímidos, agotan la vida en soñar y no se atreven a realizar lo que desean, por temor a los demás.

El buen carácter es optimista. Sabe que no está luchando solo. Sabe que todo el poder y la inmensa bondad de Dios le acompañan todos los días de su vida. Dice como san Pablo: "No lucho al azar como dando puñetazos al viento (Cf. 1Co 9, 26; Flp 3, 14; Hb 13, 6). Tengo una meta donde me espera el gran premio que Dios tiene destinado a todos los que se esfuerzan. Aunque las dificultades se me presenten tan numerosas y fuertes como un ejército en orden de batalla, nada temo, porque Dios está conmigo y ha prometido no faltar nunca al llamado de los que lo invocan con fe".

Mejor carácter: mejor vida. Para conquistar las personas hay que conquistar ante todo su corazón. Las cosas se solucionan o se complican según el buen o mal carácter de quien las dirige.

Por eso para una vida más feliz es necesario tener un buen carácter. Para más éxitos: mejorar el carácter.

El físico nadie lo va a cambiar. Si nacimos eucaliptos, nadie nos va a convertir en sauces. Pero el espíritu sí se logra cambiar. En el carácter se puede obrar el milagro que se efectuó en los llanos del Tolima y en los desiertos de Israel: con un regadío bien llevado se volvieron fuentes de riqueza lo que antes eran valles de tristeza. El carácter, con un poco de esfuerzo, nos puede producir inmensas ganancias de simpatía y triunfos en nuestra vida social.

Hagamos el ensayo. Ni siquiera imaginamos lo que ganaremos mejorando el carácter que tenemos.

Apéndice II

LAS LÁGRIMAS TAMBIÉN ENGORDAN

(Artículo científico-humorístico de Mateo Taquillé)

"No llore, los hombres no lloran".

Cuántas veces le habrán dicho esto. Y usted que quiere ser hombre de verdad, se ha sorbido las lágrimas. Ahora por muchas ganas que tenga ya no llora, porque quiere ser hombre valiente.

"¡Infeliz de usted!"... *Todas las veces que ha dejado de llorar, ha causado un gran perjuicio a su salud.* No hay nada tan saludable como las lágrimas. Y se lo voy a demostrar a usted con argumentos de los mejores sabios.

Le voy a citar un nombre que vale por diez. Se trata del famoso sabio Alexánder Fleming, el inventor de la penicilina. ¿Cómo le parece el nombrecito? Ahora lea con atención y pásmese ante el maravilloso descubrimiento del doctor Fleming sobre las lágrimas.

Pues sí. Las lágrimas no son únicamente agua salada, sino que contienen una maravillosa sustancia llamada *lisozima,* la cual mata los microbios del organismo.

Y si lo duda, vea cómo lo descubrió el sabio inglés. Sr. Alexánder estaba estudiando unos microbios del resfriado que había extraído de la nariz de una persona atacada de un enorme constipado. Y de pronto, en el recipiente donde estaban los microbios, se le cayó un poquito de moco nasal. Entonces el sabio contempló maravillado, que todos los microbios que se acercaban al moco morían de muerte repentina.

Todo lo demás fue soplar y hacer botellas. El moco de la nariz (perdón por repetir la palabra) está formado por gran cantidad de lágrimas. Y en esas lágrimas el doctor encontró la sustancia que mataba los microbios. La llamó *lisozima,* y así se llama hoy todavía.

Esto ocurrió en 1921. Ahora los sabios han descubierto que la *lisozima* no sólo mata los microbios del constipado, sino muchos otros, entre ellos los que producen la poliomielitis.

Fíjese en la importancia de este dato: los niños que más lloran son los menos expuestos a la perniciosa enfermedad de la poliomielitis.

Con razón el sabio Platón (que vivió hace miles de años) decía que las lágrimas son una mezcla de agua y fuego, porque uno después de haber llorado, queda desahogado y parece que quemó sus penas.

Cuando, a causa de un gran disgusto, una mujer no puede llorar, o un hombre no quiere hacerlo por hombría, aparece un estado de opresión y unos espasmos terribles, que sólo cesan después de haber llorado.

Para que algunos simples anden diciendo todavía que: "¡Los hombres no lloran!".

Y para que se decida a llorar de una vez, le diré que los sabios han descubierto que una gota de lágrimas mata en un segundo todos los microbios que pueden caber en treinta gotas de agua saturadas de estos bichos malignos.

Y ahora cuando la gente le pregunte: ¿por qué llora? —responda con valentía:— "Lloro para matar los microbios".

Así que este artículo no es para hacerlo reír a usted, sino para hacerlo llorar. Y para que se convenza del todo, le añado otros datos: las lágrimas normalizan la flora intestinal (esto sí que es cultura). El llanto cicatriza las heridas, y desinflama el estómago. El llanto en su fase de "chillar" obtiene que a uno le consigan en la casa las cosas que está pidiendo, etc. Si después de todo esto no está usted llorando, merece una buena paliza.

Apéndice III

LA PRIMERA LECCIÓN PARA OBTENER CARIÑO

Preguntaron a una madre, ¿cuál era el secreto para obtener que sus hijos fueran tan amados por los demás?, y ella respondió: "Mi primera lección es enseñarles a sonreír".

Y resumía así los consejos que ella da a sus hijos: sonríe, sonríe, hasta que notes que tu continua seriedad o tu seriedad habitual hayan desaparecido.

Sonríe, hasta que logres que el calor de tu rostro alegre, caliente tu corazón que tiende a ser frío.

Recuerda que tu sonrisa tiene un trabajo que hacer: ganar amigos para ti, y almas para Dios. Puedes ser apóstol con sólo sonreír.

Sonríe a los rostros solitarios. Sonríe a los rostros enfermos.

Sonríe a los rostros arrugados de los ancianos.

Sonríe a los rostros sucios de los pordioseros.

Deja que en tu familia todos gocen de la belleza y de la inspiración que provienen de tu rostro sonriente.

Cuenta, si tú quieres, el número de sonrisas que la tuya haya despertado en otros durante el día.

Ese número representa cuántas veces tú haz fomentado la felicidad, la alegría, el ánimo y la confianza en otros corazones. La influencia de la sonrisa se entenderá hasta donde tú ni siquiera alcanzas a sospechar.

Tu sonrisa te abre muchas puertas, allana las dificultades y hasta puede obtenerte excepcionales favores.

Puede ser un comienzo de conversión a la fe.

Puede ganarte un sinnúmero de verdaderos amigos.

Y sonríe también a Dios: aceptando lo que Él quiere que te suceda, porque ya sabes que todo redunda en bien de los que aman al Señor.

Sufrir con amor es delicioso, pero sonreír en el sufrimiento es el arte supremo del amor. Sonreír en el sufrimiento es cubrir con pétalos vistosos y perfumados las espinas de la vida, para que los demás sólo vean lo que agrada, y Dios, que ve en lo profundo, anote lo que nos va a recompensar.

Y así obtendrás que en el último día, Cristo tu juez, te sonría también satisfecho y te lleve a donde nunca vas a dejar de sonreír.

HUELLAS EN LA ARENA

CUANDO LA SITUACIÓN SE COMPLICA: TE LLEVO EN MIS BRAZOS

Una noche en mis sueños vi que con Jesús caminaba
junto a la orilla del mar bajo una luna plateada.

Soñé que veía en los cielos mi vida representada
en una serie de escenas que en silencio contemplaba.

Dos pares de firmes huellas en la arena iban quedando
mientras con Jesús andaba, como amigos conversando.

Miraba atento esas huellas reflejadas en el cielo,
pero algo extraño observé, y sentí gran desconsuelo.

Observé que algunas veces, al reparar en las huellas,
en vez de ver los dos pares, veía sólo un par de ellas.

Y observaba también yo que aquel solo par de huellas
se advertía mayormente en mis noches sin estrellas.

En las horas de mi vida llenas de angustia y tristeza
cuando el alma necesita más consuelo y fortaleza.

Pregunté triste a Jesús: "Señor, ¿tu no has prometido
que en mis horas de aflicción siempre andarías conmigo?"

"Pero noto con tristeza que en medio de mis querellas,
cuando más siento el sufrir, veo sólo un par de huellas".

"¿Dónde están las otras dos que indican tu compañía
cuando la tormenta azota sin piedad la vida mía?"

Y Jesús me contestó con ternura y comprensión:

"Escucha bien, hijo mío, comprendo tu confusión".

"Siempre te amé y te amaré, y en tus horas de dolor
siempre a tu lado estaré para demostrarte mi amor".

"Más si ves sólo dos huellas en la arena al caminar,
y no ves las otras dos que se debieran notar, es que
en tu hora afligida, cuando flaquean tus pasos,
no hay huellas de tus pisadas porque yo te llevo en mis brazos".

Raúl Villanueva

Si pudiésemos
aceptar
nuestros fracasos
con serenidad
no sería tan difícil
levantarnos.

DETERMINE
CON PRECISIÓN
CUÁL ES
EL PROBLEMA
QUE LE PREOCUPA
Y HAGA ALGO
EFECTIVO
POR PONERLE
EL HOMBRO
Y REMOVERLO

¿Le agradó este libro? Claro que sí.

No lo deje en la mesa o en el armario.

Vuélvalo a leer. Repáselo, que le va a aprovechar.

Y si ya lo leyó y lo releyó, por favor, préstelo a otros para que lo lean también.

Recomiéndelo a muchos más. Será un gran favor que les hace, y que le van a agradecer.

Estás páginas tienen sabiduría divina venida del cielo, y su lectura transforma a las personas y les ayuda a ser más felices.

Dios sea bendito para siempre. Amén.

SÓLO EN EL CIELO SABREMOS
EL GRAN BIEN QUE HICIMOS
PROPAGANDO LAS BUENAS LECTURAS

ÍNDICE

Introducción   3

Capítulo I

Un problema que se llama depresión   5

Capítulo II

Comportamientos que demuestran depresión   17

Capítulo III

Síntomas de la depresión   23

Capítulo IV

Ciclos de la depresión   38

Capítulo V

Causas que producen la depresión   64

Capítulo VI

Los métodos para curar la depresión   83

Capítulo VII

La ira y la depresión   123

Capítulo VIII

La autocompasión y la depresión   149

Capítulo IX

Cómo superar la autoconmiseración   182

Capítulo X

Lo que puede hacer la mente
para detener la depresión   201

Capítulo XI

La autoimagen y la depresión   229

Capítulo XII

El temperamento y la depresión   287

Capítulo XIII

Espiritismo, brujería y depresión   304

Capítulo XIV

La música y la depresión   310

Capítulo XV

Remedios prácticos
para combatir la depresión   314

Capítulo XVI

Cómo enseñar a los jóvenes
a evitar la depresión   326

Capítulo XVII

Cómo ayudar a un amigo
que sufre depresión   333

Apéndice I

Distinciones entre un buen carácter
y un mal carácter   339

Apéndice II

Las lágrimas también engordan   342

Apéndice III

La primera lección para obtener cariño   345

TALLER SAN PABLO
BOGOTÁ
IMPRESO EN COLOMBIA — PRINTED IN COLOMBIA